16

D0276602

Rozen en rococo

Van dezelfde auteur:

Lucia, Lucia

Adriana Trigiani

Rozen en rococo

2007 – De Boekerij – Amsterdam

Oorspronkelijke titel: Rococo (Random House)
Vertaling: Rosemarie de Bliek
Omslagontwerp: marliesvisser.nl
Omslagfoto: Femke Reijerman, House of Orange

ISBN 978-90-225-4844-8

Voor mijn man,
die alles kan repareren

1

De interieurkunstenaar aan de kust van Jersey

1970

Ik wil graag een indruk geven van mijn huis. Het is een klassieke Engelse cottage aan een baai aan de Atlantische Oceaan, in het stadje Our Lady of Fatima in New Jersey, ongeveer acht kilometer ten noorden van Interlaken. Door de veldstenen buitenkant heeft het iets weg van een klein fort, daarom heb ik witte heesters geplant en hemelsblauwe haagwinde, die speels over de dakkapellen hangt, als losse krullen van een cherubijn. Het huis van een alleenstaande man moet tenslotte uitnodigend zijn.

Elke ochtend bij zonsopgang staat de voorkamer in een roze gloed die zich door geen enkele verftint laat evenaren. Geloof me, ik heb het geprobeerd. In plaats daarvan heb ik de muren neutraal gehouden, in zachtbeige dat ik goudbruin noem. Als de muren zo onopvallend zijn, moeten de meubels eruit springen. Zo tikte ik als bekleding voor mijn Louis Quatorze-bankstel een volmaakte chintz op de kop, met bloemen als juwelen in turkoois, koraalrood en jadegroen, die van een botergele achtergrond af spetteren. De stof absorbeert het licht en straalt meer warmte uit dan een vlammend vuur in de open haard. Wie beweert dat je snel genoeg krijgt van gewaagde kleuren voor je meubilair weet niet waar hij het over heeft. De juiste stof blijft jarenlang een lust voor het oog; het kan je signatuur worden. Scalamandré's Triomphe nr. 26301 is mijn creatie.

Mijn dag begint wanneer ik in alle vroegte met een kop sterke zwarte espresso naar buiten ga om naar de zonsopgang te kijken. Dat ritueel heb ik van mijn moeder, die in een bakkerij werkte, overgenomen. Bakkers zijn de grote filosofen van deze wereld, vooral omdat ze zo vroeg op moeten staan. Als er stilte heerst wordt er grote kunst gecreëerd, of tenminste bedacht. Nu is het moment om een schets of aantekeningen te maken en te fantaseren.

Vanaf mijn terras aan de voorkant, een strak simpel portaal met een leien vloer (ik heb zelf de donkergrijze, lichtpaarse en rookblauwe plaveien gelegd), kijk ik naar de lucht en de zee en zie hoe de wind hun kleuren beïnvloedt. Soms golft de oceaan met witte schuimkoppen die op ruches lijken. Ineens verdwijnt het licht en wordt alles als grijs satijn. Als de zon weer tevoorschijn komt, verdwijnen de donkergrijze wolken en wordt de wereld zo verstild als een bibliotheek, het water zo vlak als de bladzijde in een boek, als Venetiaans glas onder een strak blauwe lucht.

Wat een zegen om aan het water te wonen! Al die prachtige tinten en kleurschakeringen. Dit kleurenpalet is de grootste schilders waardig. De textuur van zand en steen zou een inspiratiebron kunnen zijn voor onvergelijkelijke sculpturen, en de geluiden – het gestage kabbelen van de golven, het aangename gekwetter van de vogels – maken dit tot een uniek oord. Ik neem het uitzicht tot in detail in me op en vertaal het palet naar het interieur van de huizen in de omgeving. Ik ben namelijk dé binnenhuisarchitect van dit stadje.

Velen hebben onze kleine stad vergeleken met het dorp van waaruit mijn familie is geëmigreerd, het bekoorlijke Santa Margherita, genesteld in de Golf van Genua aan de Middellandse Zeekust van Italië. Ik ben er nooit geweest, maar ik geef de voorkeur aan mijn geboortestad boven het origineel. Italië is ondanks de rustieke charme nooit met New Jersey te vergelijken. Hier hechten we waarde aan evolutie en verandering; Italië, hoewel hartverwarmend, is een monument voor het verleden. In Amerika veranderen we onze kamers in gelijke tred met de mode. In Italië tref je sierkussens aan zo oud als de lijkwade van Turijn.

Mijn werk bestaat voor een deel uit het overtuigen van mijn cliënten dat verandering goed is, en ze dan te begeleiden bij het maken van de juiste keuzes. Ik herinner me nog dat ik het tweepersoonsbed van mijn nicht Tiki Matera voorzag van een fluwelen hoofdeinde (ze leed al vanaf haar geboorte aan slapeloosheid) en dat ze me vertelde dat ze zich voor het eerst in haar leven zo veilig voelde, dat ze 's nachts doorsliep. Dat art-decodetail veranderde haar kamer en haar leven, geen futiliteit. Dat is de kern van wat ik doe: het creëren van een omgeving die comfort met een essentiële vleug glamour biedt. Ik heb mijn eigen bedrijf, the House of B, opgebouwd en daarmee mijn reputatie. HOB staat voor het oog van Bartolomeo di Crespi en de ziel van schoonheid zelve: waarheid, kleur en een dramatisch accent, van meubelhoes tot ovenhandschoen. Ik rommel niet maar wat aan.

Mijn werk beperkt zich niet tot een bepaalde stijl. De rococoperiode waarin Frans ontwerp en Italiaanse flair elkaar ontmoetten vind ik een droom om inspiratie uit te halen. Maar ik hou van alle stijlen: modern Chinees, Engelse Regency, Frans-Normandisch, modern prairie, victoriaans (zonder poespas), vroeg Amerikaans (met poespas), alle Louis van I tot en met V (Vuitton, uiteraard), naoorlogs, vooroorlogs, bungalow, kluizenaarsnest, zelfs al is het een blokhut. Ik ga voor groot en voor klein.

Ik werk van binnen naar buiten. Binnenhuisarchitectuur van klasse omvat de ruimte waarin je leeft en alles wat het oog door je ramen ziet. Vaak breng ik kleuren van buiten naar binnen, wat rust geeft aan de ziel en harmonie schept. Ik kan bijvoorbeeld een spiegelvijver installeren, die je vanuit je woonkamer ziet en die het maanlicht weerspiegelt, of voor je keukenraam een tuin met wilde bloemen en een rozenboog boven een kabbelende fontein planten, of bij je slaapkamer een smeedijzeren tweezitsbank neerzetten, omgeven door seringenstruiken voor nachtelijke romantiek.

Je huis moet je inspireren tot grootse emoties. Het moet bruisen van kleur en lef. Elk detail telt; elk kwastje, gordijnkoord en doorschijnend stofje moet iets uitdrukken. Onder mijn geoefend oog veranderen saaie hoeken in Romeinse baden, terwijl een nietszeggende entree wordt omgetoverd tot een majestueuze foyer, en prutserige gipsplaatplafonds fresco's worden. Laten we er niet omheen draaien, ik kan een boerderij in een villa veranderen. Dat deed ik om precies te zijn in Vittorio Drive, drie straten verderop.

Mijn leven als binnenhuisarchitect begon niet met een flits van inspiratie, maar met een probleem. Ik werd geboren zonder enige symmetrie. Mijn hedendaagse neus is niet de oorspronkelijke versie. Zodra ik oud genoeg was om me op de stoel voor mijn moeders kaptafel te hijsen (art deco, roodgevernist, met een roze fluwelen stoel, 1920), vanwaar ik de zijspiegels zo kon manoeuvreren dat ik mijn gezicht vanuit drie hoeken kon zien, besefte ik dat er iets moest gebeuren. Van links zag mijn neus eruit als de vleugel van een Cadillac, en van rechts als een taartpunt en en face als een angstaanjagend paar donkere holten, twee zulke grote, diepe neusgaten dat je er je bagage in zou kwijtraken. Die moest weg.

Als Italiaanse Amerikaan was ik geboren in een familie met opvallende neuzen. De di Crespi's stonden bekend om hun vis (pa had een bootje om op schelpdieren en krabben te vissen en een winkeltje in de stad om zijn vangst te verkopen) en om hun profiel. We waren niet de enigen. Onze buren waren ook van Italiaanse afkomst, veelal uit hetzelfde dorp, en zij hadden hun versies van de haakneus. Het waren allemaal variaties op hetzelfde thema in alle mogelijke vormen, met hoeken en punten, allemaal met één overeenkomst: te groot.

Ik kreeg van huis uit mee dat ik trots moest zijn op mijn culturele en nasale erfgoed, daarom was het niet schaamte die me naar de chirurg voerde, maar een hang naar perfectie. Instinctief zoek ik naar harmonie. Gezichten hebben net als gebouwen een goede infrastructuur nodig.

Zodra ik genoeg had gespaard (ik had een baantje na school en werkte vijf zomers bij Mandelbaums bank als muntsorteerder en kasbediende), nam ik de bus vanuit Our Lady of Fatima (OLOF) naar het kantoor van dr. Jonas Berman in East Eighty-sixth Street in Manhattan. Ik was achttien en had een schetsboek met spiraalband onder mijn arm, en een chequeboek in mijn zak.

Eerst had ik in houtskool mijn zelfportret met mijn oorspronkelijke neus getekend. Vervolgens in een serie gedetailleerde tekeningen de neus zoals ik hem wilde, vanuit elke mogelijke hoek. Dr. Berman bladerde door het schetsboek. Verbluft door mijn artistieke talent beweerde hij dat Leonardo da Vinci's potloodschetsen van vroege vliegtuigen inferieur waren aan mijn tekentalent.

Als ik mijn neus liet corrigeren, wilde ik er zeker van zijn dat ik de neus van mijn dromen kreeg. Ik wilde geen slagersklus, waardoor ik opgezadeld zou worden met een mopsneus in Hollywoodstijl. Ik wilde een voorname, rechte, klassieke neus. Kort gezegd, herkenbaar Italiaans, maar een paar maten kleiner. Ik kreeg precies wat ik wilde.

Mijn zus Toot (zoals in het liedje 'Toot, Toot, Tootsie', en niet zoals een claxon toetert), die elf jaar ouder is dan ik, was de eerste die mijn nieuwe neus zag toen de zwelling verdwenen was. Ze was zo verrukt van het resultaat dat ze mijn vader overhaalde om zijn auto te verkopen zodat zij ook onder het mes kon. Mijn vader, die een vrouw nooit iets kon weigeren, betaalde voor De Operatie (zoals mijn moeder de ingreep uiteindelijk noemde). Ik had me in het zweet moeten werken om mijn nieuwe profiel te bekostigen. Maar ik ben niet haatdragend.

Toot koos ervoor om haar neus niet in New York door mijn kundige chirurg te laten doen, maar door een arts in New Jersey die, naar men zei, verantwoordelijk was voor Vic Damones karakteristieke scheve neus. (Ik ben de enige van de familie die niet in medische koopjes gelooft.) Toen dr. Mavrodontis Toots verband eraf haalde waren ma, pa en ik erbij voor de onthulling. Mama klapte van blijdschap in haar handen en pa pinkte een traan weg. Over verandering gesproken. Haar nieuwe neus had een scherpe punt met zo'n uitgesproken 'wip' dat je er een kerstsok aan kon hangen. Weg was haar oude neus, die eruit had gezien als een elleboog, maar was deze tere Ann Miller-versie een verbetering?

In alle eerlijkheid, haar nieuwe neus gaf mijn zus de dosis zelfvertrouwen die ze nodig had. Plotseling geloofde ze dat ze mooi was. Daarom ging ze op een spartaans dieet van doorbakken biefstuk en rauwe tomaten en viel ruim vijftien kilo af. Ze epileerde haar wenkbrauwen en ontkrulde haar haar (door het een jaar lang elke nacht nat om sinaasappelsapblikjes te rollen en daarmee te slapen), en werd niet lang daarna, in de juiste strakke zwarte spijkerbroek met een strak angoratruitje, verliefd op Alonzo 'Lonnie' Falcone, een juwelier, tijdens een barbecue van de Knights of Columbus in Belmar. Zes maanden later vierden ze een grootse bruiloft in de kerk van Our Lady of Fatima, waarna ze kort na elkaar drie zonen kregen. Haar neus mag dan niet perfect zijn, hij bracht haar wel geluk.

817 Corinne Way is al achttien jaar Toots adres. Na een paar schrale jaren in een rijtjeshuis in Bayonne, begon Lonnies zaak te lopen en kochten ze een huis in OLOF om in de buurt van mijn ouders te kunnen wonen. Toen Toot en Lonnie gingen scheiden, kreeg zij het huis, een Georgian juweel met chique palladiaanse zuilen aan weerszijden van een glimmend eiken voordeur met ruitjes van glas in lood.

Ik stop op de oprit naast de geelgroene Cadillac van mijn zus. Ik stap uit en neem het voetenbankje dat ik opnieuw voor Toot bekleed heb mee. Het gazon is pas gemaaid en groen. De bukshouten heggen zijn keurig gesnoeid. Alles aan de buitenkant van het huis klopt, op één kolossale misser na: mijn zus heeft de entree verknald met een rustieke verandaschommel die ze op een rommelmarkt in Maine heeft opgeduikeld. Ook al zeg ik dat Georgian nou eenmaal vloekt met een verandaschommel, de schommel blijft en ik hou mijn mond. Eigenlijk ben ik een beetje bang voor haar. Toot is altijd een tweede moeder voor me geweest, en zoals elke Italiaanse zoon je zal vertellen, heb je aan twee Italiaanse mama's in één leven je handen vol. Je hoort me niet klagen, want we zijn dol op elkaar; ik buig voor haar mening in familieaangelegenheden en zij voor de mijne op esthetisch vlak (meestal; ze heeft per slot van rekening de schommel gehouden).

'Ik ben er!' roep ik monter. Het ruikt in Toots huis altijd naar anisette en pruttelende koffie, dezelfde heerlijke geuren als thuis bij onze moeder.

'Ik ben achter, B,' roept ze terug.

Met het voetenbankje dat ik opnieuw voor haar boudoir heb bekleed met lichtblauwe wol loop ik door de lange gang, die behangen is met een Schumacher-paisley in zachtgeel met wit. Ik heb het hele huis ingericht, maar mijn parel op de kroon is haar keuken. Daar heb ik me echt op uitgeleefd.

Om te beginnen stuurde ik mijn zus voor drie maanden uit logeren bij neef Iggy met de astmakwaal in Las Vegas. Toen sloopte ik de oude keuken. Ik bouwde een erkerraam in de achtermuur voor optimaal licht en ontwierp een Romeins rolgordijn van puur wit katoen om de zon binnen te laten zonder de nieuwsgierige buren inkijk te geven. Onder het raam maakte ik een vensterzitje, met kussens van praktische rode keper (Duralee Hot Red nr. 429). Ik ben er een voorstander van dat alle stoffen in een keuken wasbaar zijn.

Voor de grap gebruikte ik extra grote ritsen voor de kussenovertrekken om het metaal van de apparatuur te accentueren. Om de natuur naar binnen te halen betimmerde ik de muur rondom het raam met wit berkenhout. De andere muren behing ik met een sprekende rood-witte streep (Colefax & Fowler) en ik installeerde witte formicakastjes met rode keramische handgrepen. Het resultaat is om te snoepen: net pepermunt!

Het aanrecht van wit marmer heeft een verlengstuk waarmee je in een handomdraai een L-vormige ontbijthoek maakt, met gelikte barkrukken in wit lakleer, afgewerkt met koperen noppen. De noppen passen bij de glanzende koperen pannen die als bedeltjes aan een armband boven het aanrecht hangen. De koelkast met ernaast het gasfornuis kocht ik oorspronkelijk wit, maar ik liet ze afleveren bij Chubby's Garage, om ze glimmend knalrood te laten spuiten. Ik bedenk altijd iets om iets extra's toe te voegen aan een interieur, vaak met de meest ongebruikelijke attributen. Belangrijk om te weten.

De keukentafel heeft een blad van brede witte keramische tegels. Onder de tafel heb ik een snijplank aangebracht, die kan worden uitgetrokken voor extra werkruimte. Dat is handig wanneer Toot pasta maakt. Om de tafel heen staan knusse bankjes in vrolijk rood gingang. Het kleurenschema klopt helemaal. Het leeft! Het vrolijkt op! Als je in deze keuken staat, voelt het alsof je midden in een tomaat staat, precies zoals ik het wilde.

'Hoe vind je deze combinatie? Hij is nieuw.' Toot doet haar versie van een modellenpirouette, met haar rechtervoet voor de linker omlaagwijzend en haar armen op taillehoogte uitgestrekt als een melkster. De trui is een ramp, een enorme witte kraag op een oranje kabelvest. (Ik zie dat het ding van fijne kasjmierwol is, maar wat haalt dat uit? Het enige wat je ziet is rond, rond, en nog eens rond in plaats van slank. Lengte flatteert mijn zus, niet breedte.) De bruine lange broek heeft wijd uitlopende pijpen. Ze ziet eruit als een maïskolf. 'Het is een ontwerp van St. John,' zegt ze met een veelbetekenende knipoog.

'Alleen een heilige komt met zo'n kleurencombinatie weg,' zeg ik.

Net als de meeste mediterrane types ziet mijn zus er goed uit voor haar leeftijd. Bij zacht kaarslicht of met behulp van een lichtdimmer lijkt ze op Natalie Wood, maar wel gezet. Op klaarlichte dag is ze net onze overgrootmoeder, de gezellig mollige Bartolomea Farfanfiglia, die we nooit gekend hebben, maar die ons vol afkeer aanstaart vanaf een vergeelde foto op de tv.

'Ik laat kronen op mijn tanden zetten,' kondigt mijn zus aan. Hou in de gaten: Toot heeft altijd wat. Aan zichzelf werken is haar heilige graal. Als ze niet op een dieet van Slimfast-shakes staat of een zwembad laat installeren (geïnspireerd op de Olympische zomerspelen), is ze wel met een ander project aan de slag gegaan, dat ze helaas nooit tot een einde brengt. Ik heb geleerd aan haar toe te geven. 'Waarom zou je iets aan je tanden laten doen? Je hebt een pracht van een glimlach.'

'Alleen als ik mijn kaken op elkaar hou. Met een gezicht in ruste ben ik om te stelen.' Toot beziet haar weerspiegeling in het ovenvenster. 'Maar als ik mijn hoofd achterovergooi en schater, lijkt het wel of ik leef op zwarte gombeertjes.'

'Laat er dan maar kronen op zetten.'

'Geloof het maar. Ik ben eenenvijftig, en ik tandenknars al mijn hele leven. Zo raak ik mijn nervositeit kwijt, en nu bijt ik voortdurend in mijn tong. Zie je?' Toot laat haar wijsvingers achter haar wangen glijden. 'Ik ben bang dat dat voortdurend geknars me mondkanker bezorgt. Maar ik kan er niets aan doen. Ik heb een arsenaal aan mondproducten. Mijn mondhygiënist zegt dat alles verandert tijdens de overgang.' Ze gebaart naar me dat ik moet gaan zitten. 'Nog een reden om me zonder omlaag te kijken uit het zolderraam te werpen.'

Ze loopt naar het aanrecht en wast haar handen terwijl ik het voetenbankje voor haar boudoir ter goedkeuring op het vensterzitje plaats. 'En, hoe vind je het?'

'Schattig,' zegt ze. 'Ik zal het naast de chaise lounge zetten.'

'Toot, hoe vaak moet ik je vertellen dat het chaise *longue* is, niet *lounge*. Longue betekent "lang" in het Frans.'

'Als ik erop lig, ben ik aan het loungen. Wat maakt het verdorie uit hoe we het noemen?'

'Omdat het niet klópt. Ik verzin het niet zelf.' Ik probeer niet te snauwen. 'Het zijn historische termen, die gehanteerd worden in de ontwerpwereld. Toon er een beetje respect voor. Probeer het althans.'

Schouderophalend opent Toot een grote plastic koektrommel en ze plaatst voorzichtig geglaceerde kokoskoekjes op een bord. 'Ik heb zoveel aan mijn hoofd, B.' Ze breekt een hoekje van een blauw koekje af en eet het op, dan geeft ze mij een koekje met roze suikerglazuur. Even later piekt onze bloedsuikerspiegel troostrijk en zakken we ontspannen achterover op het zachte bankje, als twee lepels in cakebeslag. Toot schenkt hete koffie in twee rode bekers met witte stippen. Ze schuift de suikerpot en room naar me toe en legt een klein zilveren lepeltje op een roodwit gingang servet naast de beker.

De verticale rimpel op haar voorhoofd trekt weg als ze nog een stuk koek afbreekt en in haar koffie dompelt. Ik weet niet hoe vaak ik aan de keukentafel van mijn zus heb gezeten en iets zoets in een beker hete vloeistof dompelde. Dat ritueel geeft me altijd een prettig, vertrouwd gevoel. Toot pakt het koekje op alsof het de heilige hostie tijdens een mis is en zegt: 'Na oudejaarsavond geef ik deze voorgoed op.'

'Het is pas april.'

Ze kauwt. 'Ik heb een paar maanden voorbereiding nodig.'

Mijn zus heeft fijne handjes voor haar omvang. Haar officiële naam, Nicolina, betekent kleine Nicky, maar ik kan me niet herinneren dat ze ooit klein is geweest. Ik weet nog dat mijn moeder ons meenam om badkleding te kopen toen ik heel jong was, en dat Toot achter een paskamergordijn huilend klaagde: 'Maat 44 zit te strak.' Ik was nog jong tijdens de laatste oprispingen van de crisisjaren. De meisjes droegen zwartwollen badpakken uit één stuk op het strand, met knopen als enige versiering. Toot had haar zinnen gezet op een strapless badpak, iets waarin ze Myrna Loy bij het zwembad had gezien op een foto in het blad *Modern Screen*. Niemand kon het over zijn hart verkrijgen om haar te vertellen dat haar enige uiterlijke overeenkomst met Myrna Loy misschien wat sproetjes waren. Mijn moeder, die schat, stuurde haar met zachte hand naar de modellen voor oudere dames omdat ze wist dat Toot niet in de moderne pakjes zou passen. Toot tekende luid protest aan en liet ma weten: 'Ik ben jong! Ik wil een meisjesbadpak!' Uiteindelijk verloor mijn moeder haar geduld en zei: '*Non puoi uccidere una mosca con un cannone.*' Wat vrij vertaald betekent: je kunt een olijf niet met een kippenpoot vullen.

'Lekker, hè?' Toot ziet me tevreden kauwen. Ik steek goedkeurend mijn duim op om me niet in de kruimels te verslikken. 'Ben je het nu met me eens over mijn tanden?'

'Ik vind het allemaal prima.'

'Het gaat me niet alleen om het uiterlijk, B. Hoewel, op mijn leeftijd zoek je allerlei manieren om aan jezelf te sleutelen, ook al word je er soms uiteindelijk nog lelijker van. Ik wou dat het alleen maar was uit naturalisme…'

'Narcisme.'

'Juist. Maar het is medisch. Ik kan niet kauwen. Ik moet mijn salade zo fijn snijden dat het wel soep lijkt. Ach, wat maakt het uit, misschien val ik wel een paar pond af.'

De gedachte komt bij me op dat mijn zus de afgelopen jaren uit noodzaak dikker is geworden. Zonder man moest ze enige omvang hebben om haar zonen in het gareel te houden. Ik sloofde me uit om te helpen, maar dat was niet voldoende. Mijn neven, Nicholas en Anthony, zijn helaas *gavones*. Toch is er een straaltje hoop: haar jongste zoon, die naar mij is vernoemd, Bartolomeo de Tweede, die we Two noemen, lijkt mijn kunstzinnige aanleg te hebben. Hij studeert theaterwetenschap aan de Villanova.

'Naar wie wil je gaan?'

'Dokter Pomerance. Die man is een genie. Ze zeggen dat hij Hubert Humphreys tanden heeft gedaan.'

'Heeft hij kronen laten zetten? Dat zou je niet zeggen.'

'Dan heb je alleen oude foto's gezien.' Ze haalt haar schouders op. 'B, ik moet een beroep doen op je generaliteit.'

Mijn zus, die 'longue' en 'lounge' door elkaar haalt, zegt altijd 'generaliteit' in plaats van 'generositeit', en het lijkt me zinloos om haar daar nu op attent te maken.

'Het gaat om Nicky. Hij is in een huis in Freehold getrokken met… haar.'

'Die vriendin van hem?'

'Ondine Doyle. Klinkt goedkoop, vind je niet?'

'Het klinkt eigenlijk als een visgerecht in het Mayfair.'

'Haha.' Toot wuift zich wat koelte toe. 'Ik krijg er iets van. Rosemary Callabuono houdt al sinds de lagere school van mijn zoon, en hij ziet haar nog niet staan.'

'Die Rosemary met lupus?'

'Ja, maar het is nu een stuk minder. Beter een vrouw met lupus dan een losbollige vrouw. Waarom moest hij van alle meisjes op de wereld nou net háár kiezen. Allejezus.'

Ik probeer me Ondine voor ogen te halen. Dat is niet makkelijk, aangezien mijn neef net zo makkelijk van vriendin wisselt als van ondergoed. Ik herinner me een weelderige, ranke blondine met korte benen en een wipneus. 'Is zij degene die op zijn schoot zat op het pinksterfeest?' vraag ik terwijl ik me herinner dat ze zich tegen mijn neef aan kronkelde als een krolse kat toen de band 'Louie Louie' speelde.

'Precies! Ze heeft hem verleid met seks. Mij houden ze niet voor de gek. Nicky zei: "Ik hou van haar, ma." En ik antwoordde: "Dat denk je maar!"'

'Waarom hebben losbandige vrouwen altijd Franse namen?'

'Hoe moet ik dat weten?' Toot fronst haar wenkbrauwen, zodat ze de vorm van een vliegende vogel krijgen.

'Als Nicky het huis uit is, heb je nu een extra kamer.'

'Haal je maar niets in je hoofd,' zegt ze waarschuwend. 'Ik heb geen zin in nieuwe poespas. Ik denk dat ik er een hometrainer neerzet.'

'Prima idee!'

'Misschien kan ik wat aan mijn spieren doen.'

'Goed zo.' Altijd bemoedigend, ik.

'O ja? Zie ik er soms uitgezakt uit?'

'Nee, nee, helemaal niet, maar van trainen krijg je een oppepper. En iedereen heeft toch graag een oppepper?'

'Dat wel.' Toot glimlacht.

Jarenlange ervaring heeft me geleerd om het onderwerp fitness bij mijn zus te mijden. Ze heeft zich nog nooit ingespannen, maar de kelder staat vol met de allernieuwste apparatuur die op de markt verschijnt. Een paar jaar geleden bracht Woolworth de revolutionaire Tummy Chummy uit, een klein wiel met twee handgrepen om de buikspieren te trainen. Toot kocht het ding, nam het mee naar huis, knielde en begon te rollen, maar haar buikspieren waren zo zwak dat ze op het wiel ineenzakte en haar hoofd zo aan een stoel stootte dat ze er een blauw oog aan overhield. *Ciao, ciao*, Tummy Chummy.

'Ik schaam me zo voor mijn zoon. Samenhokken in Freehold alsof hij van de straat komt. Ze wonen in het betere gedeelte, maar toch… het ziet er armoedig uit.' Toot knijpt haar neus dicht. 'Het is zo ordinair. Let op mijn woorden. 1970 is het begin van het eind der beschaving. Deugdzaamheid bestaat niet meer.' Ze neemt een slok koffie. 'Ze hebben vitrage nodig…'

'Gordijnen,' verbeter ik haar.

'Gordijnen dan. Meubels. Lonnie zei dat hij zou betalen.'

'Uitstekend. Want ik heb het druk. Ik heb geen tijd om op koopjesjacht te gaan.'

'Geloof me, als ze iets te bieden had, zou ik de inrichting met een gerust hart aan haar overlaten, maar ze komt uit een buurt waar de huizen beginnen te trillen als er een trein voorbijgaat, dus ze heeft geen smaak. Ze heeft geen onderkleding. Ik weet zeker dat ze geen onderjurk heeft, want ik zag precies hoe laat het was toen we in Nicky's auto stapten na ons bezoek aan warrige tante Mary in het tehuis.'

'In elk geval gaat ze op bezoek bij de zwakkeren onder ons.'

'Omdat Nicky haar meesleepte. O, ik kan wel huilen. Geen klasse. Ze draagt sandalen met een open neus zonder kousen in december. Zie je het voor je? Alles zit strak om haar heen.'

'Ze is nog jong.'

'Zeven jaar ouder dan Nicky. Echt, een slechte partij. Ze is al aardig op weg om te verdorren. Dat kun jij niet invoelen. Jij hebt geen kinderen. Hoe zou jij weten wat voor teleurstelling ik voel, zo diep dat het steekt in mijn onderbuik...'

'Zo is het wel genoeg,' onderbreek ik haar. Toot heeft de nare gewoonte om kwaaltjes waar mannen liever niets over weten met naam en toenaam te benoemen.

'Bij mijn heupbeen. Hier.' Ze wijst omlaag. Ik kijk niet. 'Geen wonder dat ik een ontsteking kreeg toen Nicky door mijn geboortekanaal ging. Het moet een voorteken zijn geweest. Negen pond als een vrachtlading door mijn lichaam gedenderd. En kijk eens wat voor verdriet hij me de rest van mijn leven bezorgt!'

'Ach, kom. Je bent dol op hem.'

'Dat weet ik. Ik haat hem en hou zo veel van hem dat ik hem wel kan vermoorden. Waarom moet mijn eerstgeboren zoon zich aan zoiets vergooien?'

'Misschien houdt hij van haar.'

Toot kijkt me aan alsof de stank van de Carbone-papierfabriek in Hazlet hier midden in pepermuntjesland staat. 'Was ma er maar.'

'En als ma er was, wat dan nog? Ze zou met je meeklagen, maar geen van tweeën zouden jullie er iets aan doen, want jullie zijn

Italiaanse moeders.' Ik raak verhit en begin luider te praten. Toot kijkt geschrokken. 'Precies, Toot, je praat alleen maar. Je hebt zonen die je als prinsen behandelt, je bedient ze op hun wenken, verwent ze, legt ze in de watten, adoreert ze, eist nooit dat ze ook maar een vinger uitsteken om je bij wat ook maar te helpen, en dan ben je verbaasd als ze voor een Franse hittepetit vallen in plaats van voor een braaf katholiek meisje. Wil je weten waarom ze met sletten aan de haal gaan? Omdat jouw jongens het veel te makkelijk hebben, daarom!'

'Dus het is natuurlijk allemaal mijn schuld!' zegt Toot terwijl ze op het tafelblad slaat en in tranen uitbarst. Haar mascara loopt uit. Dikke marineblauwe tranen rollen als inkt uit een pipet over haar gezicht. Ze dept de vegen weg met een wit wegwerpdoekje.

'Voor een deel wel, ja!' roep ik terug. 'Maar niet helemaal! Mama heeft mij net zo opgevoed als jij je zonen, met één verschil. Ik wist wel beter! Ik wilde voor mezelf kunnen zorgen. Ik vond mijn omgeving belangrijk. Ik heb geprobeerd verder te komen met wat onze ouders ons geleerd hebben. Wanneer ik ma zag strijken, dacht ik: die kraag doe ik beter, en dan liet ik haar zien hoe. Wanneer ze soep maakte dacht ik: ik kan die selderij fijner snijden; en dan nam ik haar het mes uit handen. Wanneer ze de kerstkrans opmaakte, dacht ik: die strik is te groot; en dan corrigeerde ik dat. Mama was nooit mijn dienstmeid.'

Toot opent vermoeid een kast vol overgebleven eetgerei van Chinese afhaalmaaltijden, een stapel kartonnen borden van het 4 julifeest afgelopen zomer en plastic bekers met VROLIJK PASEN erop. Ze haalt er een kartonnen bord met een afbeelding van de kerstman en zijn rendieren uit en legt het vol koekjes. 'Wat kan ik daar nu nog aan doen? Het zijn volwassen mannen. Ze zijn het nest ontsprongen.'

'Uit gevlogen, Toot. Uit gevlogen.'

'Ik wil graag dat je dit bord naar Nicky brengt. God mag weten of hij bij haar genoeg te eten krijgt. Dat is natuurlijk ook mijn schuld.'

'Waarschijnlijk wel. Als jouw moederlijke schuldgevoel verf was, zou ik genoeg hebben om het hele Yankee Stadium te schilderen. Je hebt naar beste weten gehandeld. Finito.'

Uit de waskamer klinkt een luide zoemer.

'Dat is de droger.' Toot droogt haar tranen, staat op en loopt naar de aangrenzende kamer. Ze komt terug met een mand vol fris gewassen witgoed. Ze trekt een smetteloos hemd uit de stapel en vouwt het op.

'Van wie is die was?'

'Wat zeg je?' vraagt ze onschuldig.

'Van wie is hij?'

'Van Nicky,' zegt ze zacht.

'Hij woont in zijn eigen huis en jij doet nog steeds zijn was? Wat is dat voor onzin?'

Toot negeert die vraag en steekt haar kin omhoog. 'Denk je dat ma weet dat haar lievelingskleinzoon in zonde leeft?'

'Natuurlijk weet ze dat, en het kan haar niet schelen. Ze vliegt daar boven rond als een engel, waarschijnlijk met de snelheid van het geluid, om pa niet tegen het lijf te lopen.'

'Daarmee is het allemaal begonnen. Het begon met hun verziekte huwelijk. Ik heb geen goed voorbeeld gehad.'

'Daar hebben we het uitentreuren over gehad,' zeg ik gedecideerd. 'Begin daar alsjeblieft niet over.'

Toot krijgt een nadenkende blik. Hoe graag ik ook over iets anders wil beginnen, ik krijg een stortvloed over me heen over onze immigrantenouders en hun gearrangeerde huwelijk en hoe haar dat voor het leven heeft getekend, en dat ik daar niet van ben uitgesloten want 'kijk eens goed naar jezelf, je bent bijna veertig en niet getrouwd.' Ik luister met een half oor en neem nog een koekje.

Ik ga nooit in de verdediging om mijn vrijgezellenbestaan. In feite is het, als ik mijn leven beschouw, de beste beslissing die ik ooit heb genomen. Ik vind het heerlijk om alleen te leven, te weten dat er precies genoeg melk in de koelkast is voor het graanontbijt, nooit naar het plakband te hoeven zoeken, naakt te slapen, wakker te worden met *silencio* in plaats van een hoop kabaal. Ik mis geen enkel aspect van het gezinsleven. Ik heb het achttien jaar meegemaakt met mijn ouders en mijn zus, en die ervaring heeft elk verlangen in die richting gedoofd.

'Daar draait het om.' Toot bonkt op haar borstkas, ergens in de buurt van haar hart. 'Jij en ik hebben nooit geleerd wat liefde is. We kunnen het verleden niet van ons afschudden. Ik had een goed huwelijk voor het op de klippen liep, en moet je me nu zien: ik kan niet verder met mijn leven. Iedereen schijnt gewoon verder te gaan, behalve ik. Lonnie is twee keer opnieuw getrouwd sinds hij bij me wegging, en ik heb nauwelijks een afspraakje gehad. Een keertje uit eten en naar een voorstelling, is dat te veel gevraagd?'

'Nee, helemaal niet.' Maar mijn instemming kan haar niet stuiten.

'Ik ben bezoedeld.' Ze pakt een stapel onderbroeken van Nick en strijkt ze met haar handen glad alvorens ze terug te leggen in de wasmand. 'Niemand wil een bezoedelde vrouw. Ma trouwde met een bedrieger, en ik ook. Mijn eigen schuld dat ik in een riool van ontrouw ben gezogen en aan de andere kant als verkoold vuil ben uitgespuugd. Waarom zag ik niet wat er onder mijn neus gebeurde? Ik had beter moeten weten. Of minstens iets moeten vermoeden. Als mijn ex-man nu zou binnenkomen, zou ik een stoel naar zijn hoofd gooien.'

'Daarom komt hij waarschijnlijk nooit langs.' En daarom is hij waarschijnlijk vertrokken, maar dat zeg ik niet hardop. Waarom het nog erger maken?

'Misschien is dit mijn eindstation, maar voor jou niet. Je zou met Capri Mandelbaum moeten trouwen.' Toot zet de wasmand op het vensterzitje.

'Ik hou niet van "moeten".'

'Jij kunt het je veroorloven om nonchalant te zijn. Als je wilt trouwen' – ze knipt met haar vingers – 'kan dat. Een man kan altijd een vrouw krijgen, maar een vrouw kan na een bepaalde leeftijd alleen maar ellende krijgen. Jij bent een bofkont. Je weet niet hoe het is als je door eenzaamheid verstikt wordt en je sommige nachten geen oog dichtdoet van spijt en verdriet.' Toot schenkt me koffie bij.

'Ik betwijfel of ik ergens spijt van zal krijgen.'

'Ik ben ouder dan jij. Ik weet er alles van. Er komt een dag waarop je jeugd je verlaat als een vervlogen parfumgeur. Jij hebt je haar en taille nog, B. Kijk naar Capri, ze loopt al tegen de veertig. Geloof maar dat zij ook eenzaam is, met haar bijziende ogen, zo erg dat ze niet eens haar eigen hand kan zien zonder bril. Ze heeft je nodig, en jij haar.'

'Ik weet wat ik nodig heb,' zeg ik zacht.

'Ga een keer een weekend weg met Capri. Dat is net als twee katten bij elkaar in een kast zetten: er gebeurt íéts. Of jullie vermoorden elkaar of jullie paren.' Toot trommelt op de Tupperware-koekjestrommel.

'Wat een aanlokkelijk vooruitzicht, hoe het ook uitvalt.'

'Jaja, maak er maar een grap van. Ik begrijp je niet. Ze is rijk! De Mandelbaums hebben meer geld dan Onassis, en het is zelfs nog beter, want het zijn dollars. Snap je dat niet? Je zou heel New Jersey kunnen inrichten; je vrouw zou de cheques tekenen. Je zou kroonluchters kunnen ophangen in de heren-wc's van het Shell-station langs Route 9, verdomme nog aan toe.'

'Daar streef ik niet naar. Ik wil de wereld verrijken. Huizen inrichten is bevredigend, maar ik heb een grotere droom.' De woorden zijn mijn mond nog niet uit of ik heb al spijt dat ik het hardop heb gezegd.

'Wat zeg je?'

'Ik wil meer dan alleen maar rijk zijn of benzinestations inrichten.'

Toot gaat zitten. 'Je wilt de stad toch niet uit? Want als je zou vertrekken, zou ik me van kant maken.'

'Ik ga nergens heen.'

'Goddank.' Toot zucht diep. 'Waar gaat het dan om?'

'Ik wil de Fatimakerk opknappen en opnieuw inrichten.'

Toot wuift met haar hand alsof ik een lastig insect ben. 'Je komt er je hele leven al. Ik snap niet waarom pastoor Porporino je die opdracht niet zou geven. Je bent de enige binnenhuisarchitect in de stad.' Ze houdt haar hand bij de tafelrand en veegt wat kruimels van de tegels.

'Ik zou die opdracht moeten krijgen omdat ik een speciaal idee heb voor de kerk, niet omdat er geen andere kandidaten zijn.'

'Jij met je megamanie.'

Ik neem niet de moeite haar te corrigeren. Deze keer heeft ze het bijna goed.

Ze praat verder. 'Maak je niet druk. Ik heb nog nooit een kamer van je hand gezien die ik niet mooi vond. Je mag dan de enige binnenhuisarchitect van de stad zijn, maar je bent ook de beste.'

Mijn zus kraamt onzin uit, maar ik ben niet in de stemming om het uit te leggen en door de koekjes is mijn bloedsuikerspiegel nu gedaald, waardoor ik het gevoel heb dat ik in een lift in razende vaart omlaagzoef. Ik laat mijn hoofd in mijn handen zakken. Toot staat op en leunt tegen het aanrecht. Ze overziet haar achtertuin met gevouwen handen waardoor ze griezelig veel lijkt op het St.-Theresiabeeldje op de vensterbank. 'Wat gaat er van ons worden?' zegt ze. 'Ik zal uiteindelijk alleen achterblijven, net als tante Teeny, die ging slapen met een zuurbal in haar mond en stikte toen die als een flipperkastkogel in haar keel bleef steken en een droge holte creëerde die haar strottenhoofd verlamde, wat haar dood werd. Wie zal er voor mij zijn?'

Ik voel een golf van medelijden voor mijn zus, maar vecht ertegen. Ik laat me niet vermurwen door haar zieligdoenerij. 'O, kom op, je bent heus niet alleen. Wie komt er naar je toe zodra je belt?'

Ze denkt even na. 'Jij.'

'Wie heeft je woonkamer behangen en je muurlampen opgehangen?'

'Jij.'

'Kijk eens naar je keuken! Een juweel van een ontwerp! Het zou zo in *House and Garden* kunnen! Alles splinternieuw, van het fornuis tot en met het braadpannetje.' Ik sta op en ga naast haar bij het aanrecht staan.

'Ik ben heel blij met wat je hier gedaan hebt. Echt waar.' Ze rekt zich uit en laat haar handen over de koperen pannen glijden. Ze tinkelen als een klokkenspel.

'Wie ging met je mee toen je je nieuwe auto kocht en bracht je naar de stad voor een teenoperatie?'

'Dat deed nog meer pijn dan mijn heupbeen,' zegt ze zacht.

'Ik heb altijd voor je klaargestaan.' Ik sla mijn armen om haar heen. 'En dat blijft zo. Dus hou op met klagen.'

'Elke man die ik ooit heb gekend heeft me in de steek gelaten... behalve jij. Drie natuurlijke geboorten, en jij hebt me elke keer naar het ziekenhuis gebracht.'

'Inderdaad, dat klopt.'

'Je hebt zelfs Two's navelstreng doorgeknipt. Lonnie was toen in Miami. Hij was altijd in Miami.' Toot trekt een zakdoek vanonder haar bh-bandje vandaan; ze vouwt hem open en snuit haar neus. 'Weet je, ik ben nog nooit in Miami geweest.'

'Wil je naar Florida? Ik neem je mee.'

'Nee, dank je. Het is daar te vochtig. Mijn haar gaat kroezen in die hitte. Maar ontzettend lief dat je het aanbiedt.' Ze pakt mijn hand beet. 'Ik wil je bedanken voor alles wat je voor me hebt gedaan. Daarom ga ik een verjaardagsfeest voor je geven.'

'O, nee, daar komt niets van in.'

'Zeker wel. Ik heb alles al gepland, samen met Christina. Arm kind. Ze is zo depressief. Ik hoopte dat een feest haar zinnen wat zou verzetten.'

Ik trek mijn hand los. 'Niet te geloven dat je op die manier op mijn schuldgevoel wilt inspelen.'

'Hoezo, schuldgevoel?' Toot blikt onschuldig voor zich uit.

'Ik wil geen feest!'

'Ik weet dat je een hekel hebt aan verrassingen...'

'Een blóédhekel!' Ik sla met mijn vuist op het aanrecht om mijn woorden kracht bij te zetten.

'Daarom zeg ik het je nu, van tevoren. De gasten zullen natuurlijk denken dat je er niets van weet, omdat ik hun iets te doen moet geven.'

'Nee!'

'Ik wil iets teruggeven. Laat me toch. Veertig is een molensteen.'

'Mijlpaal,' verbeter ik.

'Wat dan ook. Alle neven en nichten komen.'

'Ik kan die mensen niet uitstaan.'

'En je hebt hun jarenlang cadeaus gegeven. Laten zij voor de verandering eens voor jou een cadeau kopen.'

'Ik heb nog vijftien portefeuilles van mijn dertigste verjaardag liggen.'

'Je had moeten vragen of ze die voor je wilden ruilen.'

'Voor wat?'

'Een man in jouw positie kan altijd dassen en handschoenen gebruiken.'

'Heb je gezien hoe ze zich kleden? Ik kies liever zelf mijn accessoires. Geen feest! Versta je me? Nee, dus!'

Toot bestudeert haar nagellak en kijkt me dan aan. 'Te laat. Ik heb de garage al uitgeruimd.'

Terwijl ik naar Freehold rij, kom ik in de verleiding om uit te stappen en mezelf in het aangelegde meer bij het industrieterrein te werpen om mijn zusters verbittering van me af te spoelen. Ik weet niet waarom ze klaagt. Haar ex heeft ervoor gezorgd dat ze voor het leven onder de pannen is. Tot op de dag van vandaag stuurt Lonnie haar sieraden; in ruil daarvoor maakt mijn zus elke eerste zondag van de maand een pan gehaktballen in saus, die ze naar hem toe laat brengen. Toegegeven, het staat in geen verhouding – wat Lonnie haar stuurt zijn stalen, en meestal zijn de sluitingen krakkemikkig en gaan de haakjes los – maar misschien zou het toch meer om de gedachte moeten gaan.

Mijn neef Nicky woont *con inammorata* (er hangt een handgeschreven kaartje boven de brievenbus met DOYLE/FALCONE erop) in een boerenwoning in Main Street in Freehold. Het is een aardige buurt waarin de huizen in de doodlopende straat tegenover elkaar staan als punten kwarktaart op een bord.

Het huis heeft een nepstenen voorkant, een dubbele garage en, de vloek voor elke binnenhuisarchitect, goedkope orkaanbestendige ramen met kleppen. Ik bel aan. Als er niemand opendoet, klop ik op de deur.

'Hou op met dat kabaal, je maakt de kat bang!' Ik hoor Ondines stem gedempt achter de kleine rechthoekige deurraampjes, die beplakt zijn met gebrandschilderd-glaspatroontjes van plastic. Ze opent de deur en glimlacht. 'O, hallo.' Ze heeft een volle boezem, is licht gebruind en draagt een gesmokt jurkje met een hoge taille. Haar lange blonde haar is opgestoken in een uitwaaierende paardenstaart op haar kruin. In het felle zonlicht oogt ze ruim vijfendertig, en dat is de reden waarom ik liever niet iemands chronologische leeftijd weet; als je die eenmaal kent, ziet zo iemand er ook ineens ruimschoots zo uit. Haar ogen zijn net zo kobaltblauw als Toots suikerglazuur. Met half dichtgeknepen ogen neemt ze een trek van haar sigaret. Ik steek haar het kartonnen bord koekjes toe. 'Voor jou en mijn neef.'

'Bar-too-loo-mee-oh.' Het rolt traag van haar tong terwijl ze een wolk rook uitblaast. Ik begin te hoesten.

'Je schoonm… eh, mijn zus, Toot, heeft me gestuurd.'

'Dat heeft ze me al verteld. Ze vindt dat ik geen huis kan inrichten. Zeg maar tegen haar dat ik vanaf mijn geboorte niet beter weet.' Ondine bukt en tilt de kat op. 'Dit is Pierre.' De kat lijkt op een enorme wollige pantoffel met oren.

Ik laat mijn blik door de woonkamer dwalen, een studentikoze mengelmoes van giften: bank met plaid, groene fluwelen ligbank, glazen koffietafel met vier smeedijzeren uilen als poten.

'Negeer deze kamer,' zegt ze, en ze gebaart me met haar mee te lopen.

'Met alle plezier,' antwoord ik opgewekt.

'Dit is mijn dilemma.' Ondine zet de kat neer op het harige vloerkleed. Even zie ik niet waar het peper-en-zoutkleurige kleed ophoudt en Pierre begint. 'De eetkamer.'

Ik neem de ruimte snel in me op. De kamer heeft een steunmuur; de muur ertegenover wordt in beslag genomen door lange, smalle, orkaanbestendige ramen. Het lijkt wel een tunnel, zo nauw. Het doet me denken aan Captain Kirks ruimtecapsule in *Star Trek*.

'Wat zou je hiermee doen?' Ze staat te dicht bij me terwijl ik de kamer bekijk.

'Ik zou verhuizen.'

Ondine gooit haar hoofd achterover en schatert. 'Nee. Echt.'

'Je hebt gordijnen nodig, tot op de grond, om meer hoogte te krijgen.'

'Ik hou van gordijnen,' kirt ze.

'Tegen deze muur moet een lange wandtafel.'

'Oké.'

'Dat' – ik wijs naar de afzichtelijke eettafel met stoelen – 'moet eruit.'

'Maar die zijn van mijn oma geweest.'

'Ze heeft ze niet voor niets weggegeven.'

'Ze is dood.'

'Aha, een erfstuk. Wist je dat sentimentele waarde niets oplevert?'

'Voor mij wel! Ik zou dit nooit weg kunnen doen. Het is alles wat ik van haar heb. Dat en dit' – ze wijst naar haar decolleté – 'en daar ben ik haar dankbaar voor.'

'Juist.' Ondine heeft inderdaad een prachtig figuur en ze kan met recht trots zijn op haar boezem. Ik kijk naar de muren. 'Ik zou spiegels aan de muur aanraden, om de kamer groter te maken.'

'Precies wat ik zelf dacht!' roept ze enthousiast. 'Het moet ruimer. Lichter! Ja. Ik ben dol op spiegels!' Ze geeft me een ongepaste knipoog.

'Inderdaad. En dan nog een nieuwe eetkamerset, een tafel met een rond glazen blad. Open stoelen, met glanskatoenen zittingen.' Ik draai me om om te zien welke kleuren dominant zijn. Geen. Ik kies voor klassiek. 'Brede witte met chocoladebruine strepen. Glanskatoen is het beste omdat het vlekken afstoot; je weet wel, spaghettisaus en ongelukjes van de kat.'

'Maar ik wil dit eetstel houden. Kun je het niet verven of iets dergelijks?' Ze streelt de zware donkerbruine Regency-tafel alsof ze een pijnlijke dijspier masseert. Haar liefde voor het meubilair maakt het niet aantrekkelijker. Deze logge reproductie ziet eruit als een operatietafel die je in dr. Frankensteins laboratorium zou kunnen tegenkomen. Vooral de klauwpoten zijn foeilelijk, maar om het nog erger te maken hebben de stoelen afzichtelijke mijterfioelen.

'Als je deze meubels per se wilt houden, heeft het geen zin om spiegels aan de muur te hangen.'

'Waarom niet?'

'Omdat, Ondine' – ik begin mijn geduld te verliezen – 'je rotzooi nooit dubbel moet zien.'

Ondine volgt me naar de voordeur en opent hem. 'Ik zal erover denken de boel te verkopen,' zegt ze zacht.

'Doe dat.'

'Hoeveel krijg ik ervoor, denk je?'

'Ik ben geen antiquair.'

'O, oké.' Ze ziet er beduusd uit, maar dan glimlacht ze breed. 'Nou, in elk geval bedankt voor het langskomen.' Ze buigt zich naar me toe en kust me licht op de wang. Dan gaat ze op de stoep staan. 'Je bent een heer met verfijnde smaak. Ik vertrouw je mijn woning wel toe.' Ze neemt me van hoofd tot voeten in zich op, beginnend bij mijn voeten (in zwarte suède Gucci-instappers), dan opwaarts naar mijn grijze wollen pantalon van Paul Stuart en ten slotte mijn zwarte kasjmier trui met V-hals. Ze kijkt dwars door me heen alsof ze een röntgenbril draagt, zoals de magische oogwimpers die achter in stripboeken zitten waarmee je zogenaamd mensen zonder hun kleren aan kunt zien. 'Had Nicky maar een kruimel van jouw klasse.'

Ik sta met mijn mond vol tanden, daarom glimlach ik beleefd en draai ik me om om weg te gaan. Ze slaat echter haar armen om mijn hals, trekt mijn gezicht naar zich toe en kust me opnieuw. Ditmaal laat ze haar tong over mijn bovenlip glijden. Ik deins achteruit als ik de natte warmte voel.

'Ondine, ik ben letterlijk zowat je oom!' Ik kijk om me heen of iemand ons heeft gezien. Dan vis ik mijn zakdoek uit mijn broekzak en knijp ter ontmoediging mijn lippen samen.

'Ik moet de versiering voor je verjaardagsfeest verzorgen. Ballonnen lijken me wel wat.' Weer krijg ik die knipoog.

Na een drukke dag vol afspraken met cliënten, paneelmonsters bekijken in de houthandel en verftinten mengen in de ijzerwinkel ben ik uitgehongerd en toe aan een martini. Ik stop op de oprit van de Mandelbaums in Deal met een kokoscrèmetaart, die ik heb opgehaald bij Delicious Orchards aan Route 34 in Colts Neck. Ik heb mijn best gedaan om die taart te bemachtigen, niet alleen omdat Aurelia er dol op is, maar omdat ik haar steun nodig heb. Er gaan geruchten dat pastoor Porporino eindelijk bereid is onze kerk te laten renoveren, en ik heb mijn goede vriendin Aurelia nodig om mijn naam boven aan de lijst te krijgen voor die klus.

Capri, met wie ik al bevriend ben zolang ik me kan heugen, opent de voordeur. Ze is een tenger vrouwtje van ruim een meter vijftig, dat altijd de beschermer in mij wakker maakt. Toen we klein waren bekokstoofden onze moeders dat we ooit zouden trouwen. Mama zei altijd: 'Zij zijn rijk en wij hebben smaak. Dat is de volmaakte combinatie.' En nu, negenendertig jaar later, is dat plan nog steeds van kracht, in Aurelia's gedachten, althans. Als toegewijde moeder met de hand stevig aan het roer heeft ze altijd met uiterste zorg alles voor Capri uitgekozen, van haar sokken tot en met haar vakkenpakket op school. Aurelia Castone Mandelbaum is een Italiaanse uit deze contreien die zo'n rijke partij aan de haak wist te slaan dat ze nooit meer achterom heeft gekeken. Het siert haar dat ze nooit is vergeten waar ze vandaan komt, maar het goede leven paste haar als een handschoen toen ze er eenmaal van geproefd had.

'Ik heb net een zware verkoudheid achter de rug.' Capri is altijd herstellende van het een of ander. Haar haar, huid en wollen vest hebben de kleur van pindadoppen. Hoewel ze niet echt ziekelijk is, ziet ze eruit als iemand die vecht tegen een kwaal, die haar de donkerste kringen onder haar ogen bezorgt die ik ooit heb gezien bij iemand die niet in een boom woont. Ik ken haar niet anders. Tijdens de middelbare school deed ze nooit mee met gymnastiek. De handgeschreven briefjes van haar dokter waren legendarisch. Hij begon met ziekten die met een a begonnen (astma) toen Capri in de eerste zat, en in haar laatste jaar was ze bij de z (zinktekort). Ze heeft haar ouderlijk huis nooit verlaten, waardoor ze veel jonger lijkt dan ze is. Net als wanneer je een banaan uit de zon houdt, die wordt niet rijp. Capri is een bijna veertigjarige groene banaan.

Ze heeft een hartvormig gezicht en een korte hals – een ongelukkige combinatie, als een ei in een lepel gevat. Aan de pluskant heeft ze lange, sensuele vingers en een weelderig achterwerk. Ze is zo bijziend dat ze zonder haar bril letterlijk blind is. Hoewel ze een modern montuur draagt (in onze jeugd droeg ze een Sophia Loren-bril met echte diamantjes op de vleugels), kan een arts weinig uitrichten met lenzen als jampotten. Het lijkt wel of die arme Capri altijd door de wand van een aquarium kijkt. Ze heeft contactlenzen geprobeerd, maar haar traanklieren produceren te weinig vocht (een pijnlijke aandoening, zo weet haar moeder me altijd snel in herinnering te brengen) zodat ze geen lenzen kan verdragen. Ik ben een van de weinigen die Capri zonder haar bril heeft gezien, en ook al is ze geen Claudia Cardinale, het is een verbetering. Ik kus haar op de wang.

'Mam heeft een gehaktschotel gemaakt,' zegt ze bij wijze van begroeting.

'Mmm! Ik ben wel toe aan iets voedzaams.'

'Nou, dan moet je haar schotel zeker proeven.' Ze pakt mijn colbert en hangt het in de gangkast, waarvan de deur kunstig beschilderd is met een trompe-l'oeilzuil.

De gewoonte om één keer per week bij de Mandelbaums te eten begon na het overlijden van Capri's vader, en zoals met meer onbeduidende gewoontes, werd deze blijvend, en nu is het vaste prik. Ik bel nooit van tevoren; op maandag eet ik bij de Mandelbaums.

Hoe vaak ik ook in deze hal sta, met zijn vorstelijke trap bekleed met beige berber en met een glanzende zwart gelakte leuning, verlicht door de Baccarat-kristallen kroonluchter, en met een rond geborduurd kleed van perzikkleurige en lichtgrijze zijde en wol, ik zie altijd iets nieuws. De verlichting geeft een zachte, gouden gloed; de luchter heeft een dimmer en de lampjes glinsteren als echte kaarsvlammen. Een kroonluchter is voor een kamer wat diamanten oorhangers voor een mooie vrouw zijn: het perfecte sieraad.

'Als ik iets moest kiezen wat een kamer maakt of breekt, is het

de kroonluchter. Dat is de ultieme finesse van een goed ontwerp.'
Ik hoor dat ik brallerig klink. 'Sorry. Ik begin te zemelen, maar als
je maar de helft had moeten zien van de rotzooi die ik vandaag
heb aanschouwd…'

'Maakt niet uit.' Capri steekt haar arm door de mijne en we lopen naar binnen.

Capri's vader, wijlen Sy Mandelbaum, was als een tweede vader
voor me. Toen ik was afgestudeerd aan de Parsons School of De-
sign liet hij mij de raam- en vloerbedekking in al zijn banken
doen (inmiddels had hij er meerdere). Niet alleen vertrouwde hij
me zijn zakenpanden toe, hij huurde me ook in om zijn huis te
doen. Wanneer de Mandelbaums gasten ontvingen, prees Sy mijn
werk de hemel in. Ineens had ik meer werk dan ik aankon, bij
cliënten die zich het neusje van de zalm konden veroorloven. Dit
huis werd mijn eigen Kips Bay Bazaar. Gelukkig houdt Aurelia
van verandering, daarom blijft er altijd iets in te richten in dit
huis. Het zit altijd in mijn hoofd; ik sta op het punt het solarium
dat uitkijkt op het zwembad aan de achterkant onder handen te
nemen.

Palazzo Mandelbaum, zoals ik het noem, is in 1960 gebouwd in
Frans-Normandische stijl. Het staat boven op een heuvel te midden van vijf hectaren onberispelijk gazon. De indrukwekkende
kalkstenen toren en koepel zijn van verre te zien. Ik heb Sy aange-
spoord om een poort en een ronde oprit te laten maken om de
koetsstop van weleer voor de geest te halen en de ouderwetse
charme van het huis te accentueren. Ik vond een ijzerbewerker
uit Duitsland, die een indrukwekkende poort maakte met de letter M als motief. Sy keek vol ontzag toe tijdens de installatie. 'Ik
hou van experts,' zei hij altijd. We lieten de aannemer zelfs ver-
warmingsbuizen onder het beton in de oprit aanbrengen, dat bewerkt was om op baksteen te lijken. Hier hoef je 's winters niet
bang te zijn om uit te glijden als je op bezoek komt. De oprit is altijd ijs- en sneeuwvrij.

Binnen zijn de kamers mooi op elkaar afgestemd, met hoge, brede ramen en gewelfde plafonds, wat licht en ruimte geeft. Dit huis voldoet helemaal aan de smaak van Aurelia, de vooraanstaande kunstverzamelaarster in New Jersey, die zich de schilderijen van Monet en Cy Twombly aan haar muren makkelijk kan veroorloven, en de juiste omgeving bezit om ze tot hun recht te laten komen.

Ik werp een blik in de kamers die we passeren. Verdraaid, wat ben ik toch goed. Pastelkleuren vloeien in dit huis in elkaar over als penseelstreken op een doek van Degas. Zover het oog reikt is het een lust van al wat *français* is, bescheiden in hoeken, of juist opvallend, centraal en op de voorgrond.

Er staat een sierlijke handbeschilderde *armoire de mariage* in de woonkamer, gevuld met prachtig linnenwerk waarop het familiewapen van de Mandelbaums geborduurd is. In de keuken staat een delicaat bewerkt kersenhouten buffet *deux corps* vol aardewerk uit Marseille.

De tafzijden gordijnen zijn zo chic dat je erin gehuld naar een bal zou kunnen. Kamer na kamer tref je Oostenrijkse kamerhoge ballongordijnen in glanzende tingrijze, zachtroze en mauve zijde. Ik heb inzetstukken van gebroken witte zijde aan weerskanten van de optrekgordijnen gestikt; die accentueren de ramen en laten de knisperende opbollende zijde beter tot zijn recht komen. Als ze omlaag hangen lijken de gordijnen op een kunstige creatie van gesponnen suiker, en als ze opgetrokken zijn om de zon binnen te laten, veranderen ze in vrolijke gelubde ruches.

De schoorsteenmantels in het hele huis zijn van bewerkt wit marmer, en we hebben extra grote antieke spiegels op de kop getikt voor erboven. Een waar juweel van een spiegel vond ik in de opheffingsuitverkoop van warenhuis Hess in Philadelphia. Als je goed naar het beslagen, lichtgekleurde glas kijkt, zie je de woorden 'Milady Chapeaux' in krullerige letters staan. Het is een plaatje zoals hij Aurelia's grote *lit à l'impériale* met de handgemaakte kanten baldakijn en bijpassende sprei weerspiegelt. Sy was claustrofobisch, daarom mocht er voor zijn dood geen hemelbed in de slaapkamer; Aurelia kan nu zonder schuldgevoel van dit bed genieten.

Het was een feest om de *objets artisanaux* een plaats te geven: prachtige botanische miniatuurprenten op houten ezels op de schoorsteenmantels, en glinsterende aardewerken urnen, grotendeels uit Saint-Rémy-de-Provence, met maffe Franse spreuken erop. Mijn favoriet? *Une poule qui marche de travers ne pondra jamais d'oeufs*, wat betekent: een kip die zijwaarts loopt zal nooit eieren leggen.

De Franse stijl is vol luisterrijke details, in combinatie met antieke houtsoorten en stoffen. In het hele huis vind je verguldsel en glanzend zilver, net genoeg voor een buitengewoon effectief resultaat. Hier en daar hebben we een zilveren flacon met zijden kwast aan het handvat op een bijzettafel gezet. Een zilveren boekenlegger markeert een favoriet gedicht in een leergebonden verzameling van Rimbaud. Het zijn de kleine details die warmte en niet domweg versierselen aan een kamer geven: een *salière* gevuld met geurig lavendelzaad of een *verrier* vol gebakborden in renaissancestijl geeft elegantie en zwier.

De keuken is uitgevoerd in kersenhout (de boerentafel en stoelen zijn geïmporteerd), met een betegelde oven, diep genoeg om brood in te bakken – Aurelia vindt het heerlijk om er pizza's in te bakken. Met feesten en partijen belanden we uiteindelijk altijd in de keuken. Aurelia staat voor het aanrecht. Ze draait zich met een glimlach om als we de keuken binnenkomen.

'B, ga lekker zitten. Capri, hussel jij de salade alsjeblieft?'

'Je lievelingstaart,' zeg ik terwijl ik Aurelia de taart geef.

'Je bent een engel,' antwoordt ze, en ze omhelst me hartelijk.

Aurelia Castone Mandelbaum is, in tegenstelling tot haar dochter, lang en statig. Ze is ongeveer een meter zeventig, met een figuur om door een ringetje te halen, en nog steeds stevig in haar vel – een prestatie voor een vrouw van in de zeventig – zal ze je zelf als eerste laten weten. Haar rode haar (dat vroeger kastanjebruin was) maakt haar ook jeugdig. Ze is al van kinds af aan organist in de Fatimakerk; haar schoenmaat 44 komt goed van pas wanneer ze de enorme pedalen intrapt om geluid door de blaasbalgen te persen.

Aurelia is de rijkste vrouw in de staat New Jersey. Tegen het einde van zijn leven bezat Sy een reeks banken, die Aurelia uiteindelijk verkocht aan Chase Manhattan, met behoud van controle als belangrijkste aandeelhouder. De mensen waren sceptisch, maar Aurelia bewees dat ze al die jaren niet alleen maar thee serveerde tijdens de bestuursvergaderingen; ze hield haar oren open. Het bedrijf heeft zo veel aandelensplitsingen uitgevoerd dat de kleinste aandeelhouder een bom geld van het dividend overhield. Ik weet dat Sy trots zou zijn op zijn *bubola*.

'Ik hoop dat jullie allebei veel honger hebben.' Aurelia tilt een grote vuurvaste schaal uit de oven met haar Toile de Jouy-ovenhandschoenen. 'Arlene Francis had het op de tv over een schotel die ze haar gasten in haar penthouse in New York voorzet bij premières, en het leek me een verrukkelijk gerecht. Ik dacht: laat ik het ook eens proberen.'

ARLENE FRANCIS' GEHAKTSCHOTEL

voor 48 personen

3 pondsblikken ontvelde tomatenblokjes
¼ kop worcestersaus
1 kop bloem
1 kop water
½ kop bakvet
2 koppen fijngehakte ui
1 kop paprika in dobbelsteentjes
5 tenen fijngehakte knoflook

2½ kilo gehakt
1 kop gesneden champignons
3½ kilo aardappelen, geschild
½ liter warme melk
boter
paprikapoeder

Meng de tomaten en worcestersaus in een grote pan en breng aan de kook. Meng in een kleine kom de bloem en het water tot een gladde substantie en voeg toe aan de pan. Roer op een kleine vlam tot de massa gebonden is. Verhit het bakvet in een koekenpan en bak de uien, paprika, knoflook en het vlees op matig vuur lichtbruin. Voeg zout en peper toe. Voeg het vleesmengsel toe aan de pan. Voeg de champignons toe en roer boven een lage vlam. Kook intussen de aardappelen gedurende 20 minuten. Giet af. Klop de aardappelen met warme melk en boter tot een luchtige puree. Lepel het vleesmengsel in twee met bakvet ingevette ovenschalen van 23 bij 33 cm. Verdeel de aardappelpuree over het vlees. Bestrooi met paprikapoeder. Gaar 20 minuten in de oven op stand 175 °C, tot de puree een lichtbruine korst heeft.

'Ik had zoveel gemaakt dat ik een schaal naar de pastorie heb gebracht,' vervolgt Aurelia.

'Het zou goedkoper zijn geweest om de pastoor mee uit eten te nemen,' zegt Capri, die wijn in onze glazen schenkt.

'Hoezo?' vraag ik beleefd.

'Toen mam hem de gehaktschotel bracht, liet ze een cheque van honderdduizend dollar achter voor de renovatie van de kerk.'

'Wie is met dat bedrag op de proppen gekomen?' Ik hoor mijn stem breken. Er is veel te doen geweest over een renovatie, inclusief een groot artikel in de krant van het bisdom, *Contact met de Ziel*, waarin pastoor Porp werd geciteerd, die vond dat de parochianen van de Fatimakerk toe waren aan een vernieuwing van hun omgeving en hun ziel. Ik kon niet slapen toen ik het gelezen had. Ik zit sinds mijn jeugd al barstensvol ideeën om de kerk te renoveren. Ik hou van mijn stoffige oude kerk, maar het gotische ontwerp met zijn zware timpanen, krulwerk en stijve kerkbanken heeft nooit de spirituele hoogten die ik tijdens een mis voel geëvenaard. Ik wil proberen het interieur op te frissen met een nieuwe aanblik, die mensen aanspreekt en hun vermoeide ziel verheft.

'Volgens meneer pastoor wordt het een totale renovatie. Dat is kostbaar.' Aurelia haalt haar schouders op.

Ik haal diep adem. 'Het is een droom van mij om de kerk te renoveren.' Het is niet makkelijk voor me om mijn grootste wens eerst aan Toot prijs te geven, en nu aan Aurelia en Capri. Ik voel me net zo ontbloot als toen ik mijn zwembroek verloor tijdens de duikwedstrijd in OLOF Park in 1941. De kans om mijn kerk te renoveren zou alles voor me betekenen. Het is zo belangrijk voor me dat mijn stem overslaat.

'O, dat weet meneer pastoor.' Aurelia glimlacht. 'Ik heb me ervan verzekerd dat hij weet hoe ik erover denk. Jij bent de Billy Baldwin van OLOF; dé maatstaf van goede smaak. Als jij het niet zou doen... wie dan?' Aurelia strekt haar hand over de tafel en geeft de mijne een kneepje. 'Maak je maar geen zorgen.'

'Bedankt, Aurelia.'

Aurelia schept de gehaktschotel op een bord en zet het voor me neer. 'Hier, proef.'

Ik neem een hap. 'Heerlijk,' zeg ik tot haar grote voldoening. Misschien smaakt het zo goed omdat ik net zulk goed nieuws heb gekregen. 'Petje af voor Arlene Francis!'

'Hmm. Ik hoop dat het toch niet Dinah Shore was. Weet je, als de tv aanstaat, ben ik altijd aan het breien of koken en dan let ik niet echt op.'

'Op Dinah Shore, dan!' Ik hef mijn glas en we proosten op Dinah.

'Van wie het recept ook is, ik maak een paar flinke schalen voor je verjaardagsfeest.'

'Jullie spelen allemaal onder één hoedje, en ik wil dat daar nú een eind aan komt,' zeg ik beleefd. 'Er komt geen feest.'

'O, waarom niet, B? Je zus geeft fantastische feesten.' Capri smeert boter op een broodje.

'Toot zei dat het gepland is tot en met de rozenzeepblaadjes in het damestoilet,' zegt Aurelia. 'Ik weet alleen niet wat ik je moet geven. Hmm.' Ze tikt ondeugend tegen haar kin.

'Niets. En ik heb echt geen portefeuille nodig.'

'Nee, het is een belangrijk jaar. En over een paar maanden wordt Capri ook veertig.'

'Mam!' Capri bloost.

'Ik weet het, het is een aantal waarin je je verslikt. Maar geloof me, als je drieënzeventig bent, denk je terug aan veertig als een leeftijd waarop je nog soepel achterover kunt buigen. Ik ga jullie samen een cadeau geven. Ik zou dolgraag een bruiloft geven.'

Capri en ik kijken elkaar geschokt aan.

'Had je nog iets anders in gedachten?' vraag ik zacht.

'Ik dacht erover om jullie tweetjes naar Italië te sturen.'

Capri's ogen worden groot en door haar dikke brillenglazen lijken haar pupillen wel golfballen. 'Dat zou ik enig vinden.'

'Nou…' Ik maak me zorgen, maar wil niemand beledigen. Capri en ik weten allebei dat de vonk van passie maar niet wil overslaan op ons. We hebben ons best gedaan, hier bij haar thuis, en zelfs op reis, met de gedachte dat verandering van omgeving ons misschien in vuur en vlam zou zetten. We zijn naar Toronto gegaan voor het Festival van Onze-Lieve-Vrouwe van de Berg Carmel, naar New York voor de World's Fair van 1964, we zijn zelfs met een busreis naar koloniaal Williamsburg geweest met het genootschap Sons of Italy. We zijn ver weg en dicht bij huis geweest in de hoop dat de achtergrond iets aan de feiten zou ver-anderen. Maar geen picknick, carnavalsoptocht of glasblazersdemonstratie kon ons in romantische zin samenbrengen.

'Je kunt niet weigeren.' Aurelia glimlacht. 'Ik stuur jullie naar de meest romantische stad ter wereld. Mijn hemel, als de vonken daar niet beginnen te spatten, zitten we echt met een probleem.'

Capri heft haar glas. Ik tik het met het mijne aan, en vervolgens dat van haar moeder. We nemen een slok. Ik laat mijn blik over tafel dwalen, en gedurende één vluchtig moment is het alsof wij drieën een knusse kleine familie zijn, waardoor ik me meteen in mijn wijn verslik.

'Gaat het wel?' vraagt Capri.

Hoe kan ik haar vertellen dat de gedachte dat ik in de val ben gelokt mijn keel samenkneep, en me als een kluisdeur de zuurstof benam? 'Ja hoor,' lieg ik. Ik kan niet bevatten dat ik een manier moet verzinnen om een verloving te verbreken met een vrouw die ik niet eens ten huwelijk heb gevraagd! Er is geen vrijgezel in de wereld die niet rondloopt met een blik omhoog, uit angst dat het grote net op hem valt, zoals de netten waarmee de politie op hol geslagen grizzlyberen vangt die de buitenwijken onveilig maken. Het is uit de hand gelopen. Soms kunnen de grenzen van dit idyllische stadje als gevangenismuren op je afkomen. Ik haal mijn sigaretten uit mijn zak. Ik sta mezelf een pakje per week toe. Gewoonlijk wacht ik tot de espresso na het eten, maar nu ben ik er dringend aan toe.

'Ik zal jullie eens een verhaaltje vertellen. Het heeft alle elementen: spanning, romantiek en een ontknoping die John Ford niet had kunnen bedenken,' zegt Aurelia.

Help, denk ik, als de aanloop een maatstaf is, gaat dit verhaal langer duren dan een epos van John Ford.

'Ik wil het jullie graag vertellen,' vervolgt ze. 'Het is een liefdesverhaal. Het enige wat ik ken. Het mijne. Ik zat aan St. Elizabeth's in Convent Station in mijn laatste jaar literatuur en schrijfkunst en overwoog het onderwijs in te gaan.'

'Je was ervoor in de wieg gelegd, mam. Je bent een ster als het op regels aankomt.' Capri prikt in haar ijsbergsla.

'Dank je. Wat stelt het leven voor zonder regels? Dan waren we allemaal dik, dronken en…'

'Gelukkig?' Capri glimlacht.

'Val me niet in de rede, liefje. Hoe dan ook, ik ontmoette een knappe jongeman in een marineblauw pak met rode das in het Latin Quarter in New York.'

'Tijdens een rumbawedstrijd.' Capri helpt het verhaal geduldig op weg.

'Precies. Tjonge, wat kon híj dansen. En hij was zo grappig, de vonken spatten ervan af, en we spraken af elkaar vaker te ontmoeten. Nadat we een jaar lang door de week samen hadden geluncht bij Schrafft's op Fifty-sixth Street, en in het weekend bij het Sailor's Lake Pavilion, vroeg hij me ten huwelijk.'

'Je had geen betere man dan Sy Mandelbaum kunnen hebben,' zeg ik.

'Dat weet ik. Onze families vonden het vreselijk dat een rooms-katholiek meisje en een joodse jongen verliefd waren geworden en wilden trouwen. Maar het was 1929 en niemand had nog ergens aandacht voor toen de beurs eenmaal was gecrasht. We konden onze kans grijpen. Hoewel het niet makkelijk was. Ik moest naar Florida om een priester te vinden. Ik vond een half-dronken kapucijner monnik die de plechtigheid wel wilde voltrekken, aangezien de pastoor van mijn parochie geen huwelijk met een rabbi samen wilde sluiten. De rabbi stond ook niet te juichen, maar hij was een neef van Sy en stond bij hem in het krijt. We speelden het klaar. We vonden een oplossing. Kijk eens wat een hindernissen ik tegenkwam op mijn weg naar geluk. En kijk eens naar jullie, met meer overeenkomsten dan welk ander stel dat ik ook maar ken, met meer mogelijkheden dan welke twee mensen ik ooit heb ontmoet, en…? Geen huwelijk.'

Arme Aurelia. Weet ze niet dat haar liefde ten tijde van de crisis naar mottenballen geurt, en als een stomvervelende tweederangs zwart-witfilm klinkt? We leven in 1970, aan de East Coast van de Verenigde Staten, in het tijdperk van Aquarius in het land van vrije liefde, waar we helemaal losgaan. Niemand vindt trouwen nog zo belangrijk als vroeger. Het is bepaald niet langer de basis van de beschaving. Nee, de nieuwe hoeksteen van de cultuur is de verheerlijking van het zelf. Maar deze dame geeft het nog niet op. Ik tik de as van mijn sigaret op de rand van een loodkristallen asbak.

'Alles op zijn tijd,' zeg ik beleefd, maar ik denk niet dat Aurelia enig idee heeft op hoeveel tijd ik doel.

2

Tudor in tumult

Naast de Villa di Crespi voel ik me het meest op mijn gemak in de kerk van Onze-Lieve-Vrouwe van Fatima, een juweel van een gotisch bouwsel op de heuvel die boven de stad uittorent. Elke zaterdagmiddag ben ik daar te vinden om het altaar te versieren met linnen en bloemen voor de kerkdiensten in het weekend. Mijn kerk dateert uit 1899 en is gebouwd met geld van de eerste golf Italiaanse immigranten, in het oog gehouden door het bisdom van Trenton, dat altijd bekend heeft gestaan om zijn ambitieuze bouwprojecten en goed gevulde kas.

De kerk, met haar buitenkant van marmer (uit Italië geïmporteerd) en zandsteen (geheel uit de omgeving), is altijd een paradijs voor me geweest. Wanneer ik als kind op mijn moeder wachtte, die me van school ophaalde, stond ik aan de overkant van de straat om alle details van de façade te bestuderen, gapend naar de waterspuwers die in de torenspitsen zaten verscholen, en betoverd door het roosvenster dat in het licht leek rond te draaien als een wiel bezaaid met juwelen.

Telkens wanneer ik de koele donkere binnenruimte betreed voel ik een onbeschrijflijke rust op me neerdalen; dat is altijd zo geweest. Meerdere familieleden dachten dat ik priester zou worden, omdat ik bij bijna elke kerkdienst misdienaar was en nooit op een verplichte feestdag verstek liet gaan. Welke jongen laat zijn basketbaltraining schieten om een noveen te bidden? Sinds 1962 ben ik de enige mannenstem in het koor. Ik ben ook al negentien jaar vrijwillig voorzitter van het altaar-en-bloemencomité. Ik geloof in wederdienst.

Hoewel de ongehuwde status van het priesterschap me aansprak, vond ik de gelofte van armoede onoverkomelijk. Ik ben te zeer gehecht aan mijn dure pakken en serviesgoed om ze op te geven. Bovendien dreigde mijn moeder met zelfmoord als ik priester zou worden, en als je de enige zoon bent, die op de valreep van de overgang is geboren, wil je graag dat je moeder lang blijft leven en zeker niet voortijdig heengaat. Ik voegde me naar haar wensen en ze werd vijfentachtig jaar oud en stierf in haar slaap. Dat schrijf ik toe aan mijn streven om haar gelukkig te maken. Opoffering heeft nooit iemand geschaad, mij in elk geval niet.

Als ik de zware koperen deur open, komt de botergeur van bijenwaskaarsen, wierook en Lemon Pledge me tegemoet, als een elixir dat me met één vleug terugbrengt naar de jaren veertig, heidense baby's en fluwelen kniebroeken (de mijne). Ik leg de kerkblaadjes op de entreetafel recht. Als ik zie dat ze nog van vorige week zijn, neem ik het stapeltje met me mee. Ik loop naar het schip, doop mijn vingers in het koude, heldere water van de wijwaterbak, sla een kruis en kus mijn hand ter nagedachtenis aan mijn overleden ouders, grootouders en favoriete ooms en tantes.

Door de daklichten valt de middagzon over de kerkbanken en projecteert lichtblauwe banen rondom het altaar. Ik krijg een vredig gevoel in Gods huis, dat is altijd zo geweest. De kerk is vervuld van zacht licht en aangename stilte, eigenlijk zoals ik me de hemel voorstel.

Achter het koor laat het roosvenster roze licht wervelen dat achter de met verguldsel bewerkte communiebank verdwijnt. Gebrandschilderde ramen met beelden van door heiligen verrichte wonderen sieren de kerkmuren als reusachtige speelkaarten. Sommige ramen zijn een stukje opengekanteld, zodat hier en daar de voeten van een heilige wegvallen.

Een fresco achter het hoofdaltaar, geschilderd door plaatselijk amateur Michael Menecola in de jaren twintig, bladdert van ouderdom. Het stelt het wonder van Fatima voor, waar volgens de overlevering drie kinderen in een landelijk deel van Portugal Maria, de moeder van God, hadden gezien. Op de muurschildering wordt het precieze moment op 13 mei 1917 uitgebeeld, toen de Heilige Maagd aan de kleine Lucia, Francisco en Jacinta in de lucht verscheen, boven het veld waar ze schapen hoedden.

Ik weet dat heel wat jongens verliefd werden op deze weergave van de Gezegende Moeder, die als een engelachtige filmster in de hoogte zweeft. En heel wat meisjes probeerden er net zo uit te zien als zij. De Heilige Maagd Maria blikt met haar volmaakte roomgouden huid en vochtige blauwe ogen in totale overgave omhoog naar de hemel. Ze heeft iets dromerigs. Mijn moeder vertelde me dat alle meisjes in OLOF hun wenkbrauwen epileerden om ze te laten lijken op de gepenseelde wenkbrauwen van Maria. De meisjes staken een lucifer aan, bliezen de vlam uit en tekenden met het verkoolde eind van het stokje dunne boogjes over hun eigen wenkbrauwen. Glamour voor het grijpen.

Ik loop door het middenpad en maak een kniebuiging voor het altaar, dan ga ik naar de sacristie, de kleine kamer waar de pastoor en misdienaren zich kleden. Eerst controleer ik de misgewaden. De witte superplie van de pastoor, met uitlopende mouwen en brede zomen, hangt naast de kleinere gewaden, koorhemden voor de misdienaren. Aan afzonderlijke haken hangen gevlochten witte satijnen koorden als stroppen in een rij. Als kind maakte ik drie knopen in mijn koord ter ere van de heilige Drie-eenheid. Ik weet nog dat een andere misdienaar, Vinnie de Franco, een echte dondersteen, er twee maakte: een voor Martin, en de andere voor Lewis.

De OLOF-congregatie weet van wanten met de kerkelijke was: de zware katoenen gewaden hangen stralend wit gebleekt en fris gestreken naast elkaar. De stijfseldampen vullen de kleine kamer. Naast de gewadenkast hangt een speciale zak met de altaarkleden. Op de zak zit een briefje van Nellie Fanelli, de wasvrouw van de kerk. Er staat op gekrabbeld: *B, de poetsdoek zit in de zak. N.*

Ik voel onder in de zak en precies zoals ze beloofd heeft, vind ik daar de gestreken poetsdoek, de officiële schoonmaakdoek voor het misritueel. De pastoor gebruikt deze gesteven doek om na de communie de kelk schoon te wrijven. Ik haal hem uit de zak en leg hem op de credenstafel naast de ampullen voor water en wijn en de pateen, een gouden schijf met geboende houten greep die de misdienaar onder de kin van de communicant houdt om kruimels van de hostie op te vangen die tijdens het uitdelen kunnen vallen.

Ik ga terug naar de sacristie en neem de rest van het linnen mee naar het altaar, waar ik kniel, weer opsta en het sneeuwwitte kleed voorzichtig op de marmeren plaat leg. Het vergt wat finesse, net zoals wanneer je thuis voor een formeel diner dekt. Dan pak ik uit de sacristie een tweede kleed uit de zak, het kleinste, het corporale, dat als een placemat op het altaar ligt voor de kelk en de pateen.

Ik verplaats de vierkante kaarsen op hun platte koperen kandelaars van de credenstafel naar het altaar. Eén kaars is onregelmatig opgebrand, waarschijnlijk vanwege de tocht, en ik snijd hem bij met mijn zakmes, zodat hij even hoog is als zijn wederhelft. Ik loop langs de voorkant van het altaar om de zomen en rangschikking te controleren. Achter het altaar staat een groot boeket roze gladiolen met glimmend groene bladeren. Ik verwijder wat dood blad en herschik de bloemen. Een hele verbetering.

'Bartolomeo?' klinkt pastoor Porporino's knarsende stem vanuit de deuropening.

'Ja, meneer pastoor?' Mijn stem slaat over. Ik ben opgevoed met ontzag voor priesters, en was daarom altijd bang voor hen. Uiteindelijk hadden zij de sleutels tot mijn zaligheid in handen.

Het laatste wat ik wilde, was dat ze die sleutels in een rioolput lieten vallen, dus ik gedroeg me altijd zo volmaakt mogelijk in hun bijzijn. Nog steeds.

'Meneer pastoor, ik zag dat er oude kerkblaadjes liggen.' Ik overhandig hem het stapeltje van vorige week. Pastoor Porp lijkt op een slanke Mario Lanza, met zijn krullende grijze haardos en goed verzorgde tanden.

'Ik heb de nieuwe nog niet neergelegd.'

'Is er een probleem? Marie Cascario zei dat we een nieuwe stencilmachine nodig hebben.'

'Marie moet leren hoe ze dat apparaat moet bedienen. Ik zal ze straks neerleggen.'

Ik strijk de zoom van het altaarkleed glad. 'Meneer pastoor, toen ik laatst bij Aurelia Mandelbaum at, vertelde ze me dat de kerk gerenoveerd wordt.'

'En?' Hij kijkt me aan.

'Nou, ik zou dat graag eens met u bespreken.' Meneer pastoor antwoordt niet en kijkt me slechts aan, zodat ik begin te bazelen om de stilte op te vullen. 'Ziet u, ik heb allerlei ideeën, en ik heb het er met verschillende leden van de parochieraad over gehad. Ik zou iets schitterends van deze kerk kunnen maken.' Ik geloof dat ik de pastoor een wenkbrauw op zie trekken, maar het is moeilijk te zien in het langzaam vervagende licht. 'Ik zou volgende week langs kunnen komen, als dat schikt. Zo niet, dan kunt u mij bellen voor een andere afspraak.' Pastoor Porp tuurt over het middenpad alsof hij naar iets zoekt. Ik krijg het warm en begin me steeds ongemakkelijker te voelen. Ik reageer zoals altijd wanneer iemand me een naar gevoel geeft. Ik kwetter opgewekt. 'Tot later in de mis, meneer pastoor.' Ik knijp mijn hand met de kaarssnippers en dorre bladeren die ik verzameld heb dicht en maak een laatste kniebuiging. Meneer pastoor gaat terug naar de sacristie. Ik huiver.

Een straal felwit licht vult de hal als Zetta Montagna de kerkdeur openduwt. Ze heeft een mantilla met gitkralen om, ook al
verdween de hoofdbedekking voor vrouwen met het Tweede Vaticaans Concilie. Toen de mantilla's eenmaal verleden tijd waren,
raakten de gitaarmissen in opkomst. Geen Latijn meer, geen vis
meer op vrijdag, en vrouwen konden de kerk blootshoofds betre-
den zonder God te beledigen.

Zetta's slanke gestalte werpt een lange dunne schaduw over het
middenpad. Ze is misschien wel de belangrijkste persoon in onze
kerk naast pastoor Porp. Zetta is voorzitter van de vrouwencongregatie, die de kerk onderhoudt; ze plant alle ontvangsten en
heeft het jaarlijkse Cadillac-diner onder haar hoede, de geldinza-
meling voor de lagere en middelbare scholen van OLOF. Verder is
ze weduwe en moeder van negen kinderen, allemaal volwassen,
twee van hen arts en een helaas drugsverslaafde ergens in het westen. Haar geliefde echtgenoot bezweek op zijn vierendertigste aan
een hartaanval en liet haar achter om al hun kinderen alleen op te
voeden. Haar tragische leven is haar totaal niet aan te zien; ze ziet
er altijd fris en stijlvol uit. Ze ziet er vijftien jaar jonger uit dan
haar zestig jaren. Ze maakt een kniebuiging bij de communiebank.

'Hallo, B. Het altaar ziet er mooi uit.'

'Dank je.'

'Van wie komen de gladiolen?'

'Fleurs of Fatima.' Ik kijk misprijzend.

'Vreselijk,' stemt ze in.

'Weet ik. Ik heb ze gefatsoeneerd. Maar je kunt van gladiolen
en waspalm geen fatsoenlijk boeket maken.'

'Waren de misgewaden in orde?'

'Tiptop.'

'Ik maak me wel eens zorgen. Nellie ziet niet meer zo best.'

'Ach, ze kan nog goed uit de voeten met een heet strijkijzer,' stel
ik haar gerust. 'Zetta, ik hoop dat je me niet brutaal vindt…'

'Wat is er, B?'

'Meneer pastoor zet de renovatie van de kerk door, en ik vroeg me af of jij een goed woordje voor me zou willen doen.'

'Om het ontwerp te maken?'

'Ja.'

'Natuurlijk.'

'Dat zou ik erg op prijs stellen.'

'Je bent een toegewijde parochiaan. Ik kan me geen betere keuze voor die klus indenken.'

Met Aurelia Mandelbaum en Zetta Montagna aan mijn kant ben ik er zeker van dat pastoor Porps onverwachte zwijgzaamheid inzake dat onderwerp overkomelijk is.

Zetta loopt naar de nis bij het zijaltaar en knielt voor het beeld van St.-Michael. Wat een heilige was dat, met zijn zilveren wambuis en zwaard hoog in de lucht geheven, zijn grote voeten stevig op de grond geplant en zijn machtige dijen in aanvalshouding om het geloof te verdedigen. Michael is onze Superman, en St.-Theresia, patroonheilige van bloemen en planten, die op een sokkel vlakbij staat, in haar donkerbruine nonnenhabijt met een boeketje roze rozen, is onze Lois Lane. Bid tot St.-Michael om je voor het kwaad te behoeden, en tot St.-Theresia als je iets heel graag wilt. Ze hebben me geen van beiden ooit teleurgesteld.

Als Zetta een kruis slaat en aan de voeten van het beeld knielt, herinner ik me dat haar man Michael heette. Ik voel het puntje van mijn neus gloeien, maar ik haal diep adem en slik de tranen in.

Altijd wanneer ik mensen nederig zie bidden, voel ik een diepe emotie, bijna een charismatische empathie, waardoor ik naast hen zou willen knielen en mijn tranen de vrije loop zou willen laten. Je kunt je voorstellen wat een emotioneel mijnenveld de zondagsmis voor me is, met al dat knielen en buigen. Misschien is het maar beter dat ik binnenhuisarchitect ben geworden in plaats van priester. Niemand wil toch een pastoor die in tranen uitbarst als je met een probleem komt? Ik heb graag sterke, parate religieuze leiders. Mijn temperament is geschikter voor het creëren van kunst dan voor het redden van zielen.

Mijn volle nicht Christina Menecola (aangetrouwde familie van Michael Menecola, die de fresco's in de kerk van de dromerige Maria heeft geschilderd) is mijn favoriete familielid, wat geen kleinigheid is, omdat er wel honderden di Crespi's zijn, om maar te zwijgen over de Crespy's, die familie zijn, maar na wat middeleeuws gesteggel het 'di' lieten vallen en de 'i' later vervingen door de 'y', waarschijnlijk omdat dat Amerikaanser was, wat hen hielp bij het zakendoen of door de ballotage van chique clubs heen te komen.

Christina en ik zijn altijd hecht geweest. Ik was bijna vijf toen ik in het ziekenhuis bij haar premature geboorte aanwezig mocht zijn. (Niet omdat ik eraan toe was om een geboorte mee te maken, maar omdat Toot een afspraak had en geen zin had om mijn oppas te zijn, en pa had dringende zaken buiten de stad.) Ik was uiteindelijk blij met die ervaring omdat ik voor het eerst de kracht van gebed mocht aanschouwen. Ik herinner me mijn moeder op haar knieën bij de couveuse, biddend dat Christina mocht blijven leven. Ik herinner me ook de venijnige blik die de verpleegster me toewierp toen ik vroeg of ze de baby een dekentje konden geven om haar warm te houden, in plaats van een lamp.

Christina is pasgeleden vijfendertig geworden. Ik heb een berg gedeelde jeugdherinneringen met haar: schelpen zoeken na het feest met zeebanket in Legion Hall, en ze mee naar huis nemen, afspoelen en er lippen op tekenen om een schelpenkoor te maken; ritjes in de achtbaan in Asbury Park, waar we elkaars hand vasthielden (naderhand moest ik overgeven en zij lachte me uit), naar het vuurwerk kijken tijdens de St.-Roccopicknick en haastig terug naar de stationcar geloodst worden door mijn moeder toen we bij toeval op twee tieners stuitten die achter het veiligheidshek lagen te vrijen; zwemmen aan het strand; en zelfs een net-alsof-winkel in haar kelder opzetten, waar we cement verkochten (haar vader was metselaar, dus het materiaal was voorhanden). We noemden onszelf 'de mengmeesters'.

Christina's moeder, tante Carmella, was een statige schoonheid, die kaas maakte in de Hodgins-zuivelfabriek in Bradley Beach. Ze draaide uit verse mozzarella prachtige Italiaanse liefdesknopen, als witsatijnen strikken. Ze overleed kort na mijn moeder aan een hersenbloeding, waardoor ze werd getroffen na een heftige ruzie met haar echtgenoot, die sindsdien getrouwd is met tante Carmella's kapster, een gezette blondine, Cha Cha Cerami genaamd. Volgens de geruchten zijn ze heel gelukkig.

Kort nadat ze getrouwd was, richtte ik Christina's huis in Cheshire Lane in. Engelse tudorhuizen zijn bij uitstek een uitdaging voor een binnenhuisarchitect, omdat ze zo saai en donker zijn. De meeste mensen zijn geneigd ze op te fleuren met moderne meubelen, maar dat is een misser. Modern maakt het alleen maar belachelijk. Pas het interieur altijd aan de architecturale stijl van het huis aan. Dat lijkt voor de hand liggend, maar je zou versteld staan hoeveel mensen een flokatikleed in een victoriaans huis neerleggen of renaissancewandkleden in een splitlevel. Een tudorhuis met benepen slaapkamers, smeedijzeren accenten, donkere nissen en hoekjes kan het claustrofobische gevoel van een kerker geven, door de gepleisterde muren, ronde deuropeningen en op je af komende verzonken plafonds. Waarom pleegden Romeo en Julia zelfmoord? Omdat ze in deprimerende Engelse tudorhuizen leefden en het niet langer uithielden!

Ik vrolijkte Christina's huis op met lichtjes, verf en een kleurenschema van zachte koraal- en groentinten. Allerlei planten gaven het idee van een tuin. Ik bleekte de donkerbruine houten vloeren gebroken wit en schilderde de plinten in een lichte kaneelkleur, waardoor het een stuk vrolijker werd. Nu is het alsof je in Sherwood Forest bent als je dit huis binnenkomt. Ik daag elke interieurontwerper, hier of in het buitenland, uit om iets beters af te leveren met klassiek Engels. Ik mag dan de ziel van een Italiaan en de joie de vivre van een Fransman hebben, ik heb het klassieke oog van een Brit.

Ik gebruikte traditionele stoffen – een reeks goudgeel bedrukt katoen (Greeff heeft de beste fijne Engelse prints) en stevig lichtgroen linnen (Rose Cummings heeft een juweel van een Fresh Meadow nr. 15677), als tegenwicht voor de koraaltinten.

Christina's keuken was zo somber dat je zou zweren dat je net de schaapskoteletten na de guillotinematinee had gemist. Ik verwijderde alle donkere kasten en zette er een lindegroen met witte bergkast neer met een bijpassend bordenrek aan de muur, waarin haar bruiloftsservies (Haddon Hall van Minton) mooi tot zijn recht kwam, en een heleboel planken bedekt met natuurlijk graspapier. Ik maakte de kamer ruimer met een lange rustieke houten tafel met in het midden een aantal lage messinglampen die een warme gloed verspreidden. Ik schilderde de banken antiek wit en zette een schommelstoel in de hoek met een gek groen Pucci paisleykussen en een staande messinglamp. Het resultaat is licht en levendig. Mijn inspiratiebron: een crème de menthecocktail.

Wanneer ik de oprit op rij, zie ik Christina's dochter, Amalia, onder de esdoorn zitten met een aantal boeken om zich heen en schaar en papier in haar handen. Ik kom graag onaangekondigd op bezoek in huizen die ik heb ingericht om het resultaat van mijn werk in de omgeving van dagelijkse beslommeringen te aanschouwen. Amalia hoort mijn auto en kijkt op. Ze rent niet meer zoals vroeger op me af; in plaats daarvan werpt ze me een verveelde blik toe. Ze heeft namelijk de leeftijd bereikt waarop koeltjes in is, en enthousiast uit. Ze is twaalf.

'Jij hebt het vast heel druk,' roep ik naar haar als ik uitstap.

Amalia is slank en heeft sproeten en lange roodbruine vlechten. Ze legt haar schaar neer en bestudeert een blad. Haar voorkomen is Iers, maar haar donkere ogen zijn Italiaans. 'Ik heb een biologieproject. Ik maak een verslag over bomen die van oorsprong in New Jersey groeien. Ik neem voorbeelden mee.'

'Nou, hier heb je weinig keus. Er staan alleen maar esdoorns in de tuin.'

'Dat weet ik. Daarom schrijf ik de voorbeelden in het boek over en dan knip ik de bladeren zo, dat het lijkt alsof ze allemaal van verschillende bomen zijn. Kijk maar. Iep. Kastanje. Berk.'

'Misschien ziet de lerares wel dat er met de bladeren geknoeid is.'

'Ik denk van niet.'

'Maar het is foppen.'

'Nou, en?'

'Hebben ze nog steeds een erecode op het St.-Ambrosius?'

'Niemand controleert.'

'Doe dan maar wat je het beste lijkt,' zeg ik vriendelijk. Het is mijn probleem niet als mijn achternichtje straf krijgt van de venijnige nonnen van St.-Ambrosius. Ik heb twaalf jaar mijn best gedaan in dat krijgsgevangenkamp dat ze school noemden. Ze staat er alleen voor.

'U hebt een nieuwe auto,' zegt ze met een blik op mijn tjokvolle Dodgestation. Op het portier aan de chauffeurskant staat het gouden familiewapen met eronder de naam van mijn zaak. Het ziet er indrukwekkend uit, al zeg ik het zelf. 'Waarom heet uw zaak the House of B?'

'Omdat iedereen me B noemt.

'U zou een opvallende naam voor uzelf moeten kiezen, niet alleen maar een letter. Iets als "the Prince of Chintz".'

'Die naam is al ingepikt.' De New Yorkse ontwerper Mario Buatta had geluk dat iemand hem een aanstekelijke naam aansmeerde. Hij staat in meer tijdschriften dan Pat Nixon. 'Sinds waneer ben jij hoofdredacteur van *BusinessWeek*?' zeg ik enigszins geprikkeld. Werkelijk, als ik me moet laten adviseren door een kleine garnaal geef ik er de brui aan.

Ze negeert mijn opmerking. 'Hebt u M&M's meegenomen?'

'Natuurlijk.' Ik graai in mijn aktetas en geef Amalia een zak M&M's. 'Waar is je moeder?'

'Binnen. Ze is nog steeds depressief,' zegt Amalia. Ze schudt haar lange vlechten achterover. 'Ze zal altijd depressief blijven.'

'Onzin! Je moeder wordt weer de oude, dat weet ik zeker. Je moet vertrouwen hebben.'

'Vertrouwen? Wat is dat?' zegt ze schamper. 'God zit op een wolk en kiest de mensen uit die moeten sterven. Wat een baan.'

Ik weet niet of ik haar moet terechtwijzen of omhelzen. Een dergelijke filosofische conversatie heb ik niet meer gehad sinds ik de essays van Montaigne moest bestuderen bij pastoor Otterbacher in de voorbereidingscursus voor de katholieke universiteit van OLOF, die ik tijdens mijn laatste jaar van de middelbare school volgde.

'Het is niet Gods taak om alles volgens jouw wensen te laten verlopen,' breng ik haar voorzichtig onder de aandacht. 'Ik weet hoe moeilijk het is om je vader te verliezen…'

'Maar uw vader was oud,' valt ze me in de rede.

'Dat betekent niet dat het me geen verdriet deed.'

'Ja, maar u had hem heel lang bij u. Veel langer dan ik. En mijn vader is plotseling gestorven. Een auto-ongeluk is ineens. Dat kun je niet eens vergelijken.' Amalia doet haar best om tartend te klinken, maar ze lijkt eerder op een bang vogeltje.

Ik zou haar willen vertellen dat mijn vader wel elke avond met zijn gezin at, maar dat hij nooit veel tegen me zei. Ik kan me niet herinneren dat we ooit een balletje hebben getrapt, naar de film gingen, of lapjes stof verzamelden zodat ik uniformen voor mijn ijzeren soldaten kon maken.

Elke zaterdagavond was er hetzelfde mysterieuze ritueel: pap trok zijn beste pak aan. Op weg naar buiten, geurend naar citrus en patchoeli, gaf hij me een kwartje en een kus op mijn bol. Hij zwaaide even naar mijn moeder, stapte in zijn pas (door mij) ge-wassen Buick, draaide het raam open en zei: 'Ik heb zaken in Blue Mountain. Ik zie jullie morgenochtend voor de mis.'

Toot, inmiddels een tiener, schudde slechts haar hoofd als ik tegen haar zei dat pap naar Blue Mountain was. Als ik aandrong om het fijne te weten van wat er gaande was daar in de Poconos zei ze: 'Je bent nog maar een jochie. Ooit zul je net als pap vieze dingen doen.' Dat was bepaald niet wat ik wilde horen. Uiteinde-lijk begreep ik dat Blue Mountain de code was voor 'pap heeft een vriendin'.

Ik hield van mijn vader, maar ik kende hem gewoon niet goed. Toen hij overleed, verscheen zijn *comare* (vertaling: vriendin – het valt me op dat we Italiaanse woorden gebruiken wanneer we ons schamen, of ongemakkelijk of dolgelukkig voelen; laten we paps comare onder de noemer 'schaamte' plaatsen) bij de wake met een lelieplant en snikte boven zijn kist. Toen mijn moeder besefte wie ze was, trok ze de plastic bloempot uit haar handen en smeet hem op de grond. Niemand zei een woord, we gingen gewoon door met hardop de rozenkrans bidden (de droevige geheimen, uiter-aard) terwijl Dutch Schiavone, de begrafenisondernemer, de rom-mel met een bezem opveegde. Het was blijkbaar niet de eerste pot-plant die tijdens een wake was weggesmeten.

Ik keek naar de vrouw met de plant tijdens de korte tijd dat ze aanwezig was, voor Dutch haar naar de deur loodste. Haar rode haar zat in een wrong en was rijkelijk besproeid met haarlak, zo-dat het glansde en onberispelijk bleef zitten (zelfs toen ma naar haar uithaalde) en ze had smalle heupen. Daardoor wist ik dat ze geen Italiaanse was. Italiaanse vrouwen hebben altijd brede, ron-de heupen. Mijn moeder ook, en Toot voor ze afslankte, om maar te zwijgen over al mijn goed bedeelde nichtjes. Voor mij is een van de kenmerken van ideale vrouwelijke schoonheid een ronde kont. Deze dame had er geen. Ze had een achterwerk waarmee ze door de brievenbus kon.

Het was niet haar rode haar dat haar on-Italiaans maakte, trouwens, want alle brunettes in mijn familie worden rood met het ouder worden. Je zult nooit een Italiaanse met grijs haar zien voor het deksel van de kist van haar echtgenoot dichtgaat. Dat is het moment waarop ze haar haren niet langer verft. 'Wat maakt het uit?' vroeg mijn moeder me toen ik haar zwarte haar tot mijn schrik wit zag worden, zo snel nadat we papa hadden begraven.

'Oké, Amalia, je hebt gelijk. Jouw vaders dood was veel erger dan de mijne; jij bent kampioen lijden. St.-Amalia van het esdoornblad.' Eindelijk glimlacht ze.

'Waar zijn jullie over aan het smiespelen?' Christina duwt de hordeur open en loopt naar ons toe.

'Doodgaan,' zegt Amalia.

'O, dat.' Christina kijkt me aan en slaat haar ogen ten hemel. Ze is tenger, maar haar kastanjebruine haar en zwarte ogen verraden dat ze er een van ons is. Gelukkig is haar neus volmaakt recht, zonder bobbel op de punt. Haar volle wenkbrauwen accentueren haar amandelvormige ogen als zwartfluwelen biezen om zijde. 'Toot belde. Ik doe de gevulde artisjokken voor je verjaardagsfeest.'

Ik weet niets uit te brengen, zo verontwaardigd ben ik.

'Sorry, was het een verrassing?'

'Nee, dat niet. Ik wil alleen helemaal geen feest. En mijn zus geeft me nooit wat ik wil. Kijk, als ik een feest wilde, kun je erop wedden dat ik tegen 13 mei thuis zat te duimendraaien.'

Christina glimlacht. 'Weet je hoe ze me tegenwoordig noemt? Ik zweer het je, ze belde en zei "nicht Christina de weduwe"! Alsof ik zo heet!'

'Beter Christina de weduwe dan Rosemary met lupus. Dat is pas een bijnaam waar je als vrouw nooit meer vanaf komt, tenzij je geneest. Ik ga naar de stad. Wil je meerijden?'

'Nee, dank je.'

Nog niet zo heel lang geleden zou Christina meteen haar tas

hebben gepakt en in de auto zijn gesprongen, om in Manhattan met me te gaan winkelen voor cliënten. Dan had ze de kleine Amalia bij haar man achtergelaten en waren we ervandoor gegaan. Zo spontaan was ze, en dan lagen we de hele weg door de Holland Tunnel in een deuk, aten snel iets in Little Italy, en vervolgens op naar de East Side, naar Scalamandré om de beste tafzijde op de kop te tikken. Ik kan niet zeggen hoe ik onze dagtripjes mis. 'Ik begin mijn geduld met je te verliezen!' zeg ik in een vergeefse poging tot luchthartigheid.

'O, B, ik ben zelf moe van mezelf.' Christina hurkt en helpt Amalia met het oprapen van haar Picassoachtige esdoornbladeren. Amalia legt haar stapel boeken en materiaal recht en loopt de balkontrap op naar binnen. Ik help Christina overeind.

'Weet je nog dat ik vorige week tegen je zei dat het beter ging?' Christina plukt aan een esdoornblad. 'Nou, het is weer erger geworden.'

'Ik wou dat je naar pastoor Porporino ging.'

'O, doe me een lol.'

'Nee, dat meen ik. Hij is een lastige ouwe knar, maar hij is goed in rouwverwerking en geld werven.'

Ze lacht. 'Je bent me er een. Jij bent de enige man die ik ken die nog bidt.'

'Het kan geen kwaad.'

'Dat is nou een opvatting waar ik me helemaal in kan vinden.'

'Doe het voor Amalia.'

'Alles wat ik doe is voor haar. Ik sta 's morgens op, toch?'

Daar kan ik niets op zeggen. Sinds Charlie elf maanden geleden stierf kan ik ook niets doen. De schok is nog niet helemaal weggeëbd, en als je moest benoemen in welke fase Christina's verdriet zich bevindt, zou het die vóór acceptatie zijn. Al haar dromen liggen in duigen, die waarin ze oud zou worden met haar grote liefde, nog een kind zou krijgen, van haar vruchtbare jaren zou genieten met een man die haar aan het lachen maakte. Nu is ze slechts de zoveelste eenzame vrouw, en ze gaat eraan onderdoor.

'Probeer het volgende week nog eens.' Ze glimlacht.

'Doe ik.' Ik omhels haar. Ze klampt zich aan me vast alsof ze verdrinkt. 'Je gaat toch niet met je tong over mijn bovenlip, hè?'

'Wie deed dat dan?' Christina laat me los en heel even is ze weer haar oude zelf.

'Nicky's vriendin. Ondine Doyle. Ze is op een bruiloft na mijn wettige nicht, en ze likt me.'

'Getver!'

'Zeg dat wel. Ze lijkt wel diesel, die meid, de hele snelweg over. Snap je me?'

Christina gooit haar hoofd achterover en lacht, net als vroeger, net als voor alles veranderde.

Iedereen heeft een plek die hem lokt, een plek waar je tot bloei komt, waar het beste in jezelf naar boven komt en je je echt geluk herinnert. Voor sommigen is het een schoolreünie in een biertent, waar ze een oude vlam tegen het lijf lopen. Voor anderen is het een zomerkamp buiten Atlantic met de hele nacht poker en koude pizza. Voor mij is dat Scalamandré, waar ze de mooiste handgeweven zijde ter wereld hebben, in East Fifty-seventh Street en Third Avenue in lawaaierig, smerig, heerlijk Manhattan.

Ik probeer ten minste één keer per week naar de stad te gaan. Vanavond ga ik langs verschillende adressen voor ik bij het warenhuis ben. Bij Kovack haal ik monsters van keramische tegels, en bij Roubini van wollen kleden. Ik fotografeer een Grange-sofa op de meubelmarkt. Net voor sluitingstijd duik ik Scalamandré in.

Als ik naar de stad ga bel ik vrienden, vooral uit de designwereld, en wisselen we verhalen uit onder het genot van een glas wijn en gebraden kip in het Cattleman West Restaurant. Ik ken die vrienden al sinds mijn studietijd aan Parsons, waar ik afstu-

59

deerde op vezels. Daarna studeerde ik verder in interieurontwerp. Als de enige binnenhuisarchitect van OLOF heb ik behoefte aan collega's, medeontwerpers en kunstenaars die ik om raad kan vragen en met wie ik ideeën en trends uitwissel en bespreek. Ook al woon ik in een kleine stad in Jersey, ik ben helemaal bij de tijd.

New York is de plek waar alle kunst uiteindelijk neerstrijkt. Dat geldt zeker voor mijn vak, want er bestaat geen stof, waar ter wereld ook geweven, of hij is te zien in een van de toonzalen hier. Toen ik alle certificaten van de ASID (American Society of Interior Designers)* in mijn zak had, was het eerste wat ik deed bij Scalamandré naar binnen gaan. Op de deur staat in bladgouden letters GROOTHANDEL, maar er had net zo goed kunnen staan BARTOLOMEO DI CRESPI, KOM BINNEN! Het was alsof ik lid was geworden van de beste club op aarde. Ik bid in de kerk van Our Lady of Fatima, maar verheerlijken doe ik in het gebouw van Scalamandré.

De etalages alleen al zijn om te smullen. Ze combineren klassieke elementen met een vleug humor; vaak is er een stoel met een bijzondere bekleding gecombineerd met het nieuwste behang, en een kast, spiegels en sierdozen als accenten. Op een keer stond er een mosgroene fluwelen poef, afgewerkt met een Medici-bloempatroon en franje versierd met kristallen. Op een ronde canvas paddenstoel stond een schaal havermout. Een zwartfluwelen spin aan een zilveren draad hing aan het plafond. Little Miss Muffet in Third Avenue.

Franco Scalamandré is niet alleen een groot weefkunstenaar, hij is ook een echte historicus op het gebied van vezels. Zijn ontwerpen zijn vaak geïnspireerd op zijn studies van Italiaanse antiquiteiten. Hij heeft een nieuwe collectie zijdezeefdrukken op de markt gebracht, van fluweel verweven met metallieke accenten

* Amerikaanse vereniging van binnenhuisarchitecten

die in de vijftiende eeuw werden gebruikt in de paleizen van de Medici. Het was echt een droom van een collectie, ik heb zelfs een tijd lang kleine details uit de Medici-periode gebruikt in elk huis dat ik inrichtte.

Scalamandré is een typisch Upper East Sideherenhuis, lang en smal als de vrouwen uit die buurt, en prachtig onderhouden. Er is nooit een veeg op de geboende tafels, of een scheurtje in de vloerplanken te bekennen. Je krijgt er het gevoel dat je bij bekenden op bezoek bent, met de ronde Romeinse hal met verse dahlia's in een zilveren pul op de biedermeierhaltafel. Boven de tafel hangt een luchter van Venetiaans rookglas met bobèches die zo fijn zijn als gesponnen suiker. Aan de voet van een imposante trap staat een buste van Marie Antoinette. De loper heeft een gedurfd lichtbruin luipaardpatroon. In plaats van een leuning aan de binnenkant van de muur naar boven, is er een breed zijden koord in koperen ringen bevestigd. De spiraaltrap draait zich als een roerstokje naar de derde verdieping.

Een bord onder aan de trap geeft aan wat waar te vinden is. De begane grond is de stoffenafdeling; de eerste verdieping heeft alles voor muren (lambrisering, behangpapier en stoffen wanddecoraties); op de tweede verdieping vind je fournituren, en op de derde privékantoren. Geen zichzelf respecterende binnenhuisarchitect neemt ooit de kleine dienstlift, uit angst dat hij een nieuwe collectie zou missen.

In de achterkamer op de begane grond hangen de stoffen muurhoog in uitwaaierende overvloed naast elkaar. Elk toonexemplaar heeft een eigen klem en hanger zodat je de stof in volle lengte en breedte kunt zien. Ik geniet van het geluid dat al die stoffen bij elkaar maken wanneer ik de rekken doorkijk: *woesj, klik, woesj, klik.* Stel je de golven van kleur voor, weelderige zijde, glanzende taf, gesteven plissé en stijve organza. Zelfs de robuustere stoffen – wol, linnen en katoen – zijn met artistieke zwier uitgestald in elke denkbare weefsel- en kleurencombinatie. Op de zoom van elke staal zit een kaartje met een naam en stijlnummer, cruciaal bij keuren, bestellen en prijzen.

Er schiet meteen een assistent naar me toe, die me bij naam begroet en me een klein klembord met potlood overhandigt. Een binnenhuisarchitect wordt gevraagd om de itemnummers die hij heeft uitgekozen te noteren en aan de assistent te geven, die naar de etenslift in de hal gaat en de lijst met keuzes naar de kelder stuurt.

We noemen de jongelui in de kelder die de stalen uitzoeken 'de elfen', omdat het weliswaar een saai karwei is, maar toch iets magisch heeft. Denk je eens in: tien uur per dag stofmonsters door je handen laten gaan, terwijl je absoluut dol bent op ruwe zijde! Wat een geschiedenis in die kleine lapjes – sommige stofpatronen zijn zo oud als het klassieke Rome. Als je stalen in een knisperende envelop op de plank van de etenslift verschijnen, kun je ze mee naar huis nemen om ervan te genieten. Ik heb verschillende kurkborden die ik als sjabloon voor een klus gebruik. Ik arrangeer de stoffen, verfstrookjes, tegels en foto's (voor inspiratie) die de componenten van mijn ontwerp worden. Een vol kurkbord is een levendige collage en een kunstwerk op zich.

'B?' hoor ik Mary Kate Fitzsimmons, de jonge doch ervaren fourniturenexpert met haar zangerige stem vragen. 'De passementen zijn binnen.' Mary Kate weet van mijn zwak voor de handgeknoopte zijden franje waarmee ik mijn voetenbanken en gordijnen afzet.

'Wat voor kleuren?' Ik doe mijn best niet te opgewonden te klinken.

'Zet je schrap! Er is donkerblauw, bijna zwart, dat glimt als drop. En een goudtint. Ik heb mijn hele leven nog nooit zo'n botergeel goud gezien! Maar het allermooist is een pompoentint; staat fantastisch bij robijnrood. Het komt allemaal uit Frankrijk.'

'Nergens kunnen ze zo knopen als in Frankrijk,' verzucht ik.

'Nee. Daar zijn ze het allerbest.' Ze glimlacht naar me terwijl ze voorzichtig haar hand over een doorzichtige voile met gebordduurde ton sur ton accenten laat glijden. Mary Kate heeft een klassiek Iers uiterlijk, met haar ovale gezichtje, kleine neus, fijne bleke huid, de verplichte schattige sproetjes en een boogvormige, sensuele glimlach. Haar tanden zijn niet helemaal perfect, maar de lichte overbeet is sexy. 'De Italianen kunnen er ook wat van, trouwens,' zegt ze flirtend.

'Het is zo'n klus om de juiste franje voor een voetenbank te vinden. Ik wil dat mijn voetenbanken blikvangers zijn, en als de franje rafelig is, verknalt dat het hele ontwerp.' Ik word in de diepten van haar donkerblauwe, bijna turkooizen ogen gezogen.

'Ik zou de hele dag wel kunnen luisteren als je over voetenbanken begint,' zegt ze met een warme stem. 'Als je iets nodig hebt, weet je waar je me kunt vinden.' Ze draait zich om naar de trap om naar boven te gaan. Voor een Ierse heeft ze een zeer Italiaans achterwerk. Grappig wat je allemaal opvalt wanneer je in een creatieve stemming bent.

Als ik eindelijk bij de fournituren ben beland, ben ik de laatste klant in de winkel. Zelfs de assistenten op de begane grond zijn vertrokken, en hebben mij met mijn klembord en potlood achtergelaten om aantekeningen te maken. Zo heb ik Scalamandré het liefst, nu kan ik in alle rust nadenken. Ik vergelijk kleuren en patronen, kies passementen voor stoelversieringen en franjes voor gordijnen en hou mijn kleurenwiel tegen de chroma van allerlei behang. Mary Kate kijkt op van haar bureau als ik nieuwe zijden kwastjes met handgeverfde keramische kralen op de knopen bestudeer. Helemaal Marrakesh.

'Waar ben je momenteel mee bezig?' vraagt ze belangstellend.

'Verschillende huizen. Je weet wel, als het lente wordt zien de mensen hun kamers in fel zonlicht, en dan ziet alles er ineens smoezelig uit. Ik kan niet snel genoeg werken.'

'Niet iedereen heeft het zo druk als jij. En je bent natuurlijk supergoed.'

'Dank je. Ik doe mijn best.'

'Jij hebt tenminste klasse. Je bent niet zoals die amateurs die zich binnenhuisarchitect noemen omdat iemand tegen hen gezegd heeft dat ze "flair" hebben. Daaraan kun je meteen de beunhazen herkennen, ze strooien met "flair".'

'Mary Kate, ik wil mezelf niet vergelijken met de concurrenten.'

'Sorry. Ik heb de hele dag met hen te maken, en ze kunnen nog geen jute van brokaat onderscheiden. Ik word er doodmoe van.'

Omdat ik had gehoopt dat mijn nicht Christina met me mee zou gaan, heb ik geen van mijn vrienden in de stad gebeld, en ik heb honger. 'Wat zijn je plannen voor het eten?' vraag ik Mary Kate. 'Geen.' Ze glimlacht.

'Heb je zin in een bord spaghetti?'

'Mmm! Met een lekkere rode wijn en warm brood?' Ze opent haar bureaulade en haalt haar tas tevoorschijn.

We zetten koers naar Le Chantilly, een gezellige tent waar ontwerpers tussen afspraken door lunchen of dineren. De chef-kok is Italiaans, en hoewel het restaurant vooral bekend is om zijn koteletten en kipsalade, maakt hij een bijzonder smakelijke bolognesesaus. Mary Kate laat mij voor ons beiden bestellen en vermaakt me met verhalen over de bekende ontwerpers die als vaste klant bij Scalamandré komen: Carleton Varney, Sister Parrish, Mario Buatta, Chessy Rayner, Mica Ertegun, Albert Hadley, David Hicks en Mark Hampton – alle grote namen.

Terwijl we zitten te roddelen, merk ik dat Mary Kate steeds dichter naar me toe schuift op de bank. Wanneer we aan het dessert beginnen – vanille-ijs met warme toffeesaus – zit ik in de ronding van het bankje, met Mary Kate zo dicht naast me dat ik haar haren kan ruiken.

'Wat is jouw droom?'

'Hoe bedoel je?' In negenendertig jaar heeft niemand me dat ooit gevraagd, geloof ik.

'De binnenhuisarchitecten die bij Scalamandré komen hebben altijd een grote droom. Ze willen een bepaald speciaal pand onder handen nemen, omdat ze geloven dat zij het als enige ter wereld tot hun recht kunnen laten komen. Ik heb ze allemaal gehoord. Vooral het duplexpenthouse van Beresford aan Central Park West is gewild. Het Pabst-landgoed in Milwaukee. Het Witte Huis. Wat is jouw droom?'

'Een kerk.'

'Saint Patrick's Cathedral?'

'Nee, nee, de kerk in mijn eigen stad.'

'Wat ontzettend aandoenlijk.' Mary Kate is werkelijk geroerd, ze legt haar hand op mijn arm en drukt haar neusje tegen mijn oor.

'We moesten eens gaan,' zeg ik tegen haar. Mary Kate loopt naar de damestoiletten terwijl ik afreken. We zien elkaar weer bij de garderobe.

'Heb je een relatie?' vraagt ze als ik haar in haar jas help.

'Ik ben een vrije vogel,' zeg ik. Zodra ik het zeg, voel ik me schuldig. Ik ben tenslotte een beetje verloofd, ook al is het meer een soort afspraak dan een echte verloving. Onze moeders hebben eigenlijk afgesproken dat we zouden trouwen, rationaliseer ik. Dat plan lijkt alleen nog intact omdat we allebei nog steeds niet getrouwd zijn. Maar ik zou nooit Capri, Aurelia en 'de koppeling' aan Mary Kate kunnen uitleggen. We hebben goede wijn gedronken, heerlijk gegeten en een sprankelend gesprek gevoerd, waarom dat alles bederven door in details te treden?

'Dat is goed nieuws voor mij.' Mary Kate pakt mijn arm en laat haar hand knus in mijn zak glijden. 'Je ruikt altijd zo lekker. Schoon, naar ceder.'

'Ik dacht net hetzelfde van jou.'

'Vind je me aantrekkelijk?' vraagt Mary Kate nonchalant als we Third Avenue oversteken.

'Je doet me denken aan een Capodimonteroos,' antwoord ik. 'Grillig, maar erg mooi.'

Als we bij de hoek zijn, blijft Mary Kate staan en kijkt me aan zonder haar hand uit mijn zak te halen. Ze legt haar vrije hand in mijn nek, trekt me naar zich toe en zoent me. Ik moet zeggen, ze kan zoenen. Het is erg prettig, totaal niet vergelijkbaar met de zwabbertong van Ondine Doyle.

'Ik heb je de passementen helemaal niet laten zien,' zegt ze glimlachend.

'De zaak is gesloten.'

'Ik heb een sleutel.'

De gedachte om alleen in Scalamandré binnen te zijn, alleen Mary Kate en ik en al die stof, is onweerstaanbaar. 'Waar wachten we op?' Mary Kate giechelt als we terugrennen naar het warenhuis. Ik voel me heerlijk ondeugend. Als jongeman heb ik nooit gerebelleerd, of iets gedaan wat mijn ouders van streek maakte, dus stiekem een afgesloten zaak binnenglippen is zonder meer spannend. Als we bij de ingang van het warenhuis zijn, speurt Mary Kate de straat af. Als ze geen bekende ziet, opent ze de voordeur met haar sleutel, laat me binnen en sluit de deur achter ons. Ze knipt de verzonken lichten boven de trap aan. Ik pak haar hand als we de trap met twee treden tegelijk op gaan tot we op haar afdeling zijn.

'Wacht tot je het ziet!' Ze schuift een wand versierd met boordsel weg, waardoor er rijen passement tevoorschijn komen. 'Dit hebben ze in het Met voor het brandscherm gebruikt,' zegt ze trots. 'Ik heb het helpen uitzoeken. Ga je gang. Voel maar.'

Mary Kate pakt mijn hand en stuurt hem over de lange franje, bijna een meter gedraaide zijden tressen, met de hand gestikt op bijpassend geborduurd passement. De bovenste draaiingen en knopen zijn zo sensueel als vingers; ze glijden als glinsterfolie door mijn handen. Ik kijk als betoverd toe hoe het straatlicht over de koorden danst. Plotseling ben ik William Powell, Mary Kate is

Myrna Loy, en Manhattan glinstert op de achtergrond als kaarslicht op kristal. Wat een ambiance!

Ik ga op in het moment terwijl ik het zachte passement streel
en het me voorstel in zacht licht, aan de opbollende erkergordij-
nen in de woonkamer van de Shumans in Spring Lake. Wat een
volmaakt accent voor de rococofantasie die ik voor hen creëer!

Mary Kate pakt me van achteren beet en laat haar handen van
mijn middel naar mijn revers glijden. Ze trekt mijn colbert uit.
'Mary Kate, wat doe je, liefje?' vraag ik.

'Niet praten,' zegt ze zacht. Ik hoor knopen losgaan en ritsen
openzoeven en haar zachte snelle ademhaling, eerst ritmisch, dan
hijgend, alsof ze rent om een trein te halen. Ze drukt zich kronke-
lend tegen mijn rug en klimt dan in me alsof ik Pikes Peak ben. Ik
pak een koord beet als een trapezeartiest in het circus die klaarstaat om over de menigte heen te zwaaien, en laat Mary Kate het
voortouw nemen. Ik voel me alsof ik op mijn beurt wacht, of misschien wel op instructies.

Mary Kate zuigt in mijn hals, een beetje zoals ze in Le Chantilly de amuse van Clams Casino naar binnen slurpte. Dan pelt ze
me achterlangs uit mijn overhemd. 'God, wat een rug!' zegt ze
kreunend. Ik ben trots op mijn nek en schouders, en ik heb wel
eens te horen gekregen, toen me de maat werd genomen voor
overhemden, dat een serveerster een diner voor acht op mijn rug
zou kunnen serveren, zó breed en gespierd is hij, uitlopend in een
strakke taille van zesenzeventig centimeter omtrek, waarop ik al
net zo trots ben. Ik schijn de vorm van de mannelijke di Crespi's
doorbroken te hebben. Natuurlijk werk ik aan mijn spieren met
een combinatie van snelwandelen, trainen met lichte gewichten
en kleine porties eten.

Mary Kate drukt zich tegen me aan, en ik grijp het zijden koord
als een reddingslijn, terwijl ze zich aan me vergrijpt. Ze is overal!
Als een harige spin in een horrorfilm kruipt ze over, onder, rond
en achter me. Dat kleine ding bewerkt me alsof ik taartdeeg ben

en weet de gevoeligste plekjes precies te vinden. Dit is een vrouw die het mannelijk lichaam aanbidt! Ze uit haar verrukking over elke spier en welving die ze tegenkomt.

En toch is seks op zich voor mij, met alle poespas en mysterie, niet meer dan een kwestie van wrijving. Ik voel me nooit emotioneel geraakt terwijl ik me eraan overgeef, en vraag me vaak af waarom dat is. Ik weet dat seks voor de meeste mensen echt iets betekent, maar voor mij is het nooit de ultieme menselijke ervaring geweest. Ja, het kan zeker ontspannend en aangenaam zijn, maar zoals grote geesten aangeven, plezier is niet meer dan dat, het is in de verste verte geen echte vreugde. Creativiteit vind ik zalig. Ik haal veel meer voldoening uit het uitwisselen van een idee, het samenwerken aan een gemeenschappelijk doel en de kunst van het converseren dan uit het gekreun en gehijg van de daad. 'Sorry, zei je iets?' vraag ik Mary Kate.

'Ik zei dat je fantastisch bent!' fluistert ze, en ze stort zich weer op waar ze mee bezig is.

Men zegt dat ik een geweldige minnaar ben, maar ik doe eigenlijk niets speciaals, ik hou gewoon vol. Ik speel kapitein van het schip, en hou met een ferme hand op het roer de boot in evenwicht als het heftig wordt. Hoe dan ook, Mary Kate Fitzsimmons is kennelijk zo totaal verzadigd als ze klaar is, dat ze met een plof in elkaar zakt, en de kwastjes als een baldakijn over haar lieve hoofdje heen hangen.

'O, B,' fluistert ze.

'Ja?' zeg ik quasiverleidelijk, omdat ik nooit weet wat ik moet zeggen tegen een naakte vrouw die me aankijkt alsof ik het weer zou kunnen veranderen.

Ze lacht. 'Ik weet niet wat me overkwam. De wijn. De spaghetti. Het passement.'

'De warme toffeesaus!' Ik knip met mijn vingers alsof ik net op het antwoord ben gekomen.

'Nee, nee. Het komt door jou.' Ze glimlacht.

'Dank je.' Wat kan ik anders zeggen. Het is te veel eer.

Ze draait haar rode haar in een lage knot. 'Ik ben dol op Italiaanse mannen. Dat zit 'm in de manier waarop jullie naar een vrouw kijken.'

Ik denk aan mijn vader, die altijd naar het gezicht van mijn moeder keek alsof het een zak bonen was. 'Hoe bedoel je?'

'Met ontzag,' zegt ze ernstig terwijl ze haar blouse aantrekt en dichtknoopt. 'Je kijkt naar vrouwen alsof wij iets weten.' Ze staat zonder een spoortje gêne op en zoekt haar rok. Haar roze huid lijkt, beschenen door de gouden straatverlichting, op glanzend marmer.

Ik sta met mijn mond vol tanden, daarom glimlach ik maar en trek ik mijn broek weer aan.

'Maar weet je wat ik vooral zo super aan je vind, Bartolomeo?' Ze pakt mijn hand vast. 'Je verpest het niet met een hoop geklets.'

We hangen de franje terug op de toonwand, ze doet het licht uit en we lopen gearmd de wenteltrap af, die me ineens een lichte aanval van hoogtevrees bezorgt. Ik leun met mijn linkerzijde dicht tegen haar aan, en met mijn rechterhand grijp ik de koordleuning vast. 'Wacht. Ik moet je iets geven.' Wat een vreemde opmerking voor een vrouw, net na het vrijen. Mary Kate verdwijnt in de achterste toonzaal en laat mij in de hal staan. Even later is ze terug met een boek.

'Hier.' Ze geeft me het boek *An outline of European architecture* van Nikolaus Pevsner. 'Dit zal je veel inspiratie geven voor je kerk.'

'Dank je.' Ik kus haar en stop het boek onder mijn arm.

Eenmaal buiten hou ik een taxi aan, help Mary Kate op de achterbank en druk de chauffeur wat geld in de hand met de opdracht te wachten tot ze veilig in haar gebouw in Sunnyside in Queens is. Ze draait het raampje open en leunt naar buiten. Strengen rood haar waaieren als veren uit tegen de gele taxi.

'De franje die je zo mooi vond,' zegt ze.

'Ja?'

'Dat is nummer 1217.' Ze glimlacht lieflijk.

De taxi rijdt weg, de rode remlichten verdwijnen in de verte wanneer hij in de richting van East River Drive rijdt. Even mis ik Mary Kate. Ik mis haar roomkleurige huid die naar vanilletoffee ruikt. Maar die lichte weemoed verdwijnt snel waneer ik over Third Avenue loop. Laten we eerlijk zijn, het beste van seks is wanneer het voorbij is. Mijn ideale scenario is vrijen, afscheid nemen en dan alleen in alle rust nadenken. Natuurlijk zeg ik altijd een schietgebedje dat ik niet in de hel beland omdat ik me überhaupt aan de daad heb overgegeven. Berouw na seks is de espresso na het dessert.

Ik weet niet hoe katholiek Mary Kate is, maar op de een of andere manier heeft ze de schaamte-en-berouwpil aan zich voorbij laten gaan. Dat is om toe te juichen. Misschien heeft Mary Kate het wel bij het rechte eind: seks is heel normaal en net zo heerlijk als een portie ijs. Waarom kan ik het zo niet zien? Waarom kan ik niet leren van een slimme meid met benen zo sterk dat ze walnoten tussen haar knieën zou kunnen kraken? Nog iets om over na te denken tijdens de rit naar huis, maar eerst wil ik een borrel.

Ik loop naar Gino's, een bar in de buurt van Bloomingdale's, waar veel binnenhuisarchitecten komen, om een van hun beroemde manhattans te bestellen, met veel zoete vermout, precies zoals ik het lekker vind. Ik voel een spier trekken in mijn linkerkuit, alsof ik heb paardgereden. Ik ga op een barkruk zitten en bestel, met mijn voet op de koperen stang om mijn been te ontspannen. Ik sla Pevsners boek open en verzink in de schitterende illustraties van barokarchitectuur.

'Kijk, iemand met kramp,' zegt een stem achter me.

'Te veel gelopen,' lieg ik.

'Jij zegt het.'

Ik draai me om naar de brutale, maar opmerkzame onbekende. Wat is ze exotisch, en tegelijkertijd komt ze me bekend voor! Haar gitzwarte haar valt als weelderige zijde tot haar middel. Ze draagt een nachtblauwe sarong strak om haar slanke lichaam gewikkeld, kruislings vastgezet met linten(!) van goudlamé. Aan haar voeten draagt ze platte gouden sandalen, in dezelfde kleur als haar opvallend grote oorringen en gladde armbanden, die het grootste deel van haar onderarmen sieren. Met haar bijzondere, opvallende kledingtooi is ze toch heel toegankelijk en charmant.

'Ken ik je?' vraagt ze.

'Ik ben Bartolomeo di Crespi.'

'Die naam zegt me niets. Ben je binnenhuisarchitect?'

'Ja. Hoe weet je dat?'

'Eydie Von Gunne.' De schoonheid steekt haar hand uit. Ik neem hem in de mijne en ben verrast door haar stevige vingers. Dan doet ze iets wat ik prachtig vind. Ze schudt haar polsen zodat de talloze gladde armbanden als gouden lasso's over haar handen vallen. Ze heeft lange, dunne armen die me doen denken aan de veelarmige vruchtbaarheidsgodinnen in Tibetaanse kunst. 'Je pak spreekt boekdelen. Donkergrijs met magentastreep. Alleen een ontwerper zou zo'n gewaagde kleurcombinatie kiezen. Met wat voor project ben je bezig?'

'Een kerk.' Waarom vertel ik haar dat? Ik heb de opdracht nog niet eens; waarom probeer ik haar te imponeren?

Eydie glimlacht. 'In Europa of in Amerika?'

'New Jersey.'

'Gotisch, romaans of modern?'

'Gotisch.'

'Kerken zijn mijn specialiteit. Ik ken ze vanbinnen en vanbuiten.'

'Je ziet er anders niet uit als een kloosterzuster.'

'Klopt. Ik heb nooit een sluier gedragen. Tenzij in een harem, uiteraard.' Ze knipt haar avondtasje open, een fluwelen envelop bedekt met pauwenveren, en geeft me haar kaartje:

17 Park Avenue
555-1127

'Als je een keer zin hebt om over kerken te kletsen, bel me dan.'

'Doe ik,' beloof ik haar.

'Een man die Pevsner aan de bar leest is helemaal mijn type.' Ze glimlacht.

'Weet je waarom ik zo van New York hou?'

'Eens raden. Om de vijver in Central Park, de staatsietrap in het Met, of het Milbank Mansion aan West Tenth Street?'

Ik onderbreek haar. 'Nee, hoewel dat een fantastische lijst is.'

'Waarom dan?' Het lijkt of ze echt nieuwsgierig is naar mijn antwoord.

'Ik vind het heerlijk dat ik hier alleen een boek zit te lezen en dat jij me aansprak.'

Ze haalt haar schouders op. 'Ik vind je pak mooi.'

Een lang Cary Grant-type met gebeeldhouwde trekken en wit haar loopt naar de bar en slaat zijn arm om haar heen. 'Ben je zover, liefje?' zegt hij in haar oor.

'Ja hoor.' Ze heft haar hoofd op en wrijft haar gezicht tegen zijn wang. De maître d' neemt meneer Gebeeldhouwd even terzijde, dus ik word niet aan hem voorgesteld.

'Die man lijkt wel een filmster,' zeg ik tegen Eydie.

'O, dat weet hij ook.' Ze glimlacht en draait haar hoofd opzij om naar hem te kijken.

Nu besef ik waarom Eydie me zo bekend voorkomt. Tegen de dennengroene muren vormen haar hoofd en hals een silhouet als een foto op bladmetaal. Dat is het! Ze heeft mijn vroegere neus! Alleen bij haar, met haar lengte, langwerpige gezicht en Egyptische geloken ogen staat hij. 'Leuk je te hebben ontmoet, Bartolomeo.'

'Goedenacht, Eydie.'

Wanneer haar metgezel de deur voor haar openhoudt, stapt Eydie de nacht in als een sialia die in de donkere lucht omhoogvliegt. Heel even wil ik haar achterna lopen. Ze wierp maar één blik op me en scheen meteen te weten wie ik was. Wat belachelijk! Ik heb net de vrouw van mijn dromen ontmoet! Wat is er met me aan de hand? Steeds als ik bij een vrouw ben, wil ik zo snel mogelijk ontsnappen, en als ze eenmaal weg is, mis ik haar.

3

Pastoor Porporino en het verjaardagsfeest

Ik neem de trap naar het oksaal voor de zondagsmis met twee treden tegelijk. Mijn afspraakje met Mary Kate bleek uiteindelijk een opsteker. Ik loop met een veerkracht die ik vorige week niet bezat. De lichte triestheid waar ik na onze vrijpartij door werd bevangen is in een warme gloed veranderd, bijna als het effect van een flink glas Fernet Branca na een rode biefstuk. Mijn toevallige ontmoeting met Eydie Von Gunne was ook een opsteker. Ik blijf maar naar haar visitekaartje kijken, alsof het van diamant is. Deze ochtendmis zal ik zingen dat het een lieve lust is.

Ik voel me ook zo goed omdat ik heb besloten eens serieus met Capri te praten en een eind te maken aan onze bizarre vertoning van een zogenaamde verloving. Na mijn zondige avond in Scalamandré bad ik twee rozenkransen om de Heilige Maagd om vergeving te smeken, niet voor de daad, maar omdat ik had gelogen dat ik ongebonden was. De frase 'vrije vogel' blijft in mijn oren nagalmen als een brandweeralarm. Ik kan niet langer meedoen aan dat bedrog. Capri is een schat van een vrouw, en ze verdient het om zelf geluk te vinden. Per slot van rekening, als ze me aantrekkelijk had gevonden, zouden we wel iets meer lichamelijk contact hebben gehad dan die ene keer dat haar linkerborst mijn dijbeen schampte toen ik staande op een keukentrap een gordijnkap in huize Mandelbaum ophing, in 1968.

Elke zondag zit Capri op de eerste rij van de koortribune, met volgens doktersvoorschrift haar zonnebril op, haar kin op de balustrade geleund, en kijkt naar het gebeuren beneden alsof ze een middag in Brandywine Raceway op de paarden heeft gewed. Terwijl ik haar vanaf de laatste rij van de koortribune bestudeer, besef ik dat we het nooit hebben uitgemaakt omdat daar nooit reden voor was. Ze zette me nooit onder druk om te trouwen, noch ik haar. Onze relatie was als een bruine jas. Hij staat bij alles, dus waarom iets anders aantrekken?

Aurelia zit aan het orgel en neemt de koorliederen met Zetta door. Ik glip op de plaats naast Capri.

'Hoe is het?' Capri kijkt me met een glimlach aan. Ze heeft geen flauw vermoeden dat ik naar New York ben geweest en met Mary Kate Fitzsimmons heb gevreeën, wat op zich al een reden is om ermee te kappen. 'Dit zul je niet leuk vinden,' fluistert ze. Ze vouwt haar kerkblaadje open en wijst naar een aankondiging.

Pastoor Porporino heeft het bedrijf Patton en Persky uit Philadelphia, Penn. opdracht gegeven om onze kerk te renoveren. Patton en Persky zijn wereldberoemde binnenhuisarchitecten met een keur aan cliënten, zoals het Liberty Rose Hotel in Philadelphia en het verpleeghuis Crestview in Frenchtown...

Het is alsof ik een mes tussen mijn ribben heb gekregen.

Mijn maag begint zo luidruchtig op te spelen dat ik de gesp van mijn riem vastgrijp alsof er volumeknoppen op zitten. Ik knipper een paar keer met mijn ogen en lees de laatste regels van de aankondiging:

Het bisdom heeft de keuze goedgekeurd. De renovatie zal deze herfst beginnen na het feest van Onze-Lieve-Vrouwe van Fatima.

'Ongelooflijk, dat hij je dit heeft geflikt.' Capri pakt mijn hand beet en geeft een bemoedigend kneepje. 'Gaat het wel?'

Ik schud mijn hoofd, maak mijn excuses en ren de trap af. Dan duw ik de zijdeuren open en zuig diepe teugen frisse lucht naar binnen. Dat verklaart die grijns op meneer pastoors gezicht toen ik het altaar kwam aankleden, de plotselinge afgelasting van de parochieraadvergadering en de kerkblaadjes die hij verstopte tot hij er zeker van was dat ik vertrokken was. Nu snap ik het allemaal. Hij wilde me het slechte nieuws niet zelf vertellen. Hij wilde dat ik de klap kreeg als het te laat was om te protesteren. Ik vind het onverteerbaar dat hij een binnenhuisarchitect van buiten de parochie heeft gezocht. Niet alleen heb ik deze kerk mijn hele leven trouw gediend, van misdienaar tot altaarassistent, maar hij wist ook wat deze renovatie voor me betekende. Ik ben beduveld!

'B! Niet weggaan!' roept Capri in de deuropening. Ze snelt de trap af. Het diepe vibrato van het orgel zweeft door de ramen naar buiten en klinkt als het puffen van een trein die heuvelopwaarts gaat. De congregatie zingt luidkeels 'They will know we are christians by our love'.

'Heeft meneer pastoor je er iets over gezegd?' vraagt ze wanneer ze me heeft ingehaald.

'Geen woord.' Ik krijg het warm bij de gedachte dat ik mijn grote creatieve droom aan hem heb prijsgegeven. Geen wonder dat hij me zo misprijzend aankeek.

'Ma zal hem wel ompraten.'

'Nee!' Ik schreeuw het bijna uit. 'Als hij er zo over denkt, en zo'n lage dunk van mijn talent heeft, dan moet het maar zo zijn,' sputter ik verontwaardigd. Capri doet een stap achteruit. Voor het eerst in veertig jaar is ze bang voor me. Het laatste wat ik wil, is dat haar moeder zich ermee gaat bemoeien.

'Oké.' Ze heft haar handen op alsof ze gearresteerd wordt. 'Ik wil alleen maar helpen. Ik weet hoeveel het voor je betekent, dat is alles.' Ze draait zich om en loopt de trap op. Bij de deur blijft ze staan, zet haar bril af en slaat haar handen voor haar gezicht.

'Capri, je huilt toch niet?' Ik voel me vreselijk. Ik heb nooit eerder tegen haar geschreeuwd. Ik loop naar boven en hou haar tegen voor ze terug naar binnen gaat. 'Ik wilde niet tegen jou uitvallen.' Ik neem haar in mijn armen. Ze droogt haar tranen aan mijn mouw en kijkt naar me op. Haar gezichtsuitdrukking is als die van Santa Rosa van Lima (het derde gebrandschilderde raam rechts): diep teleurgesteld en gekwetst. Het is alsof ik haar voor het eerst zie. 'Je hebt heel mooie ogen,' zeg ik zacht. In gedachten besef ik dat telkens wanneer ik iets moois zie, dat me omhoogtrekt uit de kwelling van het moment. 'Dat heb ik nooit eerder opgemerkt.'

'Hoe kun je dat ook zien door mijn bril heen?' Capri haalt haar neus op en strijkt haar haren achter haar oor. Ze zet haar verplichte zonnebril weer op.

'Het is inderdaad niet makkelijk.'

Ze glimlacht. 'Je bent goed in tactloze opmerkingen.'

'Weet ik,' zeg ik verontschuldigend.

'Ma zal zich afvragen waar ik ben. Ik kan maar beter naar binnen gaan. Kom je mee?'

'Nee... dat gaat niet.'

Ze gaat terug naar binnen en ik hou mijn adem in. De jaren van dienstbaarheid aan mijn parochie dwarrelen als confetti door mijn hoofd. Ik had zulke grootse plannen! Ik wilde al het zware achttiende-eeuwse gedoe aan de kant schuiven en vervangen door een modern open interieur, waardoor er ruimte zou ontstaan. Ik wilde rustgevende kleuren gebruiken, zoals aubergine en roodbruin op de muren en kantelen, voor een natuurlijke en serene sfeer. Ik had een strakke moderne communiebank in gedachten, een simpel altaar in quakerstijl, en de priesterzetel opnieuw bekleed met paars fluweel, afgewerkt met goudbies, om de aderen in het marmer te laten uitkomen. In mijn hoofd had ik een eerbetoon aan Maria ontworpen – een eigentijdse witmarmeren madonna met kind van Pizzo – in plaats van het handbeschilderde cementen beeld. Ik was van plan een simpel achterscherm aan te brengen, bezaaid met lichtjes, en laag voor het beeld votiefkaarsen; ik had een binnengrot in gedachten. Ik probeer de beelden die zo lang in mijn verbeelding leefden te wissen, maar ze willen niet verdwijnen.

Wat zou ik allemaal wel niet gedaan hebben met die kans! OLOF zou een interessante halte zijn geweest voor de touringbussen van de oecumenische beweging die tijdens de jubeljaren door New Jersey komen. Wie weet? Misschien was het zelfs niet uitgesloten geweest dat er zo nu en dan een wonder plaatsvond in de kerk, onder de juiste omstandigheden.

Ik hoor het geroezemoes van de kerkgangers terwijl ze zich door de geloofsbelijdenis van Nicea worstelen. De tranen prikken in mijn ogen als ik denk aan de vreugde die deze kerk me al die jaren heeft bezorgd, te beginnen met de allerheiligenparade toen ik zes was en verkleed als St.-Bartolomeus zwaaide met een echt zwaard (geleend van Anthony Cappozolo, een goedgeefs lid van de Knights of Columbus), tot en met Toots snikhete julibruiloft, toen ik flauwviel van de hitte in mijn rokkostuum met witte handschoenen en als een plank uit de sacristie moest worden gedragen na herhaalde pogingen om me bij te brengen met slokjes wijwater uit de vont. En niet te vergeten elke zonde die ik sinds mijn tiende opbiechtte in hokje nummer twee. Ik verzon nooit zonden, zoals mijn leeftijdgenootjes; ik zei altijd de waarheid, en nu is dit mijn dank.

Voor het eerst in drieëndertig jaar zal ik mijn zondagse communie mislopen, maar ik moet er niet aan denken om al die mensen onder ogen te komen die weten dat ik ben overgeslagen, net als Clemmie Valentini's muffe cannoli op bingoavond. Hoe heeft meneer pastoor me dit kunnen aandoen? Er is geen familie in deze parochie wier huis ik niet heb ingericht! Alle luchters, muurlampen en gordijnen in deze stad heb ik eigenhandig opgehangen! En wat betreft het bisdom, deze kleinering weergalmt helemaal door tot bisschop Kilcullens verblijf in Rumson. Hoe durven ze!

Als ik mijn auto op het parkeerterrein van de Weis Market in Wall Township neerzet, de enige supermarkt in het district die zeven dagen per week vierentwintig uur per dag open is, is de schok van de vernedering veranderd in woede, vermengd met schuldgevoel omdat ik de zondagsmis niet heb gevolgd. Ik ben tenslotte een vrome katholiek. Ik heb nooit begrepen hoe iemand de kerk de rug kon toekeren vanwege onmin met de pastoor. Het is uiteindelijk niet de pastoor die in onze ziel kijkt, maar God. Nu begrijp ik het echter maar al te goed. Blijkbaar ben ik niet zo vroom als ik dacht, want ik ben niet naar de St.-Catharinakerk in Spring Lake gereden voor de middagdienst, en dat had ik wel kunnen doen. Nee, deze ochtend heb ik het helemaal gehad met de r.-k. business.

Een van de redenen waarom ik mijn zaak in OLOF ben begonnen, was omdat ik de stad waarin ik ben opgegroeid iets moois wilde bieden. Ik had makkelijk een appartement in New York kunnen nemen en met de grote jongens kunnen meedoen, wedijverend om opdrachten voor appartementen in Park Avenue, penthouses in Fifth Avenue, en patriciërshuizen in Turtle Bay. In plaats daarvan bracht ik mijn talent en gaven naar de plek waar ik voor het eerst geïnspireerd werd om iets moois van mijn leven te maken. Nu zie ik in dat alles waarin ik geloofde slechts schijn was. Een jongen uit de omgeving kon nooit goed genoeg zijn om het huis van God te renoveren.

Toen ik klein was en het me wel eens allemaal tegenzat, maakte mama een troosttaart voor me met de naam Onze-Lieve-Vrouwe van (Verdrink uw) Smarten met Hemels Suikerglazuur. Tegenwoordig weet men dat je eten nooit als beloning of gelukwens moet schenken, laat staan als troost. Mijn moeder was een andere mening toegedaan, en dat is misschien de reden waarom Toot en ik als we verdrietig, gespannen of gekwetst zijn, het liefst een kom suikerglazuur in elkaar draaien. Vroeger namen we een doos glaceersuiker, een plak zachte zoete boter, een snufje vanille en een ruime dosis magere room, klopten het op tot een romige suikermassa, pakten lepels en aten om de beurt uit de kom. Toen we oud genoeg waren om lekkernijen met alcohol te verrijken, vervingen we de vanille door een glaasje amandellikeur. Hemels suikerglazuur is het valium van onze familie, en wat heb ik daar nu behoefte aan!

Als ik aan Eydie Von Gunne denk, en hoe ik pochte dat ik een kerk ging renoveren, zou ik zo een fles kooksherry kunnen leegdrinken voor ik bij de kassa ben. In plaats daarvan vul ik mijn wagentje met alle ingrediënten voor hemels suikerglazuur met een huiselijke middag voor ogen met als troost een enorme laagjestaart.

ONZE LIEVE VROUWE VAN (VERDRINK UW) SMARTENTAART MET HEMELS SUIKERGLAZUUR

VOOR EEN LEGER

TAART

3 Milky Way's, in kleine stukjes
3 Three Musketeers, in kleine stukjes
3 Snickers, in kleine stukjes
½ kop boter
2 koppen bloem

½ theelepel zuiveringszout
½ theelepel bakpoeder
1 kop suiker
½ kop bakvet
3 eieren
1 kop karnemelk
1 theelepel vanille-extract

Warm de oven voor op 160 °C. Vet een bakvorm van 22 bij 33 cm in en bestrooi hem met bloem. Smelt repen en boter in steelpan. Mix. Meng bloem, zuiveringszout, bakpoeder en suiker in een grote schaal. Voeg bakvet en eieren toe. Mix. Voeg langzaam karnemelk toe en mix tot een luchtig geheel. Voeg vanille en chocolademengsel uit steelpan toe. Mix. Stort de massa in de bakvorm en bak gedurende 60 minuten. Wanneer de taart nog heet is, bestrijk hem met:

HEMELS SUIKERGLAZUUR

1 zak marshmallows, gehalveerd
1 kop fijngehakte pecannoten
2 koppen kokossnippers
1 doos glaceersuiker
4 eetlepels cacao
8 eetlepels dikke room
4 eetlepels zachte boter

Leg de halve marshmallows met de kleverige kant omlaag boven op de warme taart. Strooi de noten over de marshmallows, gevolgd door een laag kokos. Mix glaceersuiker, cacao, room en boter. Stort over de warme taart. Laat afkoelen alvorens op te dienen.

Nadat ik de taart heb geglaceerd, lik ik de lepels af, was het kookgerei af en ruim de keuken op. Mijn hart bonst zo dat ik besluit een dutje te doen. Ik ga naar mijn slaapkamer, stap in bed en trek mijn zijdewollen deken tot aan mijn kin. Dat is het laatste wat ik me herinner als ik een uur later wakker word. Een koele bries komt door mijn slaapkamerdeur naar binnen, en ik ga rechtop zitten. Ik zal de garagedeur wel open hebben laten staan.

'Oom B?'

Dat is de stem van mijn neef Two in de gang.

'Ik ben hier!' roep ik.

Two verschijnt in de deuropening van mijn slaapkamer. 'Goddank,' zegt hij wanneer hij me ziet. 'U nam de telefoon niet op.'

'Ik deed een dutje.' In onze familie gaan we ervanuit dat iemand dood is als hij vijf minuten onbereikbaar is. Niemand is ooit de dag vergeten waarop tante Mirella Bontempo het bakken van de zeppole voor haar rekening zou nemen op het OLOF-feest en niet kwam opdagen. Mijn nicht Mona Lisa organiseerde onmiddellijk een zoekactie. We vonden tante in haar kelder met haar arm bekneld in de draaier van de wasmachine. Ze was haar bh's aan het wassen, en een van de bandjes was verstrikt geraakt in de hoofdwaterslang, waardoor de machine het niet meer deed. Toen ze de bh los wilde trekken, kwam haar hand vast te zitten. We waren net op tijd, want het water stond al halverwege haar kuiten. Tante ontsnapte aan een wisse dood, aangezien ze nauwelijks kon zwemmen.

'We waren al bezorgd. Nellie Fanelli had ma gebeld en gezegd dat ze je naar de kerk had zien gaan, maar bij de communie niet in de rij had zien staan.' Two loopt naar het raam en trekt aan het gordijnkoord.

'Het is een hele opluchting voor me dat ze naast haar baan als misgewadenstrijkster nu ook mijn orwelliaanse Big Brother is.'

Two lacht. 'Nellie is altijd uit op roddel.'

Het is verkeerd om voorkeuren te hebben, maar Two is speciaal, en niet alleen omdat hij naar mij vernoemd is. Hij is altijd redelijk en stabiel, een rots in een crisis. Hij was bij Toot toen ze Lonnie op een feest met zeebanket van het American Legion met een andere vrouw betrapte, vlak nadat ze terug waren van een retraiteoord voor katholieke echtparen met huwelijksproblemen in de Catskills. Hij wist Toot snel naar buiten te werken, voor ze een pul bier boven Lonnies hoofd leeg kon gieten. De vrouw verging het minder goed. Toot trok haar dophoedje van haar hoofd en stouwde het vol lege schelpen, waarna ze het tegen de muur smeet.

Two lijkt niet op de andere di Crespi's en daarom trekt hij misschien ook wel een zekere aandacht. Hij heeft lichtbruin haar dat in losse krullen op zijn schouders valt, groene ogen en de uitstraling van een welwillende koning. Met zijn een meter negenentachtig is hij de langste di Crespi van zijn generatie.

'Ma zei dat het in de parochie gonst vanwege de aankondiging in het kerkblad.'

'Laat ze maar gonzen. Meneer pastoor heeft Patton en Persky gecontracteerd, dus het is voorbij.'

'Ik kan niet geloven dat u zich daar zomaar bij neerlegt.'

'Niemand is ooit met succes de strijd tegen de rooms-katholieke kerk aangegaan. Kijk naar Maarten Luther, ze hadden hem bijna vermoord voor hij zijn eigen kerk oprichtte. En wat heeft hij nu? Wereldwijd gezien een schamele aanhang vergeleken met de baptisten, die elk moment de vloer zouden aanvegen met de lutheranen in een softbaltoernooi.'

'Maar u hebt zo veel voor deze kerk gedaan.'

'Onthou altijd dit, Two. Wanneer je mensen een vinger geeft, nemen ze je hele hand. Ik heb pastoor Porp verteld dat ik ideeën had voor de renovatie, maar hij was totaal ontoegankelijk. Nu besef ik natuurlijk dat zijn besluit al vaststond. Hij heeft me als een boerenkinkel behandeld.'

'Hij kan het heen en weer krijgen,' zegt Toot in de deurope-ning. 'Ik kan die man niet uitstaan, ook al is hij pastoor. Ik weet nog dat hij naar me toe kwam om te eisen dat ik mijn huwelijk met Lonnie nietig liet verklaren. Hij zei dat ik de sacramenten niet kon ontvangen zonder nietigverklaring. Wist hij veel dat pastoor Wiffnell in Brielle me ter communie en te biecht laat gaan wanneer ik maar wil, zonder één vraag. Hij is degene die onze nicht Connie met de kromme rug toestond om aan de pil te gaan, omdat ze door haar rug in een rolstoel zou belanden als ze een zesde kind zou krijgen, en wie had er dan voor die kinderen ge-zorgd? Ik zei het tegen Porp toen hij me onder druk zette om de formulieren in te vullen. "Verklaar dát maar nietig, meneer pas-toor."'

'Daar wist ik niets van.'

'Reken maar. Ik heb duivelshoorntjes gekregen nadat ma en pa overleden waren. Ik schikte me nog toen ze nog leefden, maar ge-loof me, ik heb het helemaal gehad met de wetten en regels en de hypocrisie. Uit respect voor jou, mijn vrome broer, heb ik in alle talen gezwegen over alles wat met rooms-katholiek te maken heeft. Nu kan ik zeggen wat er op mijn hart ligt. Jij bent te goed voor die mensen. Je hebt meneer de huichelaar niet nodig om met de man daarboven te spreken. Bid rechtstreeks. Zonder sta-in-de-weg...'

Ik hou me in voor ik haar verbeter. 'Je bedoelt zonder bemid-delaar?'

'Ik zeg alleen: praat met God wanneer je maar wilt. Dat is wat ik doe. En ik weet dat al mijn zonden zijn vergeven. Waar is de taart?'

'Hoe wist je dat ik die gemaakt heb?'

Toot kijkt me aan. 'Alsof je zo'n vreselijk trauma zou kunnen verwerken zonder taart. Waar ben jij opgegroeid?'

'Hij staat in de keuken op ma's dienblad.'

'Ik ben zo terug.' Toot verdwijnt in de gang.

'Ik moest haar smeken om niet naar de pastorie te gaan,' zegt Two zacht.

'Het maakt niets uit. Weet je nog toen onze nicht Finola Franco met die methodist uit Pennsylvania wilde trouwen? Pastoor Porp liet hem natrekken en kwam erachter dat hij gescheiden was. Finola wist dat, maar het kon haar niet schelen. Porp zei tegen haar dat ze zou branden in de hel als ze met die man zou trouwen. Haar leven was geruïneerd. Ze kreeg die ziekte waardoor ze nooit meer buiten kwam. Ze is thuis verdord als een sinaasappelschil.'

'Waarom laat u dit over uw kant gaan?' vraagt Two. 'Waarom schrijft u niet naar de bisschop met het verzoek om Porporino over te plaatsen?'

'O, er gaan al jaren brieven en telefoongesprekken en afspraken over en weer. Maar Porp is onaantastbaar.'

'Dat is belachelijk.' Two strekt zich uit op mijn chaise longue. 'Dit ligt werkelijk prima.'

'Hij is opgevuld met ganzenveren en gevoerd met Lee Jofa's gemzenleer nummer 17.'

'Hier is de bediening.' Toot zet een blad met koffie en taart op bed. Ze geeft mij een punt, en dan Two. Ze schenkt koffie voor me in en zet de beker op het nachtkastje, geeft Two een beker en schuift mijn bureaustoel naar zich toe om te gaan zitten. We eten taart en zeggen weinig.

Ik kijk om me heen in mijn slaapkamer, die is ingericht in sereen wit met zilveraccenten. Helemaal in de stijl van Elsie de Wolfe. Sober, simpel en strak. Een bed, een bureau, een chaise longue, meer niet. Het is nooit rommelig – dit is mijn veilige haven. Door mijn raam kan ik de zee horen, en zelfs 's winters staat het op een kier om de frisse lucht binnen te laten. Ik kijk naar mijn zus en mijn neef, die hun taart verorberen met de intensiteit van wetenschappers die atomen onder de loep houden op zoek naar radium. Ik glimlach om de verzaligde blik op hun gezichten.

Altijd wanneer ik me bedroefd of wanhopig voelde, heb ik troost in mijn werk gezocht. De rituelen van mijn vak zijn een steun bij het in gedachten houden van wat belangrijk is. Sinds mijn afwijzing in de kerk, een paar dagen geleden, heb ik verschillende kurkborden met voorbeelden en stalen voor mijn cliënten samengesteld.

Terwijl ik naar de Baronogans rij, denk ik na over the House of B.

Elke ontwerper heeft een signatuur, iets wat hij in elk huis, elke periode, elke stijl neerzet, waarmee hij laat zien wie hij is in de creatieve wereld. Terwijl ik bekendsta om mijn totaalconcepten (authentiek historisch) en uitgangspunt (losjes zwierig) is mijn signatuur de voetenbank.

Ik heb een hekel aan koffietafels. Naar mijn weten is er geen fatsoenlijke te vinden, anders verneem ik het graag. In twintig jaar tijd ben ik er in honderden huizen niet één tegengekomen die ik kek vond. Maar ze hebben wel degelijk een belangrijke functie. Je kunt er van alles op kwijt: drankjes, boeken, tijdschriften, voeten, wat ook maar. In mijn wanhoop heb ik ooit de poten van een shakereettafel afgezaagd voor een huis in vroeg-Amerikaanse stijl dat ik in Shrewsbury deed, omdat ik geen koffietafel kon vinden die geschikt was voor de kamer. Vastbesloten om nooit meer een prachtkamer met een middelmatige koffietafel te ontsieren, bedacht ik een alternatief. Waarom geen traditionele voetenbank in een ander jasje?

Ik kies een voetenbank (of bank of beklede kruk) altijd in een vorm die past bij de opstelling van het meubilair. Ik hou van groot met een flinke oppervlakte, en een ronde vorm geeft iets vloeiends. Dan richt ik me op de poten; zwarte lak op de poten staat goed in elke inrichting, het maakt ze onzichtbaar. Dan laat ik mijn fantasie de vrije loop. Ik bekleed de voetenbank met een willekeurige prachtstof en werk het geheel af met gekke versierselen (franje, boord, sierdraad, beklede knopen, hangkristallen).

Na het versieren laat ik een dikke glazen plaat maken om erbovenop te leggen, en voilà: daar staat een voor alle doeleinden geschikte koffietafel. Voor een extra zitplaats hoef je alleen het glas eraf te halen.

Ik parkeer voor het huis van de Baronogans. Ik haal hun eindnota uit mijn dossiermap en loop naar de voordeur. Midge Baronogan begroet me in de deuropening met een kus. Ik loop achter haar aan naar binnen. De woonkamer ziet er piekfijn uit, maar er moet het een en ander verplaatst worden.

Dus schuif ik de sofa ongeveer een halve meter achteruit en plaats de vloerlampen aan weerszijden van de bank. Dan zet ik de voetenbank dichter bij de sofa.

'O, B. ik ben helemaal hoteldebotel van die voetenbank!' Midge Baronogan, een getaande Filippijnse van rond de zeventig, stapt achteruit als ik de kussens op de sofa herschik. Ze ziet er chic uit in haar simpele Geoffry Beene-broekpak: een losse witte chiffonnen blouse boven een strakke witkatoenen broek. Om haar heupen draagt ze een kettingceintuur, het uiteinde bengelt tot haar knie. Ze draagt exquise met edelstenen bezette slippers in bleek zilver met halfhoge hak. 'Ik ben zo'n fan van je! Wat een kunstenaar ben je toch!' Midge klapt in haar handen. Haar echtgenoot is een rustige man, chirurg en afdelingshoofd in het beste ziekenhuis in Trenton. Ik heb hem maar één keer ontmoet, en hij zei dat hij gelukkig is met alles waarmee Midge gelukkig is, inclusief de peperdure Japanse waterval en goudvisvijver die ik voor het raam van de eetkamer heb aangelegd. Dit huis is de parel op de kroon van Spring Lake.

'Ik ben blij dat je het mooi vindt.' Ik trek de glazen bovenkant iets rechter, zodat hij perfect boven de naden van de voetenbank ligt. Deze was een feest om te doen, ovaal met strakke houten pootjes. Ik heb hem bekleed met donkerblauw satijnbrokaat, geborduurd in een veelkleurig paradijsvogelpatroon. Ik heb vijftien centimeter lange lichtblauwe zijden franje gebruikt die tot de grond reikt, en rond de bovenste naad een speelse goudkleurige bolfranje aangebracht voor de schwung. Ik heb zevenenveertig flinke knopen met korenblauw fluweel bekleed en over de zijkanten verspreid. Het resultaat is uit de kunst.

Midge slaat haar arm om mijn middel; haar hoofd past in mijn elleboogholte. 'Moet je deze kamer toch eens zien. Een meesterwerk!'

Ik moet haar gelijk geven. Midge houdt erg van blauw. Mensen die bij het inrichten blauw als basiskleur gebruiken, zijn gewoonlijk heel optimistisch van aard, terwijl cliënten die rozerode tinten kiezen vaak een psychotische inslag hebben. Hier heb ik door het hele huis en in de decoraties azuurblauwe schakeringen gebruikt. Via een kennis kwam ik aan wat cretonnestaaltjes van Dorothy Liebes, die ze in San Francisco had gezien. Die met raffia doorweven lapjes liet ik in ruwhouten lijsten zetten die een hele muur besloegen.

Het huis is een wonder van architectuur, moderne prairiestijl met verplaatsbare binnenwanden (die ik bekleedde met korenbloemblauw toile-chinoiseriebehang waarop de oude geneeskunsten zijn afgebeeld, dat ik bij Houles vond) en scheidingswanden van glasblok om een ijzige draai aan de koele blauwtinten te geven.

Omdat het huis zo veel zonlicht krijgt, maakte ik simpele zandkleurige dubbelzijdige mousselinen gordijnen. Het dunne mousseline doet modern en fris aan, en voegt iets van zachtheid toe aan de generfde grenen vloeren en roestvrij stalen accenten.

De muren hebben een witte kleur die ik 'filmstertanden' noem, zó wit dat het blauwig is. Ik heb de kleur zelf samengesteld door aan neutraal wit met een pipet druppelsgewijs donkerblauw toe te voegen tot ik de perfecte tint had.

Midges zes meter lange L-vormige bank heb ik bekleed met knus marineblauw chenille, en de kussens in een lichtgroene met nachtblauwe streep van Stroheim & Roman, een oogstrelende combinatie in een inrichting waarin hout de boventoon voert. Bij Saxony vond ik grote vierkante vloerkleden, in gebroken wit met mosgroen, verweven met zalmkleurig lint. Mijn goede vriendin Helen McNeill moest hemel en aarde bewegen om te vinden wat ik zocht; uiteindelijk hebben we kleinere kleden aan elkaar genaaid omdat we de juiste grootte niet konden vinden.

'Nu zijn we klaar,' zeg ik tegen Midge. Mijn stem hapert iets, ik heb zo van deze klus genoten dat het moeilijk is om er afscheid van te nemen.

'Maar dat wil ik helemaal niet!' Midge slaat me vriendschappelijk op de arm. 'Ik wil weer helemaal opnieuw beginnen!'

'Nu weet je hoe ík me voel. Als ik elk huis in New Jersey kon inrichten, zou ik het doen. En dan zou ik weer opnieuw beginnen. Voor elk huis zijn er talloze mogelijkheden, en in een heel leven proberen we er maar een paar uit.'

'Het is zonde.' Midge schudt haar hoofd.

'Ach ja. Zoals mijn dierbare moeder altijd zei: onze woningen op aarde zijn slechts hotelkamers, tot we ons eeuwige thuis in het beloofde land krijgen.' Ik leg mijn rekening op de bijzettafel.

'Nee, ik bedoel, het is zonde wat er gebeurd is met onze kerk.' Midge gebaart me te gaan zitten. 'Het is een gemene streek! Hier, recht onder de neus van pastoor Porporino, bevindt zich de beste interieurontwerper van New Jersey. Er is een oud gezegde: een koning is nooit koning op zijn eigen grondgebied. Ze schatten je niet op je juiste waarde!'

'Het is al goed. Ik heb er vrede mee.'

'Het is verkeerd.' Midge kijkt me met een staalharde blik aan, die ik niet meer gezien heb sinds ik een roze eetkamer voorstelde in haar geheel blauwe huis.

'Ik stel het op prijs dat je zo meeleeft.'

Ze legt haar hand op haar hart. 'Ik ben mijn hele leven al katholiek. Een pastoor heeft altijd te veel macht! Zo was het ook op de Filippijnen. Pastoors zijn niets anders dan kleine tirannen, die over hun koninkrijkje heersen met God als hun rechter. Soms gaan ze te ver.' Midge klopt me op de rug. 'Deze keer heeft hij het verknald.'

Ik vraag me af of mensen weten hoe pijnlijk het voor me is om eraan herinnerd te worden dat ik gepasseerd ben voor de renovatie van onze Fatimakerk. Ik zou nooit een bank binnenlopen en aan de kassier vragen: 'Heb je die negen dollar die je gisteren tekortkwam nog teruggevonden?' Of tegen de man van de benzinepomp nadat hij mijn ramen heeft schoongemaakt zeggen: 'Hé, je hebt een plek overgeslagen.' Net zomin kon ik tegen dr. Wallace zeggen: 'Hé, jammer van die vier kankercellen die je over het hoofd hebt gezien, dat kostte tante Snooky nog een meter darm extra.' Nee, ik zou nooit iemand kwetsen die zijn of haar best deed.

Het probleem is echter dat ik alles opkrop. Ik kan een wrok eeuwig koesteren (wel een aansporing om reïncarnatie te omarmen, nu ik grote twijfel heb over het katholicisme). Ik weet zeker dat ik verschillende grieven met me meeneem naar het volgende leven, met genoeg wrok om mijn gram te halen. Het is zoals met die perzikpit die ik inslikte toen ik zes was. Ik weet zeker dat hij nog als een steen in mijn binnenste is verankerd en daar zal blijven tot mijn laatste snik. Ik kan dingen niet loslaten!

Na een week chronische woede, die me slapeloze nachten bezorgde en overdag een slechte spijsvertering, winderigheid en een opgeblazen gevoel, besluit ik de koe bij de horens te vatten. Soms moet er iets worden vereffend voor je verder kunt. De dag van de afrekening is aangebroken voor meneer pastoor.

Het rode lichtje van mijn biechtstoel nummer twee brandt, wat betekent dat er een zondaar binnen is, dus ga ik op de achterste bank zitten om mijn beurt af te wachten. Het is grappig hoe anders het er ineens uitziet in mijn ogen. In luttele dagen lijkt de kerk waarvan ik mijn hele leven heb gehouden oud en uitgeblust.

Jarenlang heb ik mijn best gedaan om er door middel van details iets moois van te maken: strakke altaarkleden en boeketten van seizoenbloemen, waaraan ik een speciaal tintje gaf, zoals druiven tijdens de advent en katoenzaden in de zomer. Als ik zelf niet de bloemen verzorgde, stond ik vaak achter de bloemist om instructies te geven. Nu zie ik van vont tot altaar slechts gebreken, de missers in ontwerp (zoals de goedkope koperkleurige lampfittingen die de oude kristallen hebben vervangen) en het algehele verval (de afbladderende verf boven de radiatoren en de kleutertandafdrukken op de bankleuningen). Maar dat zijn mijn problemen niet meer. Laat Patton & Persky maar uitvogelen hoe ze deze kerk weer een statig aanzien kunnen geven.

Wanneer meneer Fonti, de zwaarlijvige boomchirurg van de stad, uit mijn biechtstoel komt, loopt hij recht naar het altaar van de Heilige Maagd, waar hij knielt met zijn hoofd in zijn handen. Hij moet wel heel wat op zijn geweten hebben, te zien aan de zware boetedoening die hem kennelijk is opgelegd. Ik heb gehoord dat hij van discodanseressen houdt, een slechte gewoonte voor een getrouwde vader van negen kinderen.

Ik haal diep adem voor ik naar de biechtstoel loop, het zware fluwelen gordijn opzijschuif en weer achter me dichttrek, en neerkniel.

'Eerwaarde vader, ik heb gezondigd,' begin ik. 'Weet u wat? Vergeet dat. Die woorden van berouw die mijn hele leven zo veel voor me betekend hebben, klinken plotseling als een leugen. Ik ben hier niet om vergiffenis te vragen. Ú hebt gezondigd.'

'Pardon?' fluistert pastoor Porporino verbijsterd terug.

'Waar ziet u me voor aan?'

'Bartolomeo?'

'Hoe durft u Patton en Persky in te huren, die… die middelmatige presbyterianen! Dit is míjn kerk, míjn gemeente. Ik ga hier naar de kerk! Ik ben gedoopt in de marmeren doopvont, ik heb hier mijn eerste communie gedaan, knielend op de communiebank, en ik heb het heilig vormsel van de bisschop ontvangen. Ik ben hier al heel mijn leven, twintig jaar langer dan u!'

'Het spijt me dat je je slecht voelt...'

'Slecht? Ik voel me niet slecht, ik ben vernederd. Weet u wat de oorsprong is van het woord "vernedering", meneer pastoor?' Weer wil hij me onderbreken, maar ik wals gewoon over hem heen. 'De kern is nederigheid. Het vermogen om nederig te zijn in de ogen van God. Wat denkt u dat mijn toewijding aan deze kerk voor mij betekend heeft? Alles!'

'Je zou goede werken moeten doen uit naastenliefde, niet om toegejuicht te worden.'

'Ik vraag niet om roem, meneer pastoor. Ik ben geen Joey Heatherton die lonkt naar sterrendom in het Sands na jaren een openingsact te zijn geweest. Ik verdiende het om die opdracht te krijgen! Niemand heeft meer van deze kerk gehouden dan ik. U hebt me mijn droom afgepakt en die weggegeven aan een tweederangs talent uit Philly, alsof het er sowieso niet toe deed.'

'Ze hebben prijzen gewonnen,' zegt meneer pastoor deemoedig.

'Wat heeft dát van doen met het hart en ziel van deze parochie? De meeste mensen kennen Philadelphia niet eens, behalve van cheesesteaks en football, het is bepaald niet het kloppende hart van de binnenhuisarchitectuur.' Ik begin me beter en sterker te voelen, niet langer bevreesd voor pastoor Porporino. Mijn zelfvertrouwen rijst als een vloedgolf. 'Het zou nog anders zijn als u het democratisch had aangepakt en de klus had opengesteld voor bieders. Dan had ik nog kunnen geloven dat u de kosten in de gaten wilde houden. Maar om eenvoudig elk plaatselijk talent te negeren, opzettelijk te beledigen...'

'Maar jij bént het plaatselijke talent. Jij bent de énige binnenhuisarchitect van de stad.'

'Daardoor was het nog makkelijker! U had alleen maar even hoeven bellen, of me na de mis op de trap even hoeven aan te klampen om me te vertellen dat u iemand buiten de stad zocht. In plaats daarvan moest ik het in het kerkblad lezen! U hebt wel elk jaar tijd om me aan te spreken als ik geld moet inzamelen voor het bisschoppelijke geldfonds. Daar ben ik wel goed voor, om als een venter langs de deur te gaan met een collectebus voor het bisdom. Laat ik u dit vertellen, padre, en luister goed: ik heb het gehad met u en uw collectebussen en uw leengoed. U runt uw kerk met arrogantie. Een plaatselijke jongen is niet goed genoeg voor uw grootse visioenen. Nee, u moet naar de grote stad voor een grote naam. U koopt om het label, niet om het vakmanschap.'

'Ze zijn heel goed, en hun portfolio beviel me.' Meneer pastoor raakt geagiteerd.

'We zullen zien of Patton en Persky net zoveel hart voor deze kerk hebben als ik al die jaren. Zullen zij op de feestdag van St.-Lucia 's morgens in alle vroegte in de ijzige kou uit hun bed komen om manshoge kerstbeelden voor de dag te halen, en lichtjes ophangen in de buitenstal tot hun vingers bloeden? Zullen zij het pannenkoekontbijt voor de zwakzinnigen organiseren en de tafels met feestelijk linnen dekken omdat ook zwakzinnigen recht hebben op een mooie ambiance? Zegt u me eens: zullen zij vier weekenden achter elkaar opgeven om saus te maken en in te vriezen voor de spaghettiavond om het nieuwe dak voor de pastorie te financieren zodat u niet in de tocht slaapt en longontsteking oploopt? Ik denk dat we het antwoord kennen. U hebt lef, meneer pastoor. U hebt veel lef!'

'Ben je klaar?' vraagt pastoor Porporino woedend.

Ik druk mijn neus zo dicht tegen het gaas dat ik metaal proef. 'Meer dan u ooit kunt begrijpen.' Ik trek het fluwelen gordijn open en loop onvast naar buiten. Mijn hele leven ben ik nog nooit ingegaan tegen een autoriteit op welk gebied ook: priester, non of parkeerwachter (ik heb zelfs ooit mijn naam gespeld voor een van hen die me een bon gaf). Het was altijd 'ja, meneer pastoor', 'natuurlijk zuster', 'bekeur me maar, agent'. Nu zie ik wazig van woede.

Als ik me omdraai om weg te gaan, struikel ik bijna over de voeten van Nellie Fanelli, die knielt voor het piëta-altaar. Dan draai ik me met een ruk om en steek mijn hoofd in biechthokje nummer twee.

'Nog één ding, meneer pastoor. Ik had grootse plannen voor deze kerk. Marmerinlegwerk en weelderige stoffen en kristal en licht en een vont die tot ver in de volgende eeuw wijwater zou spuiten! Denkt u dáár maar eens over na als u met Patton en Persky plannen maakt.'

Ik haal diep adem en trek het gordijn weer dicht. Nellie staat in de hoek bij de deur op me te wachten. Haar witte kanten mantilla, bezaaid met kleine roze chiffonnen vlindertjes, is vastgespeld aan haar grijsblauwe, wijd uitstaande kapsel, en houdt het bijeen als in plasticfolie gewikkelde etensrestjes. Ze kijkt me recht in de ogen en steekt haar knokige vingers op in een oké-teken. 'Ik heb alles gehoord,' fluistert ze. 'Va bene.'

Nellie gaat het biechthokje in en geeft me een knipoog voor ze het gordijn dichttrekt. Als ik me al enigszins schuldig voelde over mijn tirade tegen pastoor Porporino, is dat nu helemaal over. De gewone mensen hebben me in de gestalte van Nellie Fanelli hun fiat gegeven. The House of B is hier nog steeds van gewicht, misschien niet genoeg om me mijn droomopdracht te bezorgen, maar het betekent duidelijk iets voor de mensen die er écht toe doen.

Ondanks de bevrijdende opluchting die ik voel nadat ik pastoor Porporino heb verteld hoe ik werkelijk over hem denk, valt het me zwaar om tegen de avond van mijn verrassingsverjaardagsfeest een vrolijk gezicht op te zetten. Ik ben eenvoudig gezegd behoorlijk depressief. Overdag functioneer ik naar behoren, maar 's avonds komt de klap. Er bestaat geen ergere straf dan 's avonds uit moeten gaan wanneer je in een inktzwarte stemming bent. Wanneer ik de voordeur afsluit, plak ik een glimlach op mijn gezicht. Ik haal diep adem om mijn nervositeit te bedwingen voor ik in Toots Cadillac stap.

'Ha, die oom. Bent u helemaal klaar voor uw feest?' Two, mijn chauffeur, grijnst.

'Ik geef je vijf dollar als je de andere kant op rijdt.'

'Sorry. Ik heb er van ma al tien gekregen om je naar het feest te brengen.' Two geeft plankgas.

'Niet te geloven, zelfs mijn eigen zus koeioneert me.' Ik laat de vouw in mijn pantalon van dij tot knie tussen mijn vingers glijden. 'Hoeveel mensen zijn er?'

'Zo'n honderd man.'

'Lieve god,' kreun ik. Ik denk aan alle jaren en alle feesten die aan dit feest voorafgingen. Het is alsof ik dia's in mijn emotionele viewmaster zie langskomen. Ik herinner me mijn zesde verjaardag, toen pap een pony huurde die psychotisch werd en Rosemary met lupus afwierp zodat ze in de kersenboom belandde, waar ze bleef hangen als een circusartiest tot de moeders een hoge ladder vonden en haar omlaaghielpen. Rosemary mankeerde niets, maar de pony werd verbannen naar Ohio om zijn dagen op een boerderij te slijten. Toen ik vijftien was, namen Toot en Lonnie mij en zes van mijn vrienden mee naar New York, naar een striptease in de Copa. Een van mijn beste vrienden, Cookie Francesci, verdween tijdens een act van Carmen Miranda. Hij was drie uur zoek. Uiteindelijk bleek dat hij met een hoer aan de haal was gegaan en staande seks had gehad in het herentoilet van Luchow. Dan was er nog mijn vierendertigste verjaardag, toen ik naar het ziekenhuis moest met een niersteen, en pastoor Porp me het heilig oliesel gaf. Ik weet zeker dat mijn veertigste een knaller gaat worden.

'Oom?' Two pakt het stuur stevig vast en kijkt in de achteruit-kijkspiegel.

'Ja?'

'Ik neem een jaar pauze van mijn studie.'

'Weet je moeder dat?'

'Nog niet. Ik ben van plan om daarna gewoon weer door te gaan. Ik heb alleen wat tijd voor mezelf nodig. Ik heb moeite me aan te passen. Het is me niet echt duidelijk waar het 'm precies in zit. Ik kan met iedereen goed opschieten, maar ik vind niet dat ik genoeg vorderingen maak op de theaterafdeling. Ik mis iets.'

'Ik dacht dat je een toneelstuk regisseerde.'

'Klopt. Het werd me te veel.'

'Two, je weet dat ik je geweldig vind, maar je kunt niet zomaar weglopen van je studie omdat je het niet leuk vindt. Weet je, ik heb cliënten die ik niet uit kan staan, maar ik ga hun huizen monter en tjokvol smaakvolle ideeën binnen. Ik sleep stalen en verf-tinten en monsters aan en verdraag hun kleingeestigheid, slechte adem en gierigheid omdat ik zakenman ben. Kunstenaar, ja, maar ook zakenman.'

'Ik voel me nog geen kunstenaar.'

'Dat gaat niet zomaar. Het duurt jaren eer je weet wat je wilt en er dan voor gaat knokken. In het begin was ik onzeker, maar ik kwam erachter dat mensen me inhuurden omdat ik oog had voor de kleinste details. Zo is het ook met theater. Je moet er oog voor krijgen.'

'Ik heb niet echt iets met de andere studenten.'

'Waarom is dat? Villanova heeft leuke mensen. Ze zijn per slot van rekening katholiek, toch?' Ik klink als een echte droogkloot. Daarom gooi ik het over een andere boeg. 'Is het je echt menens?'

'U weet dat ik altijd eerlijk tegen u ben.'

'Ja.' Misschien is het omdat ik bij elke belangrijke gebeurtenis – en elk toneelstuk, optreden en feest – in Two's leven aanwezig was, dat ik hem niet het onrecht aandoe om me als ouder te gedragen. Wie ben ik om hem de les te lezen? 'Dan... moet je doen wat je hart je ingeeft.'

'Bedankt, oom.' Two glimlacht. 'Hebt u soms wat werk voor me?'

'Dus je wilt mijn zegen én werk?'

'Ja, want zoals u al zei, ma vermoordt...'

'Oké, oké. Ik zal met mijn gordijnenman overleggen. Misschien kan hij iemand in de studio gebruiken.'

Two bedankt me uitbundig. Toot zal laaiend op me zijn. Als we afslaan naar Corinne Way, staan de auto's zo ver mijn oog reikt bumper aan bumper geparkeerd. Toots garage is één lichtgloed, als een federale gevangenis, tot en met de oprit, waar ze aan weerszijden tikilampen in de grond heeft gezet. Two rijdt met de Cadillac het gazon op, waar een plaats is gereserveerd voor de eregast.

Bij de ingang van de garage stormen de gasten op me af. 'Surprise!' roepen ze met blij afwachtende gezichten. Italianen, die hun feesten plannen tot en met de waaiervormig neergelegde zilveren theelepeltjes op de cocktailtafel, doen altijd net alsof alles toevallig op zijn plek is beland voor *la festa*.

The Nite Caps, de swingband van mijn neef Dom Ruggiero, zitten hoog op de krukken in de ruimte die gewoonlijk gereserveerd is voor de Caddy. Ze zetten een luide versie van 'Oh Marie' in en de gasten zwermen uit op de gehuurde parketdansvloer als de menigte op het Sint-Pietersplein wanneer de paus met Pasen de zegen uitspreekt. Ik word gekust en op mijn rug geslagen en vriendschappelijk geknepen door mijn neven (een paar y-Crespy's zijn overgekomen uit Boston), mijn bevriende clientèle (de Baronogans, Aurelia Mandelbaum, de Schumans, Hagans, Kuglers en Rabinski's) en goede vrienden uit het vak uit New York (Helen McNeill, Susan Friedman, Norbert Ratliff).

Meer licht flitst in mijn gezicht dan toen ik flauwviel van de hitte bij Toots bruiloft. Ondanks mijn slepende depressie voel ik me geliefd en gewaardeerd, en jonger dan het reusachtige nummer dat in goud op de servetten naast mijn initialen is gedrukt. Mijn zus is nooit echt subtiel geweest. Mijn familie mag graag van alles vieren en er gaat niets boven een feest ter ere van een verjaardag die op een nul eindigt.

Om het jaar van mijn geboorte, 1930, te vieren, heeft Toot Hollywood als thema gekozen. Feestelijke vergrotingen van iconen als Charlie Chaplin, Tom Mix, Deanna Durbin, en mij – als eenjarige naakt op een luipaardkleed op Atlantic City's Steel Pier – hangen aan het plafond tussen kleurige crêpepapieren slingers.

De draagbare tafels zijn met rood gedekt en in het midden staan tulpen in allerlei kleuren. Toot heeft mijn schoolfoto's van twaalf jaren op ijzerdraad gelijmd en ze tussen de bloemen in de vazen geplant. Ze heeft kunstgras op de vloer gelegd, met uitzondering van de houten dansvloer, waar normaal gesproken de zitmaaier staat. De ramen staan open en er waait een fris windje door de kraakhelder gepoetste garage, met de lichte geur van motorolie vermengd met de zware bloemgeuren van Youth Dew, het parfum dat alle aanwezige vrouwen op hebben.

De muren zijn versierd (aan het zicht onttrokken, eigenlijk) met een rij oranje en witte heliumballonnen aan kleurige linten die zijn vastgemaakt aan verzwaarde bloempotten op de grond. Ze zijn bedrukt met grappige teksten: 39 EN AAN HET AFTELLEN, 40 EN FANTASTISCH, en IK BEN ZO OUD DAT IK MIJN KNIEËN NIET VAN MIJN ENKELS KAN ONDERSCHEIDEN.

De taart, een replica van de Villa di Crespi, staat onder een spotje op een ronde tafel, die vol ligt met kanten vingerdoekjes. Het is een wonder. De architecturale details kloppen precies, van het hellende dak tot en met de ronding van de deuren, en dat alles in kleurig roomglazuur (zelfs de tuin en het gazon zijn op schaal gemaakt). De slaapkamers zijn omlijnd met dropveters, de stenen omheining is gemaakt van gomballen en de ramen zijn ruitwafeltjes. Er staat een mannetje – ik? – in de tuin. Het lijkt alsof de bakker een bruidegom van een bruidstaart af heeft gehaald. Ik zou thuis nooit in rokkostuum met witte das rondlopen.

'Bartolomeo, van harte gefeliciteerd van de zusters salesianen!' Zuster Theresa Kelly, mijn favoriete non, geeft me een pakje.

'Laat me raden, zuster.' Ik schud het pakje. Het klotst. 'Water uit Lourdes.'

'Hoe wist je dat?' Ze glimlacht, en het is alsof ik ineens omgeven word door een stralend goede stemming. Of misschien komt dat door het pulserende stroboscooplicht en de energieke versie van 'After the lovin'. Zuster Theresa is een opvallende verschijning, met haar groene ogen en porseleinen huid die zo'n mooi contrast vormen met haar zwart-witte habijt. Wat een kleurencombinatie zou dat zijn voor een kamer!

'We kunnen helaas niet blijven.' Zuster Theresa wijst naar de andere nonnen die aan een tafel voor acht van een vroeg diner genieten. 'Nicolina zei dat we alvast een voorproefje konden nemen. Dat vind je toch niet erg?'

'Natuurlijk niet. Wie rijdt er terug?' North Haledon, waar het klooster ligt, is nogal ver weg, en in het weekend is het druk op de snelweg.

'Zuster Ercolina. Ze heeft pas een nieuwe bril.'

'Dat is maar goed ook. Toen ik haar op de rommelmarkt in Fatima zag, was ze bijna de bingotent in gereden toen ze parkeerde.'

'Dat heb ik gehoord, ja.' Zuster Theresa dempt haar stem. 'Daarom heeft ze een nieuwe bril.' Ze omhelst me als we ons bij zuster Brokkenpiloot en de rest van de nonnen aan tafel voegen voor een foto. Ze scharen zich als revuemeisjes om me heen. Ik vraag zuster Theresa om horentjes boven mijn hoofd te maken terwijl de andere nonnen hun handen vouwen en sereen omhoogkijken. Wat een kiek voor de kerstkaarten voor komend jaar.

'Heb ik me uitgesloofd of niet?' Toot komt achter me staan, kust me op de wang en pakt me bij de hand om me de versieringen te laten zien.

'Dank je wel, zusje. Wat een feest. En die taart!'

'Ja, je bent nu eenmaal verknocht aan je huis.'

'Maar aan jou nog meer,' zeg ik oprecht. 'Je ziet er fantastisch uit, Toot.'

'Vind je?' Ze draagt een zwarte chiffonnen cocktailjurk met doorzichtige kanten doorkijkjes in het lijfje. Ze heeft een elegant opgestoken kapsel met een haarclip met zwarte lovertjes. Ze heeft zelfs valse wimpers aangebracht. 'Lonnie komt,' fluistert ze. 'Ik wil dat hij zich de haren uit het hoofd trekt van spijt. Om zijn andere vrouwen, de scheiding, de geheime bankrekening die hij op naam van zijn overleden moeder had geopend om echtelijk vermogen voor mij verborgen te houden. De hele mikmak. Ik wil dat hij naar me kijkt met een brok in zijn keel.' Toot laat een hand sensueel van haar boezem naar haar linkerheup glijden. 'Moet je zien wat hij heeft opgegeven.'

'Wat bezielde je om hem uit te nodigen?'

'Hij is familie.' Toot plukt een piepkleine cannolo van een zilveren, vier verdiepingen tellende *tazza* op de cocktailtafel. 'Mensen zijn geen papieren borden, B. Je kunt ze niet weggooien als je ermee klaar bent.'

Of zij met jou, zou ik mijn zus in herinnering willen brengen, maar ik wil haar goede stemming niet bederven. 'Gelijk heb je.' Ik pak ook een minicannolo en slik het kunstwerkje in één hap door. Nou, en? Het is mijn verjaardagsfeest en het zal een lange avond worden. Wat maken negenhonderd calorieën extra uit als ik later toch op de dansvloer sta? Ik zwaai naar neef Iggy met astma, die met zijn vrouw, Moochie, in de rij voor het buffet staat.

'Niet te geloven, toch? Iggy en Mooch zijn helemaal uit Vegas komen rijden. Ze hebben er een week over gedaan. Ach ja, je kunt daar natuurlijk geen fatsoenlijke calamari krijgen.'

Two geeft zijn moeder een whisky sour.

'Je bent een kanjer,' zegt ze tegen hem.

'Oom B wist van niks.' Two geeft me een knipoog.

Toot strijkt Two's krullen glad en neemt zijn gezicht teder in haar handen. 'Ik wou dat je je haar liet knippen, lieve schat. Het is te lang. Je lijkt net de tweede van links op de sigarendoos.'

Achternicht Amalia baant zich een weg over de dansvloer. Ze ziet eruit om op te eten in haar roze bloemetjesjurk met hoge taille met bijpassende strik in haar paardenstaart. 'Gefeliciteerd, oom B.' Ze geeft me een prachtig verpakt cadeau. 'Het is geen portefeuille.'

'Goed zo. Blijkbaar wordt mijn veertigste verjaardag het jaar van het nagelgarnituur. Aan het eind van de avond heb ik waarschijnlijk een teennagelknipper voor elke nagel.'

'Pff,' zegt ze. Ik maak Amalia's cadeau open en haal een ronde schijf met een vlakke bodem tevoorschijn.

'Het is een presse-papier. Ik heb een foto van jou en mam in een soort kleverig plastic spul gedompeld en laten drogen. Er horen geen belletjes in te zitten, maar toch zijn er een paar in gekomen.'

'Ik ben er heel blij mee, vooral omdat je zelf iets voor me gemaakt hebt. Dat betekent meer voor me dan welk cadeau dan ook.' Ik omhels Amalia stevig. Christina komt bij ons staan in een turkooizen mini-jurkje van chiffon met bijpassende kittenheels. 'Je hebt je schoenen geverfd,' zeg ik bewonderend.

'Ik weet toch hoe dol je bent op dingen die bij elkaar passen.'

'Je ziet er fantastisch uit!' zeg ik.

'Tante Edith keek me net afkeurend aan. Ze vindt mijn jurk maar niets. Blijkbaar moet ik mijn hele leven zwart dragen, maar ik kon er niet meer tegen.' Ze geeft me een kus.

'Toen zij jong was, spaarden ze losse haren in tinnen bekers, maakten er klittenbollen van, staken ze met haarpinnen vast op hun hoofd en noemden het "coiffure". Maak je niet druk om tante Ediths victoriaanse onzin.'

'Ik doe mijn best. Maar iedereen heeft een mening over me.' Christina glimlacht geforceerd.

Mijn neef Nicky baant zich door de mensenmassa een weg naar ons toe, Ondine met zich meetrekkend, alsof ze een marionetje is.

'Daar hebben we sir Nicky met lady Glijmiddel.'

'Is ze dat?' fluistert Christina.

Nicky lijkt sprekend op mijn vader toen hij jong was: groot hoofd, brede schouders, zwart haar en korte maar stevige benen. Hij loopt zelfs als pa, met zijn hoofd schuin en tot spleetjes geknepen ogen. 'Ha, oom!' Hij slaat zijn armen om me heen en slaat me hard op de rug, alsof ik een paard ben dat hij wil aansporen. 'Gefeliciteerd. Hallo, Chrissy.' Nicky zoent Christina en stelt Ondine voor als zijn 'meisje'. Christina en ik kijken elkaar met plaatsvervangende gêne aan. Toot komt naar ons toe met een schaal gevulde paddenstoelen.

'Hallo, oom B,' zegt Ondine glimlachend. 'Vind je de ballonnen mooi?'

'Je hebt ze toch niet zelf opgeblazen?' zeg ik terwijl ik me herinner dat Toot haar vijandigheid tijdelijk opzij heeft geschoven om Ondine te bedelen met een aantal taken voor het feest.

'Jawel.' Ondine kijkt om zich heen. 'Wat ken je veel mensen. Mijn familie is maar heel klein. Je zou de hele familie Doyle op de zitmaaier kwijt kunnen.' Ondines weelderige blonde haar danst op haar schouders; haar zonnebril, die ze als een tiara op haar hoofd heeft gezet, houdt de losse strengetjes keurig van haar voorhoofd. De noodzaak voor een zonnebril om acht uur 's avonds ontgaat eenieder. Ze is gekleed in een lichtblauwe denimminirok, een kort bijpassend jasje met goudkleurige epauletten, een denimschoudertas met een sticker met de tekst EET GEEN GELE SNEEUW, en korte denimlaarzen met naaldhak. Het is de perfecte outfit voor een cowgirl, het enige wat ontbreekt zijn een holster en een Smith & Wesson-revolver. Ik geef haar een compliment. 'Helemaal goed. Je ziet eruit om door een ringetje te halen, mocht het ooit zover komen.'

Toot bekijkt Ondine van top tot teen. 'Het is fris vanavond. Geen kousen?'

'Heb ik niet nodig. Ik gebruik vaseline. Beter voor mijn bruine kleurtje.' Ondine strekt haar been uit en draait een kringetje in de lucht met haar grote teen. 'Soms hoef ik pas met Thanksgiving kousen aan.'

'Fijn om te horen.' Toot stoot me aan alsof ze wil zeggen: zie je wel, gegarandeerd dat ze geen ondergoed draagt. Er valt een ongemakkelijke stilte. Toot pakt een schijfje meloen met prosciutto van een langskomend blad met hapjes. Ze eet de meloen op en rolt dan de ham tot een dun roze met wit sigaretje en neemt er een piepklein hapje van. Ze draait zich om naar Two. 'Waar is je broer Anthony?'

'Die komt met pa mee. Lief van je om pa uit te nodigen… en zijn… Doris.'

'Hij heeft een nieuwe vrouw, en dat accepteer ik. Kijk.' Toot controleert alle knopen van Two's helderwitte overhemd. 'Je vader heeft me mijn zonen gegeven. Het minste wat ik kan doen is mijn huis voor hem openstellen bij feestelijke en droeve gelegenheden.'

'Ik ben trots op je, ma.' Two omhelst haar.

'Het klinkt goed, Toot, maar ik wil eerst wel eens zien hoe het uitpakt.' Ik knik richting deur. 'Sorry dat ik een tikje achterdochtig ben over je plotselinge ruimhartigheid.'

Lonnie maakt zijn entree in de garage via de keuken. Voor een man in zijn derde huwelijk ziet hij er patent uit. Lonnie is een meter tachtig, met een klein hoofd en dikke peper-en-zoutkleurige krullen. Hij heeft lange bakkebaarden en zou volgens sommigen voor een Italiaanse Engelbert Humperdinck kunnen doorgaan. Zelf zie ik die gelijkenis niet, hoewel hij volle lippen heeft, een kleine neus en ogen zo donker en diepliggend dat ze eruitzien als twee rozijnen in een gevulde wafel. Ik heb Lonnie nooit in iets anders dan een pak gezien; vanavond is het driedelig Johnny Carson: grijs kamgaren met een lavendelkleurig overhemd en een brede zwart-witgestreepte das. Gewaagd.

'Dat is zijn nieuwe vrouw,' fluistert Two in mijn oor.

'Ik dacht dat het iemand van de catering was,' fluister ik terug.

'Hoezo catering?' sist mijn zus. 'Alles wat er op dit feest te eten is, van de hors d'oeuvres tot en met de stoomtafel met de pasta rondelet is door de familie bereid!' Verschillende nichten van de Farino-kant uit de Pocono's draaien zich naar haar om.

Lonnies tweede vrouw, Sylvia Boboni, leek veel op mijn zus – Italiaans, met een volle zwarte haardos en een grote zwarte auto. Uiteindelijk kostte het Lonnie net zoveel moeite om haar trouw te blijven als toen hij met Toot was. Huwelijk numero twee had de houdbaarheid van een gevulde peper.

Ik ben nooit voorgesteld aan zijn huidige vrouw, Doris Falcone, geboren Cassidy. Ze lijkt me in de verste verte niet Lonnies type. Allereerst is ze niet jonger dan hij, zo te zien dik in de vijftig. Ze is lang en slank. Ze is ruim een kwart meter langer dan alle andere gasten op dit feest. Haar halflange haar is lichtgrijs en combineert perfect met haar zachtroze Pucci-overhemdjurk en roze Pappagallo-flatjes. 'Ze lijkt sprekend op lady Sylvia Ashley,' zeg ik lukraak, denkend aan Clark Gables vierde vrouw, de ultradunne Britse, gelieerd aan het koninklijk huis, die na de oorlog naar de Verenigde Staten ging en Hollywood en allerlei topacteurs het hoofd op hol bracht.

'O, ik heb van haar gehoord.' Toot trekt haar jurk recht en haar buik in.

'Heb je kennisgemaakt met Doris?'

'Ik ga al.' Toot haast zich om Lonnie en 'lady Sylvia' te begroeten. Ik zeg tegen Two: 'Misschien hoeven we haar bij deze niet in bedwang te houden.'

Two haalt zijn schouders op. 'Pa is een ander mens geworden. Doris en hij leiden een rustig leven. Ze zit in de boot te breien terwijl hij aan het vissen is. Haar kinderen zijn de deur uit. Ze heeft geld van zichzelf.'

Vanuit de andere kant van de garage wenkt Capri me om me bij haar en Aurelia te voegen aan een tafeltje met een bordje GE-RESERVEERD.

'B, je ziet er schitterend uit!' Aurelia draait me om de beurt een wang toe.

'Je mag er zelf ook wezen, Aurelia.' Ze draagt een Bill Blass-jumpsuit met wijde pijpen met een Kenneth Lane-broche, die niet anders te beschrijven valt dan: smaragdvlieg gevangen in roze diamantspinnenweb.

'Dans met Capri,' commandeert ze.

Neef Dom, de toetsenman een paar meter verderop, hoort het bevel en zet een jazzy versie van 'In the still of the night' in. Niemand negeert de wens van de rijkste vrouw in New Jersey. Ik neem Capri in mijn armen.

'Ik ga verhuizen,' fluistert Capri me toe als we onder zacht applaus over de dansvloer glijden.

'Wát?' vraag ik verbijsterd. 'Wat vindt je moeder daarvan?'

'Ze weet het nog niet. Het is al erg genoeg om veertig te worden. Dus ik wil zeker niet op mijn veertigste nog thuis wonen.' Capri zucht, en ik ruik de onmiskenbare zweem van een dubbele manhattan in haar adem.

'Dat zal je moeder beslist niet fijn vinden.'

'Jammer dan. Ik wil een leven voor mezelf, B. Ik wil onafhankelijk zijn, gaan en staan waar ik wil. Net als jij. Zoals iedereen die ik ken. Ik weet ook wel dat iedereen die ik ken zit weg te kwijnen in een ongelukkig huwelijk, met vier kinderen op de koop toe.

Dát wil ik ook niet, maar ik móét anders gaan leven.'

Capri leunt zo zwaar tegen me aan dat ik bijna dubbelklap.

'Ze zit als een havik op me. Ik kan nergens heen of ze staat bij de deur tot ik terug ben. Ze controleert of ik wel zware steunkousen draag voor mijn trage bloedsomloop. Het is te bizar voor woorden.' Ik zie tranen achter Capri's dikke bril. 'Ik wil niet langer als een soort gevangene leven.'

'Dan móét je echt verhuizen. Je bent een volwassen vrouw, en je moeder hoort dat te accepteren.'

'Wil jij me helpen?'

'Natuurlijk.' Meteen heb ik spijt van die belofte. Capri moet op eigen benen staan, maar een vrouw met steunkousen heeft hoogstwaarschijnlijk iemand nodig om op te leunen.

'Ik wil je niet tot last zijn,' fluistert ze.

'Dat ben je niet. Je bent mijn goede vriendin, en ik wil alles voor je doen.'

'Dank je.' Capri wil haar hoofd op mijn schouder leggen gedurende een saxofoonsolo, maar wijst ineens naar het midden van de dansvloer. 'O, allejezus!' fluistert ze met hete adem in mijn oor. 'Kijk je zus nou toch! Is dat niet haar ex?'

De paren op de dansvloer zijn opgehouden met dansen en staan in een kring aan de kant. Ik snel er met Capri naartoe. Lonnie steekt Toots hand in de lucht, haar vingers omvatten zijn palm en hij leidt met zijn pink. Ze houden elkaar veel te intiem vast voor gescheiden mensen.

De bandleider werpt een blik op Lonnie en mijn zus met hun gekromde ruggen en gezichten neus aan neus, en tilt zijn saxofoon omhoog en omlaag om sexy te blazen. Hier en daar wordt gefloten. De massa hoort de muzikale lokroep en houdt de adem in. Ik kijk naar Ondine, die een gloed uitstraalt alsof ze in haar vruchtbare periode is. Ze staat achter Nicky met haar handen in zijn broekzakken.

Als de beginakkoorden van 'Blame it on the bossa nova' de

menigte overspoelen, kijken Lonnie en Toot elkaar aan als Rudolph Valentino en Mae Murray; zelfs zuster Theresa en de nonnen blijven even staan onderweg naar buiten en voelen dat het zindert.

Lonnie trekt Toot nog dichter naar zich toe, met zijn arm strak om haar middel. Ik vraag me af of ze nog wel kan ademen. Hij tilt haar iets op en sleept haar mee naar het midden van de dansvloer onder de foto van Deanna Durbin, waarop ze een dubbele axel tijdens de Ice Capades maakt. Terwijl hij haar meetrekt, schuift haar jurk omhoog. Goddank draagt ze een ondoorschijnende slip à la Ann Miller. In een vloeiende beweging laat Lonnie Toot op de vloer wervelen als een dolfijn uit Sea World. Hij vangt haar op, draait haar in het rond en drukt haar weer op ooghoogte tegen zich aan. Het publiek juicht.

'Hemel, waar is haar onderjurk?' zegt onze oudtante Edith Romano luid. 'Ik zie haar...' Voor ze haar zin kan afmaken propt nicht Cathy Martinelli een mozzarellabal in Ediths mond. '... dinges,' brabbelt tante Edith met een mond vol kaas.

Het lijkt wel alsof die saxofoon een bronstroep uitstootte, en mijn zus en haar ex-man als een paar wilde honden naar de rand van het bos zijn gekomen, elkaar even besnuffelden en zich vervolgens overgaven aan gelukkige herinneringen, alleen is het deze keer op muziek en hebben ze geboeide toeschouwers.

Hun lichamen lijken jong en soepel, en met haar jurk tot haar dijen omhooggeschoven kan iedereen zien dat Toot verdraaid mooie benen heeft. Ik kijk naar lady Sylvia. Ze zit op een klapstoel en snijdt haar eten in hapklare stukjes, in zalige onwetendheid van de zinderende pas de deux op de dansvloer. Misschien is dat de clou om getrouwd te blijven met Lonnie Falcone: in een hoekje zitten, zijn vlees kleinsnijden, en zonder morren wachten tot hij terugkomt.

Het publiek slaakt een kreet als Lonnie zijn handen over mijn zus haar rug omlaag laat glijden. Als hij bij haar taille is, trekt hij haar snel nog dichter tegen zich aan, waarna zijn handen in haar weelderige ronde billen knijpen alsof hij een drijfnatte mop uitwringt. Sinds de floorshow Folies Bergères in het Tropicana in Las Vegas tijdens de UNICO-bustoer hebben we niet zulke intieme handelingen publiekelijk aanschouwd. En ik dacht dat ze elkaar haatten! Lonnie heeft duidelijk net als Capri aan de manhattans gezeten, want ik heb hem nog nooit zo gepassioneerd gezien voor iets wat geen automatische motor, leren stoelen en vinnen had.

Een ronde applaus en gejuich volgt op de gewaagde Folies. Lonnie buigt zich naar Toot en kust haar op de wang, en zij grijpt zijn gezicht beet en kust hem vol op de lippen. De toeschouwers gaan uit hun dak als Toot de lippenstiftvegen rond haar mond met duim en wijsvinger wegveegt. Lonnie pakt zijn zakdoek en veegt teder Toots uitgelopen Cherries in the Snow weg.

Toot klimt op het podium en pakt de microfoon. 'Lonnie Falcone, nu weet iedereen waarom ik drie baby's in achtendertig maanden tijd met je heb gekregen.' Lonnie maakt onder luid gejuich een lichte buiging vanuit de taille.

'Ma, alsjeblieft. Er zijn hier mensen aan het eten.' Anthony, een compacte versie van zijn moeder, wordt met een lachsalvo begroet als hij de garage binnenkomt.

'Anthony, feliciteer je oom, alsjeblieft.'

Anthony wurmt zich door de mensen en omhelst me stevig. 'Sorry dat ik laat ben. Ik moest een scheepslading voor de vakantie verzenden. Stampato-armbanden, achttien karaat.'

'Kom, iedereen, pak jullie glas. Het is tijd om een toost uit te brengen op mijn broertje.' Toot heft haar Fuzzy Navel-cocktail. Met haar vrije hand fatsoeneert ze haar jurk zodat de kanten doorkijkstukjes weer op hun plaats zitten. 'B, kom bij me staan.'

Ik loop naar het podium en kijk op naar mijn zus.

'O, wat ik me al niet herinner over mijn broer,' deelt ze ons mede. 'Vandaag veertig jaar geleden bad ik tot de heilige Gerardus om een babyzusje. Ik wilde een zusje omdat ik net kon naai-en en ik wilde strookjesjurkjes en hoedjes voor de baby maken.'

'Je liet je anders niet weerhouden,' roep ik. 'Weet je nog die matrozenbroek met de Oostenrijkse kristalknopen?' Iedereen lacht en applaudisseert. Toot wuift mijn commentaar weg. Ze is niet meer te houden. 'Hoe dan ook, mijn moeder, god hebbe haar ziel, kreeg Bartolomeo op latere leeftijd. Daar schaamde ze zich nooit voor, trouwens, want ze geloofde dat als God je hier-heen stuurde, hij iets voor je te doen had. B's eerste taak was om onze familie compleet te maken, tot trots van onze ouders. Zijn tweede taak was mij gezelschap te houden. Ik weet nog dat ik Bartolomeo meenam naar de film. Hij was dol op melodrama's, alles met Kay Francis. Hij was zes toen ik hem meenam om haar in *The White Angel* te zien. Tijdens een echte tranentrekkersscè-ne in het ziekenhuis boog hij zich naar me toe en zei: "Toot, dat was net als in *Hammie de hamster.*" Ongelooflijk, toch? Hij was zés! Zo is mijn broer. Hij kan altijd echt en gespeeld van elkaar onderscheiden. B is eerlijk, rechtdoorzee en waarachtig… en ge-talenteerd. God is niet gul met talent. Het is zelfs zo'n zeldzame gave dat de meeste mensen alleen maar doen alsof ze hem heb-ben. Maar mijn broer niet. Hij heeft het… híér.' Ze tikt op haar borst.

'Vertel eens over *The Wizard of Oz*, ma!' roept Two uit het pu-bliek.

Toot glimlacht. 'Nou, we waren in het Rialto in Spring Lake, twee films plus het nieuws voor een stuiver. Er zou een ontzettend leuke nieuwe kinderfilm draaien met Judy Garland in de hoofd-rol. Hij heette *The Wizard of Oz*. Dus ging ik met hem erheen. Toen B Margaret Hamilton op die fiets zag, begon hij te gillen en ik kon hem niet stil krijgen. Toen begonnen alle andere kinderen ook te gillen en B rende weg door het gangpad, en toen begon ie-dereen te rennen en de hel brak los.'

'Ik zie graag apen zonder vleugels!' roep ik.

'Hoe dan ook, we zijn nooit meer naar het Rialto gegaan,' zegt Toot. 'Dat was natuurlijk niet onze keus. We waren voor het leven verbannen.'

'En ik heb nooit de hele film gezien!' Ik neem nog een teug van mijn cocktail.

'Toen hij bang werd van de vliegende apen, hoewel hij een stoer jongetje was, wist ik dat hij zijn eigen film in zijn hoofd had. Maar de film in zijn hoofd was mooi. Hij was zo'n makkelijk kind, alles boeide hem. Hij kon uren naar een zijden sierkussen kijken, hij bestudeerde het tot in detail en haalde het in zijn verbeelding helemaal uit elkaar, draad voor draad. Toen wist ik natuurlijk niet dat hij binnenhuisarchitect zou worden. Hij had echt aandacht voor dingen. Ik ben heel trots op je, B. En ik ben jaloers dat jij degene van de familie bent met smalle heupen, maar die kleinigheid kan ik je vergeven. Je bent de beste broer die een meisje ooit zou kunnen hebben, en elke avond als ik bid, smeek ik God om me te vergeven dat ik een zusje wenste in plaats van jou. Geen enkel meisje had beter kunnen zijn. *Cent'anni*,' zegt Toot met haar geheven glas.

Nellie Fanelli, in een zwarte rayon hemdjurk (ze is al zeventien jaar weduwe en draagt nog steeds zwart – blijkbaar houdt ze zich aan de regels van tante Ediths etiquetteboek voor weduwen), gebaart vanaf de dansvloer naar Toot. Toot buigt zich voorover terwijl Nellie iets in haar oor fluistert.

'Eh…' Toot kijkt verbaasd. Nellie spoort haar aan. Na een paar ongemakkelijke ogenblikken spreekt Toot eindelijk weer in de microfoon. 'Nu geef ik het woord aan pastoor Porporino, die volgens mij de invocatie gaat doen, hoewel ik moet zeggen dat niemand hem gevraagd heeft, maar u bent er, meneer pastoor, dus komt u op het podium.' Toot trekt een gezicht en laat de microfoon op de piano ploffen alsof het een rotte banaan is. Nicky helpt haar van het podium als pastoor Porp erop klimt.

Er gaat een zachte zucht van afkeer door de menigte, alsof er een zucht benzinewasem uit de reserveblikken komt die achter de ballonnen staan. Meneer pastoor pakt de microfoon en draait zich naar ons toe. Hij is gekleed in zijn weekendpriestertenue: zwarte broek, wit overhemd met rond boordje en een zwarte V-halstrui. 'Van harte gefeliciteerd, Bartolomeo.'

Het is zo stil dat ik lady Sylvia de kalfsham met haar plastic mes hoor doorsnijden.

'Ik ben hier zonder uitnodiging gekomen.' Meneer pastoor verplaatst zich ongemakkelijk van zijn ene op zijn andere voet. 'De goede mensen van Our Lady of Fatima zijn de laatste weken nogal boos op me. Ik ben buiten onze parochie op zoek gegaan naar een binnenhuisarchitect om de kerk te renoveren. Ik wist niet dat mijn beslissing zo veel verontwaardiging zou wekken. De telefoon in de pastorie heeft niet stilgestaan sinds ik die aankondiging deed. Ik besefte niet dat er zo'n grote loyaliteit jegens the House of B in deze stad bestond.'

'Dát hebt u goed gezien, padre!' roept nicht Tiki Matera, terwijl ze haar fles bier als een zwaard omhooghoudt.

'Daarom ben ik hier vanavond naartoe gekomen om het goed te maken. Als je het wilt overwegen, Bartolomeo, zou ik jou graag de opdracht geven om onze kerk te renoveren. Ik heb de firma van Patton en Persky vanochtend te kennen gegeven dat we hun diensten niet langer nodig hebben. Hoe denk je daarover?' Hij steekt zijn hand naar me uit, in afwachting van mijn antwoord. Ik neem een slok van mijn cocktail, waardoor ik bedwelmd genoeg ben om van de hele wereld te houden, inclusief pastoor Porporino.

Als ik vind dat ik hem lang genoeg in het onzekere heb gelaten, roep ik: 'Probeert u er soms onderuit te komen om een cadeau voor me te kopen?' Iedereen juicht.

'Ik heb wel een St.-Bartholomeusmedaille voor je meegebracht,' grapt hij.

Misschien komt het doordat ik in de biechtstoel tegen hem ben uitgevaren, of misschien heb ik altijd medelijden gehad met priesters, die in een pastorie moeten wonen, geen bankrekening mogen hebben en liefdeloze levens leiden, of misschien komt het door de extra scheut zoete vermout in mijn manhattan, maar ik voel een vlaag van medeleven voor hem. Ik wil een glimlach bij hem zien in plaats van de sombere trek om zijn mond, die oprecht berouw lijkt weer te geven voor de grootste misrekening in zijn priesterloopbaan. Aan de andere kant zal ik maar zelden zo'n perfecte gelegenheid hebben om me ervan te verzekeren dat hij me nooit meer dwarsboomt. Dus zeg ik luid: 'Ik neem de opdracht aan, meneer pastoor, op één voorwaarde.'

'En die is?'

'Geen bemoeienis van wie dan ook. Dat geldt voor u, de parochieraad, het bisdom in het algemeen, bisschop Kilcullen, zijn staf kwaadaardige trollen en de paus zelf.'

Er valt een langdurige stilte. Misschien ging 'kwaadaardige trollen' te ver. Te laat om me daar nu druk om te maken. Nicht Christina komt achter me staan en pakt mijn hand beet als steun. Pastoor Porporino kijkt in de ogen van de gelovigen (van de di Crespi's, althans) en neemt zijn besluit. 'Er zal geen bemoeienis zijn. Je kunt geheel naar eigen inzicht doen met de kerk wat je wilt.'

Christina knijpt in mijn hand, maar voor het vreugdegejoel kan losbarsten, heeft pastoor Porp nog iets te melden. 'Er is nog iets. Kardinaal Angelini uit de Golf van Genua in Italië zal aanwezig zijn op de feestdag van onze kerk, 13 oktober 1971. Dan moet het af zijn.'

'U hebt mijn woord, meneer pastoor.'

Het applaus is voor Dom Ruggiero het teken om 'When the saints go marching in' in te zetten. Toot begint een polonaise en ik sluit achter haar aan en grijp haar zwarte stretchceintuur bij de oogjes beet. Christina sluit achter mij aan, Amalia achter haar, en zo verder tot alle neven en nichten in mijn stamboom elkaar vastgrijpen als de lussen in een gehaakte autoplaid van tante Carmella. Terwijl we in feeststemming achter elkaar aan dansen, leidt Toot ons naar buiten onder de sterren, terwijl de band speelt. Er zijn ergere manieren om veertig te worden.

4

Matelassé in Manhattan

Ik ben niet gek. Het eerste wat ik maandagochtend na mijn verjaardagsfeest doe is mijn neef de advocaat, Carmine Mastrangelo, in Avon-by-the-Sea bellen. Hij verandert zo regelmatig van maatschap dat ik zijn moeder moet bellen voor zijn meest recente werknummer. Hij lijkt wel een uitzendkracht, jurist uiteraard.

Hoewel Carmine niet de beste rechtsgeleerde in New Jersey is, werkt hij voor een vriendenprijs als je een bloedband met hem hebt. (Gelukkig is hij een verre achterneef, dus ik voldoe.) Voor honderd dollar doet hij een testament of een scheiding, of sleept hij iedereen die je verkeerd behandeld heeft voor de rechter. Ik bel hem in zijn nieuwe kantoor, de maatschap van Peter, Paul & Mary (echt waar, het heet Pietro, Paulo & di Maria), en laat hem een overeenkomst opstellen met pastoor Porporino en het bisdom voor mijn diensten bij de kerkrenovatie. Carmine belooft hem tegen de middag klaar te hebben, wat me duidelijk maakt dat ik niet de eerste cliënt ben die een bindend contract met de r.-k. business wenst.

Toot belt en hoort me uit over Two's besluit om Villanova tijdelijk voor gezien te houden. Ik weet haar gerust te stellen met de verzekering dat hij zijn studie in elk geval wil afmaken, maar dat hij tijd nodig heeft om zijn creatieve batterijen op te laden.

Die middag zit ik op de voorste bank in de kerk en laat mijn

verbeelding de vrije loop. Wat ga ik met dit gotische meesterwerk doen? Ik voel me als Bernini toen hij oog in oog stond met
de lege ruimte onder de koepel van de Sint-Pieter. Ik heb zo veel
ideeën waarin ik lijn moet brengen. Het zal niet makkelijk worden. Alle plannen die ik aanvankelijk had lijken ineens veel te
simpel. Hoewel de deadline anderhalf jaar in het verschiet ligt,
ervaar ik het toch als een druk. Ik moet vrijwel onmiddellijk
voor de dag komen met een ontwerp en vaklieden vinden om
het uit te voeren.

'Ik ben zó blij dat meneer pastoor verstandig is geworden en de
opdracht aan de juiste man heeft gegeven!' Zetta Montagna, gekleed in een eenvoudig marineblauw mantelpak, gaat naast me
op de bank zitten. Met haar ultraslanke, chique voorkomen is ze
helemaal de Jackie Kennedy Onassis van de Fatimakerk.

'Bedankt dat je partij voor me hebt gekozen.' Ik heb het heus
wel door. Als voorzitter van de vrouwencongregatie is ze de lieve-
ling van pastoor Porp.

'Je verdient het. De hele congregatie staat achter je. Je hoeft
maar te kikken als we iets voor je kunnen doen.' Ze geeft mijn
hand een klopje.

Ik zou blij zijn met dat aanbod, ware het niet dat ik terugdenk
aan toen ik het souterrain van de kerk opknapte en de vrouwencongregatie om suggesties vroeg. Het gevolg was acht maanden
onenigheid over welke kleur lak het fornuis moest hebben. 'Willen jullie misschien een noveen voor me bidden?'

'Ben je zenuwachtig?'

'Het is een raar gevoel om te krijgen wat ik wilde.'

'Heb je soms spijt omdat je bang bent dat het niet zal lukken?'

'Ik sta onder druk. Er moet heel veel werk verzet worden in
korte tijd. En dan moet het ook nog eens vlekkeloos zijn. Kerken
worden ongeveer eens in de honderd jaar gerenoveerd. Stel je dat
eens voor. In 2070 wordt mijn werk pas onder handen genomen.'

'Ik weet zeker dat je er iets moois van maakt.' Zetta staat op en maakt een kniebuiging voor het altaar. 'Wie heeft de bloemen verzorgd?'

'Ik. Oreste Castellucci vroeg het me ter ere van de verjaardags-mis voor zijn moeder, morgen. Ik hoop dat ze tot zondag mooi blijven.'

'Ze zijn prachtig.'

Ze loopt naar de sacristie.

Ik sta ook op en buig bij het altaar. Dan ga ik aan de slag. Terwijl ik de bloemstukken uit hun dozen haal zeg ik een kort dankgebed.

Ik heb de kerk de afgelopen maand enorm gemist, en hoewel ik in die periode wel naar de St.-Catharinakerk ben geweest, voelde ik me zó gepasseerd door pastoor Porp dat mijn geloof in geestelijken – de vertegenwoordigers van Jezus hier op aarde, zoals me is geleerd en waarin ik blijf geloven – een flinke knauw heeft gekregen. Nu zie ik pastoor Porp als een gewoon mens die een zaak runt. Hij is ook Italiaan en niet zo anders dan veel mannen in mijn familie die zich het recht toe-eigenen hun gang te gaan, alleen maar omdat ze man zijn. Maar het Tweede Vaticaans Concilie was acht jaar geleden, en ons stadje is toe aan een lichte democratisering. De mensen hebben gesproken.

De deur achter in de kerk gaat piepend open. 'Zo, ik ben er. Wat wil je?' Christina slaat haar armen over elkaar en gaat bij de achterste kerkbank staan. Ze is weer in het zwart: zwarte katoenen broek met bijpassend windjack. Blijkbaar was haar turkooizen feestjurk een oprispinkje in haar rouwgarderobe.

'Je zou me met de bloemen kunnen helpen,' zeg ik opgewekt.

'Is dit doorgestoken kaart?' Ze loopt door het gangpad naar me toe.

'Waar heb je het over?' Ik steek haar een boeket blauwe asters met gele dahlia's en veel groen toe, en ze volgt me naar het altaar.

'Ik heb geen voet in deze tent gezet sinds Charlies begrafenis. Denk je soms dat je me zover krijgt dat ik weer naar de kerk ga door hier met me af te spreken?'

'Dat zou wel fijn zijn.'

'O, B. Je kunt lang wachten voor de wolken spijten en we God met donderstem horen zeggen: "Kom terug, Christina. Je duistere hart moet gered worden, en tussen haakjes, we hebben je hulp nodig om geld in te zamelen voor het inzaaien van het voetbalveld van onze middelbare school."'

'O, haha. Daar komen afvallige katholieken altijd als eerste mee aanzetten tegenover de volhouders. De Kerk is alleen maar op ons geld uit. Nou, ik verzeker je, we willen meer dan je geld alleen. We willen ook je ziel. Kom,' – ik geef Christina een krans van frisgroen gebladerte en wijs naar het altaar – 'voorzichtig, hij is fragiel.'

'En, wat ga je met deze schuur doen?' vraagt ze terwijl ze de krans voorzichtig neerlegt.

'Het zal geen schuur meer zijn als ik ermee klaar ben,' verzeker ik haar. 'Maar ik kan het niet alleen. Ik heb jouw hulp nodig. Ik heb je eerlijk gezegd hier gevraagd op een missie om niet alleen jouw ziel, maar ook mijn gezicht' – ik wijs naar mijn neus – 'te redden.'

'Ik wist het! Mijn moeder heeft me een blaadje van Maryknoll gestuurd waarin weduwen in New York op retraite worden uitgenodigd. Tenzij ze een slof sigaretten en een flacon whisky op onze kussens leggen, ga ik niet.'

'Vind je dat grappig?' Ik probeer me niet te laten afschrikken door Christina's sarcasme. 'Je bent nog jong. Je hebt een hele toekomst voor je.'

'Zo voelt het anders niet.'

'Nu niet, nee. Maar het zal terugkomen.'

'Wat dan?'

'Hoop.'

'Droom maar verder.' Ze draait zich om naar het witte marmeren altaar waar de pastoor vroeger met de rug naar ons toe de mis in het Latijn opdroeg. Ze opent het kleine gouden tabernakel en kijkt erin.

'Niet aankomen!'

'Ik heb altijd al willen zien wat erin zat.'

'Nu weet je het.' Ik doe het deurtje dicht. 'Gedraag je. Alleen de weinigen die tot misdienaar zijn opgeleid mogen het tabernakel aanraken.'

'Toen ik klein was en *Alice in Wonderland* las, wilde ik een magisch drankje vinden waardoor ik genoeg zou krimpen om door dat deurtje te kunnen.'

'Het is maar een kluis.' Ik pak een stofdoek en wrijf onze vingerafdrukken weg. 'Er is niets spannends aan. Er ligt alleen maar een voorraad oude gewijde hosties in een gouden ciborie om aan zieken en stervenden te geven.'

'En het pakje sigaretten van pastoor Defede.'

'Van wie heb je dat?'

'Van Richie Sammarco, mijn vriendje op de middelbare school. Hij was ook misdienaar.'

'Dat hij zomaar een vakgeheim prijsgaf!' Ik schuif de marmeren urnen naar de voet van het altaar en zet er verse takken in. 'Ik heb je echt nodig. Ik zou je graag als assistent willen.'

'Ach, kom.'

'Ik meen het. Je kunt niet eeuwig van Charlies levensverzekering leven.'

'Tjonge, B, je bent wel recht voor zijn raap, hè?' Christina trekt de gesteven vouwen van het kleed precies over de hoeken van het altaar.

'Ik zeg het alleen omdat het me aan het hart gaat,' zeg ik zacht.

'Charlie had die levensverzekering van de Knights of Columbus, en dat wist ik niet eens. Toen ik de cheque ontving, heb ik hem bijna kapotgescheurd, zo kwaad was ik. Alsof geld hem terug zou kunnen brengen.'

'Wat hield je tegen?'

'Amalia. Zij trok hem uit mijn handen en zei: "Dat is een cadeau van papa."'

'Slim van haar.'

'Je weet maar nooit.' Christina gaat op de trap voor de communiebank zitten. Ik ga naast haar zitten, na een snelle kniebuiging voor het altaar.

'Dus jij gaat in dat prachtige tudorhuis dat ik heb ingericht zitten kniezen?'

'Voorlopig wel.'

'Het zou helpen als je voor mij kwam werken. Dat weet ik zeker.'

'Ik weet niets van kerken. Werkelijk, zelfs van twaalf jaar katholiek onderwijs heb ik weinig opgestoken. Ik heb alleen maar instructies opgevolgd. Ik kan nog geen ampul van een crucifix onderscheiden.'

'Daarom ben je zo geschikt voor de baan. Ik heb iemand nodig om me te weerhouden van veilige keuzes. Ik wil dat wie ook deze kerk binnenloopt, katholiek of niet, op zijn knieën valt bij de grootse aanblik, een mystieke ervaring beleeft omdat het hier zo mooi is dat de tranen hem of haar in de ogen springen.'

'Hoe wil je dat bereiken?' Christina staat op en steekt haar hand uit om me overeind te trekken. 'Het is een kerk. Die moet je genoeg angst inboezemen om op het rechte pad te blijven. Hoe wil je dat inrichten?' Ze kijkt om zich heen en ik weet wat ze denkt. Mijn geliefde kerk is een ramp. Het ruikt er zelfs muf. 'Het is niet slecht als je van waterspuwers houdt en van kruiswegstaties die lijken op scènes uit *The Birdman of Alcatraz*.'

'O, maar dat gaat allemaal weg. Ik ga Gods huis een heel nieuw gezicht geven. En wie kan me daarbij beter assisteren dan juist diegene die Hem momenteel het hardst nodig heeft?'

'Je bent een mafketel, B.' Ze zucht. 'Oké, ik doe mee. Maar alleen omdat je leuker bent dan mijn verslaving aan *Edge of night* elke middag om vier uur. Je hebt gelijk. Ik heb een baan nodig.'

Ik had de meest gewilde binnenhuisarchitect van New York kunnen zijn en in alle tijdschriften kunnen staan, net als die prullengek Mario Buatta, maar dan had ik OLOF, Toot en de jongens op moeten geven. Plicht is voor een di Crespi belangrijker dan zelfverrijking. Met dat in gedachten is het altijd een slecht idee om familie in dienst te nemen, vooral als je Italiaans bent. Ik geloof dat het probleem is ontstaan met het *mezzadri*-systeem in Italië, waar een *padrone* heer en meester was over arbeiders die zijn grond bewerkten en op zijn landgoed woonden. Rancune tegenover autoriteit zit ons diep in het bloed. En wat heb ik gedaan? Kort na elkaar heb ik twee familieleden in dienst genomen: Christina, die me zal assisteren met de kerk, en Two als manusje van alles, zodat ik mijn privéclïenten tevreden kan houden terwijl ik met de kerk bezig ben.

Christina's eerste taak als ontwerpassistent (haar nieuwe titel) van the House of B is onderzoek plegen. Ik stuur haar naar de theologiebibliotheek in Seton Hall om zoveel mogelijk informatie over het wonder van Fátima te verzamelen. Ik heb in mijn jeugd aardig wat geleerd over heiligen en wonderen, maar ik heb me er nooit diepgaand mee beziggehouden. Door de martelaarsrol die mijn moeder op zich had genomen, kreeg ik genoeg lijden voorgeschoteld, daarom leek het me niet nodig om me er verder in te verdiepen. Verregaande analyses van mystieke ervaringen laat ik over aan de Vaticaanse concilies, de novices en theologiestudenten.

Vier keer per jaar woon ik in Manhattan workshops van de ASID bij, waarbij leden samenkomen voor een high tea in de Blue Room van het Plaza Hotel (laat ik niet uitweiden over dit schitterende hotel, met het schilderij van Eloise in de foyer) en om te luisteren naar een aantal gastsprekers. Vandaag voel ik me als een Vanderbilt, zoals ik thee nip en geniet van het zomergebladerte in Central Park. Het is een middag om contacten aan te halen, iets op te steken en sappige roddels uit te wisselen.

'Bedankt voor de bloemen.' Mary Kate Fitzsimmons buigt zich naar me toe, haar zachte haar strijkt langs mijn slaap als ze in mijn oor fluistert. 'Ik ben dól op pioenen.'

'Ze zijn je gegund.'

'Ik ben met mijn collega's, dus ik kan niet bij jou gaan zitten.' Ze glimlacht verontschuldigend. 'Maar ik zou het wel willen.'

Ik sta op en kus haar hand. 'Volgende keer.'

'Zien we elkaar... nog eens?'

'Natuurlijk.'

Mary Kate zigzagt tussen de tafels door naar haar plaats. Ze zit naast de langbenige Gloria Zalaznick, een veelbelovende binnenhuisarchitect uit Great Neck, en Bunny Williams, de gevatte assistent bij Parrish-Hadley.

Ik klets met de mensen aan mijn tafel. Ik vind het altijd enig om Helen McNeill te zien, dé kledenexpert van de stad, en Norbert Ratliff, die me Helen ooit aanbeval. Geleidelijk richt ik mijn aandacht op de agenda voor de high tea.

Op elke tafel staat een zilveren beker met geslepen golfpotloden. Ik pak er een om aantekeningen te maken. Er ligt ook een map vol uitnodigingen voor lunches of toonkamer-cocktailparty's waar nieuwe producten worden aangeprezen: koelkasten met kastfront, niet-giftige verf, kamerbreed orlontapijt. Ik vind deze seminars bijzonder interessant, maar met verse scones, dikke room en jam krijgt het echt iets verfijnds!

'Dames en heren,' zegt Barbara d'Arcy van Bloomingdale's als ze op het podium staat en met een glimlach over de hoofden heen kijkt. Haar saffierblauwe blouse heeft precies de kleur van haar ogen. Ik vraag me af of ze deze kamer heeft gekozen omdat ze weet dat hier haar uiterlijk het best tot zijn recht komt.

Iedereen mag Barbara, en elke goede binnenhuisarchitect gaat altijd even langs bij haar overvloedig gesorteerde interieurafdeling op de derde verdieping in het warenhuis. Als je daar niet vindt wat je zoekt, pakt ze de telefoon en verbindt ze je door met een leverancier die het wel heeft. Ze is een levend naslagwerk voor onze branche. Het gerucht gaat dat ze met een boek bezig is. Ik kan niet wachten om het te lezen.

'Fijn dat u vanmiddag bij ons aanwezig bent,' vervolgt Barbara. 'Ik probeer al jaren om onze gastspreker hier te krijgen, maar ze is vrijwel nooit beschikbaar. Vorig jaar bestudeerde ze mozaïek-muren in oosters-orthodoxe kerken in Moskou. Deze lente was ze in China om te leren hoe omslagen van geborduurde zijde worden gemaakt, en afgelopen zomer was ze in Londen om middeleeuwse marmerinleg in kathedralen te bekijken. Er is niets in ons vakgebied wat deze dame niet weet, heeft gezien of geprobeerd onder de knie te krijgen. Hoe haar nieuwste ontwerp eruit gaat zien is altijd weer een verrassing. Ze heeft de foyer in het Frick Museum op haar naam staan, en de English club room van het Carlyle Hotel, en, laat ik u verzekeren, die is zo Brits als maar kan! Pasgeleden heeft ze een penthouse op Fifth Avenue ingericht voor de ambassadeur van Indonesië. Zij is het genie achter de volière met exotische vogels in het glazen solarium op het dak van Number Ten Park Avenue. Maar dat hebt u natuurlijk allemaal in *The Times* gelezen. Als het op binnenhuisarchitectuur aankomt, is ze ongeëvenaard. Heet u alstublieft samen met mij van harte welkom ons eigen ASID-lid Eydie Von Gunne van VG Designs of Park Avenue.'

Eydie loopt onder enthousiast applaus het podium op. Ze is gekleed in een roze tweed minirok van Mary Quant, een crème-kleurige blouse en lichtbruine suède knielaarzen met roze grosgrain-zijden veters. Ze buigt zich naar de microfoon en zegt: 'Ik hoop van harte dat ik u niet zal vervelen. Ik ben veel beter in dingen doen dan erover praten.' Ze vangt mijn blik en knipoogt naar me. Ze weet nog wie ik ben!'

'Ken je haar?' fluistert Helen.

'We hebben elkaar bij Gino's ontmoet,' fluister ik terug.

Vol ontzag luister ik naar Eydie. Na haar lezing is ze omgeven door binnenhuisarchitecten, als een roos tussen de klaprozen. Uiteindelijk weet ik me naar haar toe te wurmen.

'Bartolomeo!'

'Ken je me nog?'

'Je hebt me nooit gebeld. Zijn er daar zo veel experts in gotische kerken?'

'Nee, nee, integendeel. Ik weet gewoon niet hoe ik het moet aanpakken. Ik verkeer nog steeds in de denkfase. Sorry.'

'Je klinkt een beetje onzeker. Mocht je soms behoefte aan een klankbord hebben…'

'Nu meer dan ooit. Toen je het over tegelrestauratie had, moest ik aan de sacristie denken. Ik wil de originele materialen zoveel mogelijk behouden.'

Eydie kijkt naar de lange rij achter me. 'Logeer je in de stad?'

'Nee, ik wilde nog langs het D&D en dan naar huis.'

'Heb je tijd om te blijven? We zouden samen kunnen eten.'

'Heel graag.'

'Top of the Sixes? Acht uur?'

'Prima.'

'Dan zie ik je daar.' Ze drukt me de hand en richt haar aandacht vervolgens op een paar binnenhuisarchitecten met een waslijst vragen.

De rest van de middag vliegt naar mijn gevoel voorbij. Het is zo'n winderige lentedag in New York, waarop de lucht zo blauw is dat de gebouwen als gepolijst zilver in het licht schitteren. Ik geniet van een kop koffie met appeltaart bij Rumpelmayer's en lees de nieuwsbrief van de ASID. Dan loop ik naar het Plaza Hotel, steek over bij de verkeerslichten, en loop over Fifth Avenue langs Gene Moores sprankelende etalages bij Tiffany's.

Bij Pierre Frey op First Avenue pik ik stalen op voor Aurelia's zomermeubilair, en ik ga langs Stroheim & Roman om stalen terug te brengen die ik geleend heb voor de klus bij de Baronogans. Ik spring op een bus naar het centrum en ga binnen bij de kleine tabakswinkel op Bleecker die als enige dunne bijenwaskaarsen voor mijn armkandelaar verkoopt.

Terwijl ik kijk naar de broeken met uitlopende pijpen en gehaakte poncho's van Greenwich Village, denk ik terug aan mijn studententijd, en hoe ik van het leven hier genoot. De stad was mijn muze. Het gebroken zonlicht en de strakke hoeken inspireerden me tot de wandkleden van jute met metalliekaccenten waarmee ik de prestigieuze Parsons Award voor originaliteit won. Ik heb alleen maar gelukkige herinneringen aan die tijd. Soms krijg ik de drang om alles eraan te geven en terug naar de stad te gaan. Het idee van een appartement met uitzicht, een terras en een portier is op zulke momenten bijna onweerstaanbaar. Maar dan denk aan mijn Villa di Crespi, en mijn liefde voor ruime kamers, mijn tuin, mijn garage en mijn oceaan, en besef ik dat ik het beste van twee werelden heb: een goed leven buiten met regelmatige bezoeken aan de stad. Het glas is halfvol, B, hou ik mezelf voor. Halfvol!

Ik neem de bus naar de dure wijken en koop bij Bergdorf's een felrode zijden das. Mijn stemmige marineblauwe das is niets voor Top of the Sixes, daar gaat het om spirit. Een rode das doet hetzelfde voor een man als rode lippenstift voor een vrouw: het maakt sexy.

De lift naar Top of the Sixes, vol welgestelde New Yorkers, opent zijn deuren naar een eetzaal zo mooi dat ik sprakeloos ben. De rijke kleurschakeringen in veenbesrood en nachtblauw, en de fonkelende rode glazen waxinelichtjes op de tafels zijn zonder meer Russisch, en in de geur van leer en rook komt hier en daar een zweem fresia naar voren.

Eydie wuift naar me vanaf een tafeltje aan de andere kant van de zaal. Ik weet niet wat schitterender is, die mooie vrouw in blauw chiffon in een roodleren gewatteerde stoel of de lichtgloed van de stad die achter haar als een verborgen koninkrijk twinkelt.

Ze steekt me haar hand toe en ik druk er een kus op. 'Ik hoop dat je er geen bezwaar tegen hebt. Ik ben al begonnen.' Ze heft haar martiniglas in een toost.

'Dit is voor jou.' Ik geef haar een doos Godiva-bonbons verpakt met een strik van goudgaas en een zijden roos en ga zitten.

'Wat lief van je!' Eydie glimlacht. 'Maar nu voel ik me natuurlijk zeer bezwaard.' Ze wenkt de ober, die mijn bestelling voor een drankje opneemt. 'Zo, voor je me alles over die kerkrenovatie vertelt, wil ik eerst wat meer over jóú horen. Waarom ben je binnenhuisarchitect geworden?'

'Ik heb een afkeer van alles wat lelijk is. Daarbij kom ik uit een gezin waarin het een crime was om het cellofaan van een lampenkap te halen.'

Ze lacht. 'Dus je bent binnenhuisarchitect geworden om de wereld te beschermen tegen cellofaan?'

'Gedeeltelijk. Mijn vader was er helemaal niet blij mee, hij vond het geen serieus beroep. Maar ik ben inmiddels tot de overtuiging gekomen dat mensen die geen gebruik willen maken van onze kennis ook niet naar de kapper gaan, om geld te besparen. Maar jij, jongedame, bent een ware expert. Is het je opgevallen hoe stil het werd toen jij op het podium kwam? We zijn gewend aan stijve nonnentypes met een blauwspoeling die over boordsel aan glanskatoen spreken alsof dat het toppunt van erotiek is. Het is een hele gebeurtenis voor ons om in de ban te raken van een expert die ook nog eens een schoonheid is.'

'Dank je.' Eydie raakt mijn hand even aan. 'Ik heb het pas uitgemaakt met een internationale bankier, hij had schoon genoeg van de combinatie "knap met hersens".'

'Die vent met dat kuiltje in zijn kin?'

'Ach, natuurlijk! Je hebt hem bij Gino's ontmoet.'

'Niet officieel. Waar komt hij vandaan? Lutjebroek?'

'Connecticut. Hij is terug bij zijn vrouw.'

'Dat meen je niet.'

'Ik wist niet dat hij getrouwd was. Weet je, als je dat soort dingen hoort, denk je altijd: hoe kón ze dat nou niet weten? Ze is toch niet achterlijk? Maar ik reis zo veel dat het me echt niet opviel dat we nooit naar zíjn huis gingen. Ik woon in Fifty-third Street, dus waarom de boer op gaan terwijl in mijn buurt alles voorhanden is? Ik heb waarschijnlijk niet goed opgelet. Ik heb al zoveel aan mijn hoofd.'

'Nou, wees blij dat je van hem verlost bent. Je verdient beter.'

'Wie weet komt het ooit zover. Kennelijk vind ik onbereikbare mannen spannend. Mijn eerste vriendje ging er met een man vandoor, en ik was nog wel stapelgek op hem!'

'O jee.' Ik neem een slok van mijn cocktail. 'Dat komt wel vaker voor in onze branche.'

Eydie bijt net in het resterende olijfje van haar drankje wanneer de ober een tweede cocktail voor haar neerzet. Zo te horen is Eydie ruim vijf jaar ouder dan ik, maar dat zou je niet zeggen. Ik moet aan de vriendinnen van mijn zus denken, en hoe ze steeds meer op Eleanor Roosevelt (op leeftijd) beginnen te lijken, hoe knap ze in hun jonge jaren ook waren. Vrouwen in New York spelen het echter klaar om er jeugdig uit te blijven zien. Misschien komt het door het vele lopen. Of door het wonen in een toonaangevende stad. Hoe kun je tenslotte oud worden in een omgeving die continu verandert?

'Laten we het eens over die kerk van je hebben,' zegt Eydie nadat we besteld hebben.

Ik breng haar op de hoogte. Eydie is bekend met de zakelijke kant van kerkrenovatie, daarom verbaast het haar niet dat het tijd kostte om de opdracht bevestigd te krijgen. Ze wil de kerk graag zien, vooral het Mariafresco van Menecola, omdat ze een zwak heeft voor amateurkunst.

'Ik heb thuis een heel dossier aangelegd over het renoveren van gotische kerken. Na het eten kunnen we naar mijn appartement gaan, ik leen het je met plezier.'

De maaltijd is verrukkelijk: steak (medium-rare, zo mals dat ik geen mes nodig heb) met al dente asperges, vergezeld door een glas rode wijn, en als dessert een compote van aardbeien en abrikozen op zoete, in rum gedrenkte biscuit. Tijdens de koffie merken Eydie en ik dat we nog meer gemeen hebben, aangezien ook zij katholiek is opgevoed, in Chicago.

We nemen een taxi naar haar appartement, en in de hal toont ze me met een weids armgebaar de chique ruimte in art-decostijl met ebbenhout, zilvertinten en kamerhoge, bewerkte spiegels aan weerszijden van de lift. 'Ik ben dol op deze spiegels,' zegt ze. 'Zo weet ik altijd wanneer de naaister mijn zoom scheef heeft gestikt. Hier zie je jezelf van vijf kanten.'

Ze drukt op de knop voor het penthouse. Ik ben razend nieuwsgierig, want ik wil ontzettend graag zien hoe ze woont. 'Stel je er niet al te veel van voor,' zegt ze. 'Het is maar klein.' Ze opent de deur en knipt het licht aan. Ik zie een lange, ruime woonkamer. Eén muur wordt geheel in beslag genomen door ramen. Ze drukt op een knop waardoor de vouwgordijnen automatisch omhooggaan en de East River zichtbaar wordt, die als een zwartfluwelen lint afgebiesd met oplichtende pareltjes in de verte ligt.

'Prachtig, het lijkt wel of je in een juwelendoos woont!' Ik loop naar het raam en kijk naar buiten.

'Ik heb jaren in een tuinappartement in Perry Street gewoond, maar op een dag dacht ik: ik wil lucht, licht en uitzicht, en toen heb ik dit gevonden.'

'Fantastisch.' Qua kleur is de inrichting beige met wit, wat bij daglicht natuurlijk een voltreffer is. De bankelementen staan in halvemaanvorm opgesteld en zijn bekleed met zacht moleskin. Ik ontwaar geen koffietafel! Wel een lage Engelse schoenenbank op beenafstand van de sofa. Een antieke schommelstoel en een staande schemerlamp in een hoek. Aan de muur een reeks schilderijen – lange, brede doeken vol wit met kleine zwevende groene blaadjes. Modern abstract, heel karakteristiek. Door kombuis-deuren achter in de kamer vang ik een glimp op van haar keuken met kastwerk in strak kersenhout en een beige tegelvloer. Ernaast is een toilet met op de deur de letters wc. Ik zie verguld behang en glimmend zwart sanitair.

'Hier is de slaapkamer,' zegt Eydie nonchalant.

Het zweet breekt me uit en ik trek een strak, professioneel ge-zicht. Ik loop achter haar aan. Rechts zijn glazen schuifdeuren die toegang geven tot een leuk terrasje, dat ze heeft opgevrolijkt met wilde planten. Ze neemt me mee via de schuifdeuren naar een hoekje met twee smeedijzeren caféstoelen met bijpassende tafel. Ik dank de hemel voor de bries die mijn verhitte lichaam aan-zienlijk afkoelt. Ik haal diep adem en Eydie wijst me de bruggen en Roosevelt Island aan. Na alles vanuit de hoogte bewonderd te hebben volg ik haar terug naar binnen.

Ze heeft een kingsize bed met een dun fluwelen dekbed in lui-paardprint (doet me denken aan Diana Vreeland, perfect!), een chaise longue met witte damastbekleding, en in de hoek een klein witgelakt shakerbureau met bijpassende rechte stoel. Daartegen-over staat een kamerhoge kast met spiegeldeuren. 'Ik heb het zo simpel mogelijk gehouden,' zegt ze.

Ik knik. 'Je bent een fan van Elsie de Wolfe.'

'Inderdaad. Je zit altijd goed met *The house in good taste*. Dat is mijn bijbel. Kom mee, dan laat ik je de mooiste kamer zien. Ben je er klaar voor?'

Ik loop achter haar aan naar een kleedkamer met terracotta te-gels op de vloer en een kaptafel en taboeret (bekleed met stevig beige corduroy) voor een grote spiegel met make-uplampen. 'Hier beschilder ik mezelf met oorlogsverf,' grapt ze, en ze loopt naar een andere kamer. Ze knipt het licht aan. 'Mijn badkamer.'

'Allemachtig,' zeg ik hardop. Zoiets heb ik nooit eerder gezien. Het is de droom van elke badderliefhebber. De vloer en muren zijn wit betegeld. Midden in het gewelfde glazen plafond hangt een luchter met kleurig Venetiaans glas. Achter in de ruime kamer staat een antieke witte tobbe met klauwpoten en alle originele attributen, verguld en wel. Tegenover de dubbele wastafels en kastjes staat een sofa, bekleed met witte badstof (in lappendekenstijl aan elkaar genaaide zachte badlakens van Egyptisch katoen: geniaal!). De wc is weggewerkt achter een deur. 'De meeste vrouwen willen een veredelde kast. Maar ik wilde een ruime badkamer, daarom heb ik de originele badkamer, een deel van het terras en de tweede slaapkamer samengetrokken en er dit van gemaakt. Sommigen van mijn vrienden verklaarden me voor gek, maar ik heb nog steeds een terras, alleen niet zo groot.'

'Het is fantastisch.'

'Tja, het is mijn visitekaartje. Ik heb een uitgesproken eigen smaak.'

Ik loop met haar mee terug naar de woonkamer. Ze gebaart me te gaan zitten terwijl ze naar de keuken loopt. Even later komt ze terug met een originele dranktrolley met alles erop en eraan. 'Zou je een drankje voor me willen inschenken?'

'Natuurlijk.' Ik sta op, til de klep van het bovenste deel op en zie een keur aan de meest uiteenlopende dranksoorten. 'Heb je zin in amaretto?'

'Met ijs, graag.' Eydie loopt naar een boekenkast naast de keukendeur en pakt een leren dossierdoos van de bovenste plank. Ze opent hem, zoekt even en haalt er een dossier uit over de San Sirokathedraal in San Remo in Italië. Eydie zegt me dat San Siro aan de Middellandse Zee ligt, niet ver van waar mijn familie vandaan komt. Ze legt uit dat de Romaans-gotische kathedraal uit de twaalfde eeuw in verval raakte en werd opgeknapt in barokstijl. En dat toen de stad eindelijk het licht zag en het gebouw in oorspronkelijke, gotische stijl restaureerde.

'Je moet het Mariabeeld een keer gaan bekijken.'

'Wie heeft het gemaakt?'

'Mijn favoriete kunstenaar.' Ze zwijgt even. 'Onbekend.' Eydie zit met haar benen over elkaar op de bank. 'Er is iets heel puurs aan een kunstenaar die iets maakt enkel en alleen om de vreugde van het werk zelf, en het dan prijsgeeft zonder erkenning te willen. Dat vind ik het toppunt van romantisch idealisme.'

Mijn hele leven al ben ik op zoek naar iemand die met net zoveel passie in het leven staat als ik. Nu vind ik het in Eydie. Ik zou wel de hele avond met haar willen praten. Misschien gebeurt dat ook!

'Je vertelde dat het fresco in jullie kerk door een amateur is geschilderd,' zegt ze.

'Inderdaad, het is gemaakt door een man die de borden voor de groentekramen langs de weg beschilderde. Onze Heilige Maagd lijkt net een graanventster. Het gebrandschilderde glas is ook aan vervanging toe.'

'Dan heb je een hele ploeg nodig. Ik zal een lijst voor je opstellen.' Ze haalt een schrijfblok uit haar tas. 'Ik heb een paar jaar geleden een artikel over fresco's geschreven voor het tijdschrift *Life*.' Ze kauwt nadenkend op het uiteinde van haar potlood en zegt dan: 'Ik kan drie mensen bedenken die ik zou willen zien als het om mijn project ging.'

'Drie maar? Op de hele wereld?'

'Zoals ik erover denk wel, ja. Het zijn Gian Angelo Ruttolo uit San Remo, Asher Anderson uit Londen en Rufus McSherry uit Brooklyn.' Eydie geeft me het lijstje. 'Ik zal je hun gegevens maandag vanuit mijn kantoor toesturen.'

'Rufus McSherry. Iers en katholiek?' vraag ik.

'Daar hebben we het nooit over gehad. Rufus is een briljant frescoschilder; hij restaureert ze ook. Hij werkt samen met een man uit Mexico, die doet gebrandschilderde ramen.'

'Dat klinkt perfect!'

'O, dat is hij ook. En een perfecte lastpak!' Ze glimlacht. 'Maar dat mag hij zijn.'

'Zo te horen ken je hem goed.' Ik voel een steek van jaloezie.

Eydie en die Rufus zijn kennelijk dik bevriend, en ik weet natuurlijk niet of het alleen maar professioneel is.

'Ja, het is een bijzonder type.' Eydie wendt haar blik af. Het licht is gedempt, maar ik heb sterk de indruk dat ze bloost. 'Gian Angelo is vaak in New York, dus met hem kun je waarschijnlijk hier afspreken. Hij is in eerste instantie architect, dus hij kan je vertellen of je gebouw structureel deugt, en wat je moet ondernemen als dat niet het geval mocht zijn. Asher reist nog zelden, maar we schrijven veel, en hij kan je vrijwel altijd uit de brand helpen. Hij is een echte speurneus. Hij weet aan de gekste dingen te komen: de juiste fitting, nét de deur die je zoekt, oud lijstwerk dat niemand meer heeft, dat soort zaken.'

'Ik schat dat als ik deze zomer het ontwerp maak en we in oktober van start kunnen, we het in een jaar klaar hebben voor de herinwijding. Die Rufus lijkt me wel wat.'

'We zullen zien of hij tijd heeft. Ik weet dat hij een aanbod heeft gekregen om de kathedraal in Providence te restaureren, maar dat heeft hij afgeslagen. Hij wil niet betutteld worden door een stel klerikale kunsthistorici die hem eens even zullen vertellen wat en hoe.' Eydie gaat staan en rekt zich uit. 'Zo, ik vind het heel erg, maar ik moet je er echt uit gooien. Morgen is een belangrijke dag, en ik moet vroeg op.'

Ik wil niet weg, maar ik sta onmiddellijk op. 'Ik ook. Het was een fijne avond, bedankt.'

Eydie loopt met me naar de deur en geeft me de map met gegevens over gotische kerken. 'Dank je voor die heerlijke maaltijd.'

We glimlachen zwijgend naar elkaar. Het is een van die bijzondere momenten tussen twee mensen, ragfijn als een delicaat spinnenweb. Het zou voorbarig van me zijn om een zoen te verwachten, daarom bewaar ik net genoeg afstand om de betovering te verbreken. Uiteindelijk heeft ze net een teleurstellende relatie achter zich, en ik ben nog steeds niet open geweest tegenover Capri Mandelbaum. Eydie Von Gunne zit echt niet te wachten op nog een onbereikbare man; nog niet, in elk geval.

'Welterusten, Bartolomeo.' Ze zwaait naar me voor ze de deur achter me dichtdoet.

'Welterusten, Eydie,' zeg ik zacht terwijl ik wegloop.

'Vertel eens, B. Wat weet je over het wonder van Fatima?' Christina en ik zitten op een felrood plastic bankje in wegrestaurant Tic Tock en ze slaat haar aantekeningenboek open terwijl ik het rolgordijn omlaaglaat tegen het felle licht van de ochtendzon. Het spitsverkeer raast over Route 35 tijdens onze eerste officiële stafbespreking van the House of B.

'De Maagd Maria verscheen aan drie Portugese herderskinderen toen ze op een akker stonden,' antwoord ik op Christina's vraag. 'Mag ik de siroop?'

'Juist. In de lente van 1917 verscheen Maria aan Lucia dos Santos, Francisco Marcos en Jacinta Maro toen ze schapen hoedden. Daarna is ze nog een aantal keren verschenen. De kinderen vertelden het aan hun familie en de plaatselijke pastoor. Het duurde niet lang of het verhaal ging door heel Portugal. Maria beloofde Lucia dat ze op 13 mei weer zou verschijnen. Zeventigduizend mensen kwamen die dag om het wonder te aanschouwen.'

'En toen?' Ik besprenkel mijn beboterde toast met een onfatsoenlijke hoeveelheid siroop.

'Een heus mirakel. Maria had een wonder beloofd en dat kregen de mensen. Het leek alsof de zon omlaagkwam en er volgde een wolkbreuk.'

'Oké. Dat klinkt eerder als een vlaag slecht weer dan een wonder.'

'Dat was het ook min of meer. Maar Maria hield de storm tegen, en iedereen die toekeek, en alles wat onder water was gelopen, was in een oogwenk weer droog.'

Wat wonderen betreft, valt Fatima niet te vergelijken met Lourdes, waar een genezende bron is en een type à la Jennifer Jones, maar dan heilig, als Bernadette. Maar eerst het belangrijke. Ik moet met een schone lei beginnen. Alles in onze Fatimakerk moet weg. 'Kun je goed met een fototoestel overweg?'

'Ja hoor.'

'Dan wil ik graag dat je naar de kerk gaat en het hele interieur fotografeert. Geen mooie plaatjes of groothoek. Ik wil een inventaris van alles wat er is: elke stoel, tafel, offermand. En daarbij een uitgetypte lijst. In de herfst wordt alles opgeslagen, en beginnen we van voren af aan.'

'Komt in orde.' Christina klapt haar aantekeningenboek dicht. 'Is dat alles?'

'Nu wel.'

'B?' Christina stopt haar aantekeningen in haar tas.

'Ja?'

Ze slaat haar ogen neer. 'Bedankt voor de baan.'

'Je bent een slimme meid met een onbeduidende persoonlijkheid; waarom zou jij geen grootse carrière kunnen hebben?' We gniffelen.

'Weet je…' Christina's ogen staan vol tranen als ze naar me opkijkt. '… ik geloof dat ik de moed bijna had opgegeven.'

'Nee hoor. Je zit er nog middenin. Verdriet gaat niet ineens weg; het blijft. En soms heel lang. Iedereen met een hart weet dat. Ik wil alleen maar helpen. Ik verwacht echt niet dat je weer de Christina wordt van voor Charlie stierf. Ik wil je gewoon weer eens zien glimlachen. Dat is alles. En als dat nog een paar jaar in het verschiet ligt, ook prima.'

Christina pakt haar tas en vertrekt. Terwijl ik op de rekening wacht, kijk ik haar na als ze naar haar auto loopt. Waarom zij? vraag ik me af. Ik kan er geen touw aan vastknopen, maar ach, zo is het met vrijwel alles in het leven. Waarom die drie herderskinderen in Fatima? Misschien waren ze wel tikkertje aan het spelen toen ze door een goddelijke verschijning achterover op hun billen vielen en voorgoed een ander leven kregen. Wie weet wat het leven voor ieder van ons in petto heeft?

Route 3 is overbelast, daarom neem ik de binnenweg naar Toot. Ik moet een stuk Parmezaanse kaas uit Little Italy aan haar afgeven. Als ik de bocht van Corinne Way neem, vang ik in mijn achteruitkijkspiegel een glimp op van een vrouw in felroze trainingsbroek met bijpassend sweatshirt, die puffend de heuvel op rent. Arm mens. Wat zullen haar botten lijden onder die aanslag. Ik rij voorzichtig om haar heen, en kijk opnieuw in mijn spiegel. Het is Toot! Ik stop en ze jogt naar mijn autoraam.

'Wat doe jij hier in vredesnaam?'

'Ik heb een afspraak!' zegt ze hijgend.

'Waar is hij?'

'Niet hier. Nu niet, in elk geval. Zaterdagavond.'

'Wie is het?'

'Zou je me niet eens feliciteren? Ik heb al dertien jaar geen seks gehad. Elf sinds de scheiding en nog de twee jaar toen Lonnie last had van jicht, dus samen dertien jaar dat ik als non leef. Tegen het eind van mijn huwelijk moest ik smeken om iets wat op menselijk contact leek, geloof me.'

'Kom op, alsjeblieft, dat gaat mij niets aan.'

'Weet ik. Het moet hard voor je zijn om te horen dat je enige zus zelfs tijdens haar huwelijk kuis was. Maar het is wel zo.' Toot trekt een zakdoek onder haar bh-bandje vandaan en wrijft haar gezicht droog. 'Ken je Sal Concarni?' Ze propt de zakdoek weer op zijn plaats.

'Uit Belmar?'

'Ja. De loodgieter. Hij is ook gescheiden. Eenenzestig. Is dat te oud voor me?'

'Volgens mij niet.'

'Het klinkt wel oud. Ik bedoel, ik wil geen vrijer hebben die ik uiteindelijk zijn pillen moet aanreiken, in bad moet doen en in zijn rolstoel moet helpen.'

'Eenenzestig is niet meer wat het vroeger was.'

'Dat dacht ik dus ook. Vrouwen worden veel aangenamer oud dan mannen. Kijk mij, bijvoorbeeld, ik verf mijn haar, maar ik héb tenminste haar. Snap je?'

'Stap in, Toot.'

'Nee, ik ren wel. Ik zie je thuis.'

Ik rij vooruit en zie mijn zus haar ene voet voor haar andere zetten alsof haar sportschoenen van gietijzer zijn. Ik weet niet of joggen wel bij haar past; iets met zweven lijkt me meer geschikt. Ik parkeer op haar oprit en pak de zak met kaas. Wanneer Toot de oprit op rent, steekt ze haar arm op alsof ze net een gouden Olympische medaille voor veldsport heeft gewonnen. 'Anderhalve kilometer!' roept ze. 'Jippie!'

'Geweldig.' Ik volg haar naar binnen.

'Ik weet niet wat ik aan moet. De laatste keer dat ik met een man uitging was met Lonnie, en wanneer was dat? Truman was president. Lieve god. Ik krijg morgen vast geen hap door mijn keel. Als ik nog een paar pond kwijtraak, pas ik in een dun wollen hemdjurkje van Pendleton dat ik heb gekocht toen Lucy Caruso trouwde. Het is een roze Schotse ruit. Is een Schotse ruit oké voor een afspraakje?'

'Neemt hij je mee voor een klompendans in de Schotse Hooglanden?'

Toot slaat haar ogen ten hemel.

'Laat die wol hangen. Draag iets zijigs en sensueels. Qiana, bijvoorbeeld. Heb je iets van Qiana?'

'Onderbroekjes.' Toot schatert het uit en schenkt een glas water in.

'Als je het niet serieus neemt…'

'O, B, doe niet zo moeilijk. De afgelopen dertien jaar heb ik alles serieus genomen. Dertien jaar? Wat zeg ik, mijn hele leven! Ik wil weer lachen. Ik wil giebelen als die meisjes met een beugel die alles grappig vinden. Ik wil gek doen. Romantisch. Ik wil hand in hand door het park lopen en zoenen in het maanlicht. Ik wil… gestreeld worden.'

'Juist. Ik snap het. Luister naar mijn raad: ga naar Bamberger's en koop wat nieuwe lingerie. En dan – lach niet – koop je op de herenafdeling een zwartsatijnen pyjama.'

'Zo goed ken ik Sal nog niet.'

'Niet voor hem. Voor jezelf. Draag een simpele zwarte lange broek met een satijnen pyjamajasje.'

'In het openbaar?'

'Niemand weet toch dat het een pyjamajasje is, behalve jij. Laat het een beetje bloezen, dan staat het fantastisch.'

'Wauw. Dat had ik zelf nooit kunnen bedenken.' Toot staart in de verte en stelt zich voor hoe ze eruit zal zien in een sexy pyjamajasje.

'En doe parels om en je diamanten oorbellen in. Zwart met koele witte accenten. Je zult eruitzien als Thin Mints. Als een padvinderskoekje.'

Toots ogen vullen zich met tranen. 'Het lijkt wel of jij me dit meer gunt dan ikzelf.'

'Jouw geluk betekent alles voor me, Tootsie. Je mag best weer eens jong zijn.'

5

Monica Vitti's kroonluchter

Op zondag dineren bij Toot en de jongens was al familietraditie toen onze ouders nog leefden. Nu en dan ontbreekt de een of de ander, maar de onbezette stoel wordt dan meteen ingenomen door een neef of nicht of oudtante van buiten de stad die toevallig op bezoek is. Onverwacht bezoek is altijd welkom, en Toot maakt stapels gevulde artisjokken, *manicotti*, *bracciole* en tiramisu, genoeg voor het hele college van kardinalen en hun secretaresses. Zelfs Two nam de moeite om de rit vanaf Villanova te maken. Iedereen vertrekt met genoeg lunchlekkernijen voor een hele week.

Toot heeft Ondine nog niet uitgenodigd bij dit familiegebeuren, en de afgelopen paar weken heeft Nicky zich met een smoes geëxcuseerd. En nu, na veel gehakketak en telefoontjes over en weer, is Ondine eindelijk van de partij. Terwijl Toot en ik in de keuken het eten schikken, voorziet Ondine de mannen in de woonkamer van cocktails, wat haar op het lijf geschreven is, gezien haar verleden in Atlantic City, toen ze in hotpants dobbelaars bediende.

'Ik had bijna Sal uitgenodigd,' zegt Toot als ze een dampende schaal clams casino uit de oven op tafel zet. 'Aanstaande zaterdag gaan we zeven weken met elkaar. Maar toen bedacht ik dat het toch wel te snel was.'

'Je moet Sal niet verstoppen voor de jongens. Jullie hebben ver-kering, behandel ze als volwassenen en vertel hoe het zit. Zelf hebben ze ook hun pleziertjes. Ik zou me niet druk maken. Ze zullen blij voor je zijn.' Ik loop met een mand warm knoflook-brood achter Toot aan naar de eetkamer. Ze zet de mosselen op het buffet.

'Vind je?' Ze fronst haar wenkbrauwen in een strakke lijn. 'Ik weet het nog niet zo net. Toen Natalie Covella een nieuwe vriend kreeg na haar scheiding, gingen haar zonen hem bijna te lijf.'

'Dat was omdat ze de laatste tien jaar van haar huwelijk al met hem omging. Jouw situatie is heel anders.'

'Welke situatie?' Two komt de eetkamer binnen met kristallen garnituurschaaltjes vol sierlijk geschikte selderijharten, zwarte olijven en wortelkrullen.

'O, Two, ik wil je niet kwetsen,' jammert Toot en ze barst in tra-nen uit.

'Jemig nog aan toe.' Ik geef mijn zus een schoon wegwerpdoek-je.

'Wat is er, ma? Voel je je niet goed?'

Ze schudt haar hoofd. 'Ik wil niet dat jullie me een *puttana* vin-den.'

'Wat zeg je nou?' vraagt Two geschokt.

'Ik ga om met Sal Concarni. Je weet wel, de loodgieter van Bel-mar. Er is niets aan de hand met mijn buizen, het is puur voor de gezelligheid. En zie je, Two, ik voel me eenzaam, en hij is goed ge-zelschap.' Toot snikt het uit.

Two pakt haar schouders beet. 'Maar ma, dat is geweldig!'

'Echt waar?' Toots tranen zijn meteen opgedroogd.

'Natuurlijk. Het is toch logisch dat je een vriend hebt. Je bent een mooie vrouw, en je hebt veel te bieden. Een man die jou krijgt boft maar.'

'Ik heb dertien jaar geleefd als Bernadette van Lourdes. Ik heb me opgeofferd om te kunnen genieten van elke kruimel geluk die me nog is gegund. Wat God ook maar van plan is…'

'Toot,' zeg ik met een waarschuwende klank in mijn stem. 'Hij staat aan je kant. Maak er geen drama van.'

'Sorry. Maar het is de waarheid.' Toot wrijft haar tranen droog met een snelle veeg onder beide ogen, voorzichtig zodat haar mascara niet uitloopt.

'Two, wil je de mannen en Ondine aan tafel roepen?'

Two gaat naar de woonkamer. 'Hoe ging het volgens jou?' Toot gebruikt het botermes om te zien of haar lippenstift nog goed zit.

'Sensationeel!' zeg ik. 'Ik twijfel nog waar ik het meest van genoten heb: het gejammer of het knarsetanden.'

'Hallo oom.' Anthony slentert de eetkamer binnen en omhelst me.

'Hallo Anthony.' Mijn neef zakt onderuit op zijn stoel. Misschien heeft hij zo'n slechte houding omdat hij de hele dag over gouden kettingschakeltjes gebogen staat, maar ik zou toch willen dat hij wat meer manieren toonde.

'Waar wil je ons hebben, ma?'

'Jij daar, Nicky,' wijst ze. 'En jij daar, Ondine.' Toot wijst de stoel aan die het verst van Nicky vandaan staat.

'Mag ik niet naast Nicky zitten?' vraagt Ondine zacht.

'O, jawel hoor. B, ga jij daar dan maar zitten.' Toot verruilt mijn tafelkaartje (van Lillian Vernon, kleine porseleinen bloemenmandjes waarop je met afwasbare inkt de naam schrijft) met dat van Ondine. 'Weet je, Ondine,' – aan de stem van mijn zus hoor ik dat er een belediging zit aan te komen; het is als het gorgelen voor de pijp barst – 'veel gastvrouwen, de hertogin van Windsor bijvoorbeeld, plaatsen de stellen uit elkaar als ze een etentje geven, zodat ze elk afzonderlijk kunnen converseren met mensen die ze niet dagelijks zien. Daardoor komt er wat meer leven in de brouwerij en het levert nieuwe gespreksstof.'

'Maar' – Ondine kijkt om zich heen – 'we zijn maar met zijn zessen.'

'Juist, maar je snapt toch wat ik bedoel?'

Ondine knikt, maar ik weet zeker dat het haar niet duidelijk is. Noch mij, of mijn neven, die hun moeder nooit eerder de hertogin van Windsor als referentie hebben horen inroepen.

'Al goed, zusje, zullen we beginnen?'

We staan in de rij bij het buffet; de dienschalen staan als een ingewikkelde puzzel over het blad verspreid. We scheppen onze borden vol. Als we weer zitten, zegt Toot: 'B, wil jij bidden?'

'In de naam van de vader, de zoon, en de heilige geest…' Ik kijk naar Ondine, die niet katholiek is, en laat het traditionele "Zegen ons, vader" achterwege voor een tekst die meer oecumenisch klinkt. 'Dank u, God, voor dit heerlijke maal dat met liefde door mijn zus is bereid. Amen.'

'Alles is naar de verdommenis gegaan sinds het Tweede Vaticaans Concilie,' zegt Toot.

'Ma?'

'Ja, Nicky?'

'Ik hoop dat je het niet erg vindt, maar ik heb pa uitgenodigd voor het dessert.'

Toot zet de Parmezaanse kaas neer. 'Neemt hij Doris mee?'

'Ze is met hem getrouwd.'

'Dat vroeg ik niet. Ik vroeg of hij haar meeneemt.'

'Ze gaan overal samen heen.'

'Nou, nu valt er niets meer aan te doen, wel soms?' Toot buigt zich naar me toe en fluistert in mijn oor: 'Goddank heb ik Sal niet uitgenodigd.'

'Je was toch aardig tegen Doris op ooms verjaardagsfeest?' zegt Nicky nederig.

'Onder ons gezegd en gezwegen, zo kort na elkaar kan ik niet *aardig* zijn, oké? Als het om exen en hun huidige vrouwen gaat, lukt dat hóógstens één keer per jaar.'

'Two, vertel eens iets over je werk in de studio,' zeg ik snel om op een ander onderwerp over te schakelen, net zo snel als Mario Andretti van rijbaan in de NASCAR-finale wisselt.

'Ik leer veel van Hattie, de meubelstoffeerder. Ze heeft me van de week laten zien hoe je een kussensloop afbiest met zijderib.'

'Je geeft je studie toch niet op?' vraagt Nicky.

Toot snijdt hem de pas af. 'Hij neemt even gas terug. Meer niet. Daarna maakt hij gewoon zijn studie af. Ik heb drie zonen, en ik wil er één met een diploma dat niet van de rijschool is.'

'Ik ben echt van plan om terug te gaan.'

'Ik denk dat ze je erg missen op de theaterafdeling,' zeg ik tegen Two als ik hem het warme brood aanreik.

'Je wordt toch niet zo'n toneelnicht, hè?' vraagt Anthony nors.

'Wat is een toneelnicht?' vraagt Two met een stalen gezicht.

'Dat weet je best.'

'Nee, dat weet ik niet.' Two legt zijn vork neer.

'Nou, dat is dus een travestiet. Net als balletdansers, musicaldansers, acteurs – elke kerel die een maillot aantrekt.' Anthony en Nicky schieten in de lach.

'Dus ook professionele worstelaars?' vraagt Two.

'Dat is anders,' antwoordt Anthony. Dat zijn echte mannen. Een man die aan sport doet, is automatisch een kerel.'

'Wat versta jij onder een man, Anthony?' vraag ik. Alle ogen zijn op me gericht, behalve die van Anthony, die naar zijn gevulde paddenstoelen kijkt.

'Een man die zich met mannenzaken bezighoudt,' zegt hij uiteindelijk.

'Wat een opluchting.' Ik hef mijn handen ten hemel.

'Hoe bedoelt u?' vraagt Anthony verbaasd.

'Er zijn heel wat mensen die vinden dat mannen die de hele dag met een pincet op een kruk zitten en enkelbandjes en teenringen maken, nichten zijn,' zeg ik. 'Gewoon, glitternichten.' Ik bewerk mijn ravioli zo ruw met mijn vork dat het bord bijna breekt. Two schiet in de lach, en even later volgen Nicky en Anthony. Ondine lijkt opgelucht dat er geen ruzie is ontstaan.

'Ik ga met Sal Concarni om,' zegt Toot zonder enige inleiding.

'Wat zei je?' zegt Nicky. 'De loodgieter, bedoel je?'

'Uit Belmar,' verduidelijkt Two, alsof er meerdere Sal Concarni's bestaan.

'Je gaat met hem om?' vraagt Anthony niet-begrijpend.

'Ik geloof dat ma verkering heeft,' legt Nicky uit.

'Ja, jongens, dat klopt. Ik ga vriendschappelijk met Sal om. Zo, dat is eruit. Ik heb romantische avondjes uit gehad met een man die jullie moeder een schat vindt. Het spijt me. Ik weet dat het even wennen zal zijn voor jullie, maar ik wil hem niet opgeven, want ik geniet ervan.'

'Goed zo, ma,' zegt Nicky zacht.

'Misschien wordt de boiler wel gratis nagekeken,' grapt Two.

'Dat accepteer ik niet!' zegt Anthony luidkeels.

'En waarom niet, als ik vragen mag?' Toot smijt haar servet neer.

'Omdat je mijn moeder bent en ik wil niet dat je aan de zwier gaat met een man.'

'Nou, jongen, leer er maar aan te wennen, want ik ga aan de zwier. Ik heb mijn hele leven lang mannen op hun wenken bediend, eerst mijn vader, toen mijn man, en ten slotte mijn zonen. Het is hoog tijd dat een man mij eens op mijn wenken bedient.' Toot kijkt om zich heen. Ik kan me niet herinneren dat ze ooit zo fel was. Seconden lang blijft het doodstil.

'Ik vind het wel lief,' zegt Ondine met een klein stemmetje.

'Ik heb een steenpuist op mijn linkerbil,' verkondig ik. Iedereen staart me aan. 'Ach, het lijkt wel of iedereen plotsklaps zijn ziel ontbloot, dus, vandaar.'

'We zijn getrouwd,' zegt Ondine ineens.

'Wát?' Toot gaat geagiteerd verzitten. 'Wát zeg je daar?'

'We zijn getrouwd.'

'Nicky?' Toot ziet eruit alsof ze op het punt staat een opscheplepel naar zijn hoofd te gooien.

'We zijn gisteren in Atlantic City getrouwd.' Nicky pakt Ondines hand vast als teken van loyaliteit.

'Atlantic City? De spirituele hoofdstad van de wereld? Waar
heel wat officiële sacramenten erdoorheen zijn gejast. Ik vind dat
een bruiloft in een kerk hoort, niet in een hotelletje aan zee, waar
ze hun geld vaker witwassen dan hun lakens. Wat zou de Heilige
Vader ervan vinden? Wat zal jouw vader zeggen?'

'Hoor eens, ma. Ik hoef al die poespas niet, zo ben ik niet en dat
weet je. Dus ga nou niet beginnen. Ik hou van Ondine en zij
houdt van mij, en dat is het belangrijkste. We zijn gelukkig.' Nicky ziet er niet gelukkig uit.

'Gefeliciteerd,' zegt Toot zacht, met vochtige ogen. 'Moge God
je zegenen, Nicky, en jou ook, Ondine.'

'En de baby.' Ondine knijpt in Nicky's hand.

'Jezus, Maria en Jozef.' Anthony schudt vol ongeloof zijn
hoofd.

'Heb je een kind?' roept Toot.

'Nee, nee, nog geen kind. Ik ben zwanger.' Ondine klopt op
haar buik. Toot kijkt me aan.

'Ben je zwanger?' vraagt Anthony. Ik begin te geloven dat er een
essentieel deel van zijn brein is uitgevallen.

'Yep.' Ondine glimlacht.

'Excuseer me.' Toot probeert op te staan, maar haar benen willen niet. 'Ik heb even frisse lucht nodig. Sorry.' Ze hijst zich uit
haar stoel en loopt naar de keuken. Ik excuseer me ook en ga achter haar aan.

Toot beent als een rat in de val heen en weer voor het venster-
bankzitje. 'Ik ben eenenvijftig jaar en ik word oma. Niet te geloven! Zulke dingen gebeuren niet in fatsoenlijke families! Ik ben
oma! En geen bruiloft in de kerk! Waarschijnlijk zullen ze het
kind niet eens dopen, ze zullen wat zaadjes over hem heen strooi-

en en er een hippieceremonie van maken terwijl ze wiet roken! Wat heb ik fout gedaan?'

'Luister even naar me.' Ik pak Toot bij de schouders. 'Hou hier onmiddellijk mee op. Het is gebeurd. Er valt niets aan te veranderen. Er komt een nieuwe di Crespi-telg. Jouw kleinkind. Bovendien ben je niet echt katholiek tot op het bot – je laat je niet eens tot een nietigverklaring dwingen – dus ga hun er niet van langs geven. Loop terug naar binnen, druk Ondine aan je borst en zeg tegen hen dat je voor hen klaarstaat, wat er ook gebeurt. Je bent dolgelukkig voor ze. Gesnapt?'

'Nee. Ik kan het niet. Ik ben duizelig. Ik ga flauwvallen. Ik zie sterretjes.' Toot begraaft haar gezicht in haar handen.

'Toot. Weet je nog toen pa stierf en geen van zijn broers naar de begrafenis kwam? We vonden het vreselijk. En toen hoorden we dat pa's moeder onze moeder een cocktailring had nagelaten, en dat oom Bones die voor zijn vrouw inpikte in plaats van hem aan pa te geven voor ma? Weet je dat nog?'

'Ik moet overgeven.' Toot grijpt naar haar buik.

'Je mag in geen geval ons gezin kapotmaken vanwege Nicky. Niets gaat boven de familie. Niets. Geen land, geen kerk, geen cocktailring. Je moet dit huwelijk en de baby accepteren en omhelzen. Allemaal.'

'Het was een prachtige ring met een geelgouden diamant en baguettes van saffier.' Toot duwt me van zich af. Ik kijk haar doordringend aan. 'Oké, oké, laat me met rust.'

De deurbel gaat: de openingsmaten van 'Panis angelicus' in drie gongklanken.

'Dat zijn Lonnie en lady Sylvia.' Toot heft haar handen in onmacht. 'Wat moet ik nu?'

'Laat ze binnen.'

'Ai ai ai.' Met haar handen maaiend rond haar hoofd alsof ze een zwerm bijen van zich af slaat, drentelt Toot naar de voordeur en trekt hem open. Ik hoor hoe ze Lonnie en zijn vrouw hartelijk verwelkomt en zie ze gedrieën naar de eetkamer gaan. Ik ga terug naar de eetkamer via de keuken.

'Syl… Doris, bedoel ik, kan ik je even in de keuken spreken?'

'Natuurlijk.'

Ik open de klapdeurtjes en wenk Doris naar binnen, met een veelbetekenende blik naar Toot. Terwijl ik met Doris sta te kletsen (ze is vol lof over het behang), hoor ik hoe het nieuws met gedempte stem aan Lonnie wordt medegedeeld. 'Gaat het wel?' vraagt Doris me. 'Je ziet wat bleek. Ik zal wat water voor je pakken. Hier. Ga zitten.'

Terwijl ik zit, zoekt Doris in alle kastjes naar een glas. Eindelijk vindt ze er een.

'Ik heb Lonnie gevraagd of hij Nicolina had gebeld voor we langskwamen, en hij zei dat alles dik in orde was.'

'Je weet hoe mannen zijn, ze bellen nooit.'

'Als Nicolina en ik beter met elkaar overweg kunnen, zal ik van tevoren bellen. Het is niet prettig om onaangekondigd op de stoep te staan.'

'Doris, wil je even komen?' zegt Lonnie in de deuropening. Ze volgt hem nadat ze even zacht haar hand op mijn schouder heeft gelegd.

Door de bovenste helft van de klapdeur zie ik Toot naast Ondine zitten met haar hand in de hare en Nicky, die achter haar staat te praten met Lonnie. Lonnie vertelt Doris dat Nicky en Ondine getrouwd zijn, en dat er een baby op komst is. Doris omhelst het jonge stel hartelijk. Dan gebeurt er iets heel vreemds. Lonnie kust Toot op beide wangen. Hij neemt haar gezicht tussen zijn handen en glimlacht geruststellend naar haar. Dan drukt hij zijn gebalde vuist liefkozend tegen haar kin, zoals vroeger, toen ze nog jong waren.

'Wat vind je?' Capri spoelt haar glazen om terwijl ik rondloop in het lege tweekamerappartement in het mooie deel van West Long

Branch. Het is op de tweede verdieping van een modern gebouw van negenhoog met een ondergrondse parkeergarage.

'Ik vind het schitterend.'

'Ik ga het leasecontract ondertekenen.'

'Heel goed.'

'Ik ben eigenlijk als de dood.'

'Je moeder begrijpt het heus wel.'

'Hoe weet je dat?'

'Ze is niet gek. Je moet je eigen leven leiden.'

'Ze zei altijd dat ik alleen maar uit huis kon gaan als ik trouwde.'

'Capri.'

'Ik bedoel het echt niet als hint voor jou. Hoewel we natuurlijk wel zouden kunnen trouwen; jij moet dan doen alsof je hier je intrek neemt, en daarna scheiden we zo snel mogelijk.'

'Nee, dank je,' zeg ik gedecideerd. 'Het laatste wat ik op mijn cv wens, is een wegwerphuwelijk met de geijkte scheiding erbovenop. Mijn hart is geen glas poederlimonade.'

'Je hebt gelijk. Het was een stomme, wanhopige vraag.'

'Capri, het is absoluut niet verkeerd om op jezelf te willen leven. Het is de natuurlijkste zaak van de wereld.'

'Dat weet ik! Ik wil werken en thuiskomen naar een kat. Ik wil mannen ontvangen. Ik wil met hen reizen, voor hen koken, over boeken en literatuur discussiëren, en vrijen.'

'O jee.'

'Ik moet er steeds aan denken. Ik ben een soort… een rijpe vrucht. Mijn hele wezen hunkert naar liefde. Ineens zie ik mezelf haarscherp.'

Voor een vrouw met brillenglazen van min tien voor beide ogen is dit werkelijk onthullend. 'Ga verder,' zeg ik.

'Het is bevrijdend om veertig te worden. Als ik nu niet verander, zal het nooit gebeuren. En het maakt niet uit hoe mijn moeder daarover denkt, want zij heeft haar leven gehad. Zij heeft haar grote liefde gehad, en nu ben ik aan de beurt. Ik ben een minnares die haar beminde nog niet gevonden heeft! Wie zei dat ook alweer?'

'Bob Dylan?'

'Ik weet het niet,' zegt ze klagend. 'In de kerk denk ik aan seks. Dan zit ik op de koortribune te kijken naar de mannen die ter communie gaan en dan stel ik me met hen voor op tropische plekken, zoals Hawaii. Echt! In de kerk! Niet te geloven, toch? Als ik het ooit zou opbiechten, zou ik geëxcommuniceerd worden.'

'Capri,' zeg ik op een toon die hopelijk haar ontboezemingen zal afremmen. 'Het is niet zo fantastisch als het lijkt.'

'Misschien niet. Maar dat wil ik graag zelf ondervinden.'

'Wat bedoel je precies?'

'Het zou fijn zijn geweest als wij een stel hadden kunnen zijn. Maar de enige twee mensen op de wereld die weten dat we niet bij elkaar passen, zijn jij en ik. Ik heb het spel alleen maar meegespeeld omdat ik niemand anders kon bedenken. Nu weet ik dat je als vrouw op zoek moet. Bij ons is de vonk nooit overgeslagen.' Ze haalt haar schouders op.

'Ook niet heel even toen je borst langs mijn dij schampte toen ik op de keukentrap stond om de gordijnkap op te hangen?'

'Dat was per ongeluk. Ik struikelde over het tapijt.'

'O.' Vreemd genoeg voel ik me enigszins gekwetst. Al die jaren wilde ik zo graag dat ze me afwees, en nu het zover is, heeft mijn ego een deuk opgelopen.

Capri vervolgt: 'Ik heb al zo lang op je geleund, en daar voel ik me ontzettend schuldig om. Je hebt me de hele Eastcoast laten zien, en dan nog die trip naar Florida, toen ik door een bij werd gestoken en naar het ziekenhuis moest en jij zes dagen in de wachtkamer zat tot de zwelling weg was. Wat je allemaal voor me hebt doorstaan!'

'Het is allemaal vergeten en vergeven,' stel ik haar gerust.

'Maar mam wil onze ware gevoelens niet accepteren. Ze denkt maar dat het aan de timing ligt.'

'We kennen elkaar sinds de kleuterschool. Hoeveel tijd moet je iets geven, tenzij je water uit een steen wilt halen?'

'Volgens haar voor eeuwig. Ze beschouwt je als haar zoon.'

'Ik weet zeker dat ze al je… vrienden zal omarmen.'

'Ik ben geen slet, verdorie. Ik wil eerst zoveel mogelijk mannen leren kennen, tot er uiteindelijk één overblijft.'

Capri loopt naar de kale slaapkamer om hem te inspecteren. Ik kijk haar na. Hemel, wat een wonderen kan een eigen pied-à-terre voor het zelfvertrouwen van een vrouw verrichten. De groene banaan is veranderd in een gouden appel.

'Hier, Bartolomeo!' Eydie zwaait naar me vanaf de incheckbalie van Pan Am op JFK. Ik zwaai terug.

'Ik ben zo blij dat je direct kon komen.' Ze kust me op de wang. 'Ik ben je ontzettend dankbaar.'

'Ben je helemaal? Ik ben jóú dankbaar. Ik kan me niets beters voorstellen dan gebeld te worden door een prachtvrouw die me smeekt om er met haar vandoor te gaan naar Europa.'

'Uw paspoort, meneer,' zegt de gerimpelde vrouw achter de balie terwijl ze haar hand uitsteekt. Ik haal het uit de binnenzak van mijn colbert. 'Bestemming Heathrow. Klopt dat?'

'Klopt.'

'We zitten toch naast elkaar?' vraagt Eydie.

'Jazeker, mevrouw.' De vrouw geeft ons onze tickets terwijl een assistent onze koffers van labels voorziet en ze op de transportband zet. 'Ik wens u een fijne reis,' zegt ze beleefd.

'Het is kort, maar we gaan er iets moois van maken.' Eydie steekt haar arm door de mijne als we naar de gate lopen. 'Ik heb Asher Anderson gebeld en hij verwacht je.'

'Fantastisch. Wat zou er van me geworden zijn als ik jou nooit had ontmoet?'

'Ach, kom. Toen ASID zei dat ik een gast mee op reis kon nemen, dacht ik meteen aan jou. Voor mij is Londen een opkikker, en jou zal het helpen met je plannen voor je kerk.'

'Wat is dat voor lezing die je moet geven in King's College?'

'Mica Ertegun van MAC II moest op het laatste moment afzeggen, daarom belden ze mij. Ik heb er geen moeite mee om tweede keus te zijn, vooral niet met gratis tickets naar mijn op één na favoriete stad ter wereld.'

We komen langs een tabakswinkel. Ik kies een pakje Lucky Strike en reken af bij de kassa. 'Het is een lange zit over de oceaan.'

Na een prettige vlucht met diverse maaltijden, een pakje verkwikkende sigaretten en meer lol dan ik in lange tijd heb gehad, worden we van het vliegveld afgehaald door een afgevaardigde van King's College. Hij neemt onze koffers over en loodst ons naar een comfortabele Citroën met zo veel beenruimte dat we ons zouden kunnen uitstrekken voor een hazenslaapje.

Hoewel dit mijn eerste reis naar Groot-Brittannië is, ben ik een verstokte anglofiel. Ik bewonder de praktische instelling van de Britten. Ik hou van de originele spullen waarmee hun dagelijks leven omringd is: een handgeborduurde theemuts in de vorm van een victoriaans herenhuis, de rubberlaarzen, de schapenwollen kousen, en natuurlijk hebben ze de beste kleermakers ter wereld. Gelukkig hebben de Britten een zwak voor Italianen, en volgens mij is dat wederzijds.

We worden afgezet bij Claridge's in het hartje van de stad. Het hotel is gebouwd in chique art-decostijl, met glimmende marmeren zuilen (Korinthisch) en kleine vierkante tuinen vol oranje goudsbloemen, strakke voetpaden, en ramen met zijvenstertjes die glinsteren als spiegels.

'Dat is nou onderhoud,' zegt Eydie goedkeurend, en ze wijst naar de smetteloze koperen reling aan de buitenkant van het hotel die naar de draaideur van de ingang leidt (niet één vingerafdruk op het glas!). 'Ze hebben verstand van zaken.'

Mijn kamer is klein en knus. Het bed is opgemaakt met een sprei van gladde chintz in perzik en donkerpaarse tinten. Er staan een hoge, glanzend opgewreven kersenhouten ladekast, een cilinderbureau met een kleine koperen lamp en een fauteuil met lavendelkleurige fluwelen bekleding. Zo zou ik mijn eigen slaapkamer niet inrichten, maar het is wel een mooie combinatie. Zelfs de potloodschetsen van Carnaby Street in de achttiende eeuw passen perfect bij de traditionele sfeer. Het is waarschijnlijk lawaaierig in dit deel van Londen, maar ik merk er niets van. Ik slaap tien uur aan één stuk en word wakker van de telefoon die overgaat.

'Kom met me ontbijten in de Surrey Room!' commandeert Eydie. Na een snelle douche en scheerbeurt trek ik mijn colbert aan en tref haar beneden, waar we een tafel vinden en koffie bestellen.

Eydie opent een map en geeft me een stapeltje papieren. 'Dit is wat achtergrondinformatie over mijn vriend Asher. Hij verwacht je om een uur of elf, maar hij kijkt niet op een paar minuten, dus maak je niet druk als je iets te laat bent. Hij kan wat kregelig zijn, maar hij is werkelijk een van de slimste mensen die ik ken, en hij kan je beslist ideeën voor de kerk aan de hand doen.'

Eydie geeft me een snelle kus op de wang en vertrekt voor de hele dag naar King's College. Ik zie haar naar de foyer verdwijnen, en even lijkt het alsof ze niet van deze wereld is, maar een engel die verschijnt als ze nodig is, en dan – *woesj!* – weer verdwenen is, als haar taak erop zit. Ik kan me niet voorstellen dat er geen leger mannen verliefd op haar is.

Met mijn voeten schuif ik haar stoel naar me toe, ik leg ze op de zitting en begin over Asher Anderson te lezen. Hij begon zijn carrière als kunstenaar veertig jaar geleden, dus is hij ongeveer van de generatie van mijn ouders. Hij studeerde beeldende kunst in

Milaan, in het palazzo Gregorio in Venetië onder Gian Angelo Rutolo – een naam die ik me herinner van Eydies lijst – en ging toen terug naar Londen om het Geffrye Museum te beheren. Nu is hij manager van Antiquarius, Londens vooraanstaande antiekmarkt in Kings Road.

Ik bedien mezelf bij het ontbijtbuffet met geslepen glazen kommen bessengelei, warme driehoekjes toast op een aardewerken broodschaal en zilveren victoriaanse koffie- en theeketels met koperbeslag en gegraveerde ivoren handgrepen. Op een gelakt kersenhouten draairek staan witte potjes boter en jam. Ik wou dat Toot hier was om al het serviesgoed te kunnen zien. Op dit buffet staat serviesgoed waar ze alleen maar van kan dromen.

De taxi zet me af voor Antiquarius in Kings Road, die zo bezaaid is met voetgangers dat de auto's er nauwelijks doorheen komen. Ik loop de overdekte markt met zijn kastanjebruin met witte markies in. Terwijl ik over de begane grond slenter, word ik bevangen door spijt dat ik maar drie dagen in Londen heb; alleen al op deze afdeling zou ik een week kunnen rondlopen. De verkopers hebben hun winkeltjes aangekleed als kamers om hun waren als verlichting, behang en kleden uit te stallen. In een winkeltje staat een antieke schaal met gomsnoepjes voor bezoekers die behoefte hebben aan een zoete oppepper. Om me heen ruikt het naar houtwas, stijfsel, cederhout en lavendel, als een zolder vol schatten.

Ik zie een winkeltje waar alles wit is: witte muren, een witte vinyl vloer, en een enorme kroonluchter aan het plafond. Het middenstuk is van geslepen kristal, omgeven door een band van fonkelend glas. Aan de buitenring hangen laag op laag schitterende kristallen pegels aan halve ringen. Aan de binnenste armatuur hangen engeltjes van geblazen glas, en op een van de pegels zit een kaartje met de tekst: MONICA VITTI'S KROONLUCHTER. IN-

'Kan ik u van dienst zijn?' vraagt een tengere grijze vrouw met een bruin schort.

'Ik heb belangstelling voor die luchter. Wat is de prijs?'

'Vierhonderd pond, meneer.'

'Kan daar nog iets af?'

'Nee. Het is namelijk haar luchter.'

'Van Monica Vitti, de filmster?'

'Ja. Ik kan het u laten zien.' De vrouw loopt even weg en komt terug met een exemplaar van het tijdschrift *Look* uit april 1966. Ze slaat het open bij een fotoreportage van Monica Vitti's appartement in Rome. Daar is ze, de klassiek blonde Italiaanse filmster, staand in een witte zijden kaftan, gefotografeerd door de glinsterend kristallen invalshoek van deze reusachtige kroonluchter. 'Ik heb ook een brief van de makelaar in Rome van wie ik hem heb gekocht. Kijk maar.' Ze pakt een brief uit een archiefdoos en geeft hem me. 'Die hoort bij de aankoop, uiteraard.'

'Ik neem hem. Kunt u hem verschepen?'

'Zeker, meneer. U kunt daar betalen. Geef hun dit aankoopbewijs. Verschepen duurt een paar maanden. Maakt u zich geen zorgen, er komt nog geen barstje in. Ik pak eigenhandig elk stukje afzonderlijk in, en dan gaat het geheel in een enorme houten kist. Ik doe het allemaal zelf, dus ik kan garanderen dat hij niets te lijden heeft van de reis.'

Ik geef het aankoopbewijs af om te laten stempelen, en ik krijg een heel pakket informatie. Ik betaal de caissière met traveler's cheques en bedank haar.

Daarna check ik het memo dat Eydie me heeft gegeven en zie dat ik me rechtstreeks moet melden bij Andersons kantoor op de eerste verdieping. Ik neem de trap en zie dat de eerste verdieping wemelt van de handelaars in antiek porselein en glaswerk. De tl-buizen aan het plafond verlichten de rijen glazen die fonkelen als edelstenen in een eindeloze fluwelen cassette.

Bij Andersons kantoor geef ik mijn naam aan de receptioniste. Ze laat me binnen in een ruimte die eruitziet als een rommelkamer, niet echt wat je je als kantoor van de manager voorstelt. Anderson zit aan een bureau, verborgen achter stapels boeken, scheve lampenkappen, allerlei stoelpoten, gescheurde kussens, repen damast met watervlekken, kapotte lijsten, een wagenwiel en een chesterfield, half scheefgezakt tegen een dossierkast die uitpuilt van de vergeelde paperassen.

'Bartolomeo di Crespi! Goed dat je er bent.' Asher Anderson staat op van zijn krakende stoel en steekt zijn hand uit. Die is koud en rubberachtig, als van een oude grootvader. Hij is heel lang, heel mager en heel oud. Zijn witte haar zit in een rechte scheiding en hij heeft helderblauwe, intelligente ogen. Zijn dunne, witte snor doet denken aan iemand uit een ander tijdperk, met een zwaar leven achter zich, type Douglas Fairbanks sr. Hij draagt een wijde, bruinwollen broek en een lubberige goudgele, gebreide trui.

'Ik ben blij dat u tijd voor me had.' Ik kijk om me heen of ik ergens kan zitten. Geen stoel te bekennen.

'Nee, nee, doe geen moeite,' zegt Anderson, 'en zeg maar Asher, hoor. We gaan er meteen vandoor. Eydie heeft me gevraagd met je naar het Geffrye te gaan.'

'Daar heb je gewerkt.'

'Precies. En toen moest ik wat meer verdienen om mijn ouders 's zomers naar de kust te kunnen laten gaan, en zo ben ik hier terechtgekomen.'

'Leven ze nog?' Zodra de vraag uit mijn mond is gerold, betreur ik hem.

'Nee, o nee. Lieve god, dan zouden ze in de honderd zijn. Nee, nu werk ik hier om zelf naar de kust te kunnen gaan.' Hij lacht. 'Mijn vrouw zit er al. Kom met me mee, alsjeblieft.'

Tot nu toe lijkt mijn tocht wel een maffe kermisrit met een

evenredig vreemde bestuurder. Tot mijn verdere verbazing stappen we in zijn auto, die er ook al antiek uitziet. Bij het interieur vergeleken ziet zijn kantoor er gestroomlijnd uit. Ik zit op de passagiersstoel op een stapel kranten. De achterbank is bezaaid met boeken, kranten en iets wat lijkt op een gebarsten aardewerken kom dan wel een grote maat spaghettischaal, afhankelijk van waar je vandaan komt. Asher ramt de sleutel in het contactslot en geeft gas alsof hij achternagezeten wordt; slingerend begeven we ons in het verkeer van Kings Road. Vrezend dat ik elk ogenblik door de voorruit kan gaan, grijp ik de stoel tussen mijn knieën beet alsof ik op een wip zit.

'We zijn er zo,' kondigt Asher aan als een geschifte Britse piloot in een film over de Tweede Wereldoorlog.

'Dat geloof ik graag,' zeg ik. Dit gaat sneller dan vliegen.

Misschien rijden oude mensen hard omdat ze niets te verliezen hebben. Ik sluit mijn ogen, bid snel een tientje van de rozenkrans, met een extra verzoek aan St.-Christoffel dat we heelhuids ter plaatse mogen komen. Gelukkig praat Asher niet onder het rijden en houdt hij die helderblauwe ogen op de weg gericht.

'Ha, het Geffrye.' Asher trapt op het rempedaal. Ik stap uit en heb een paar seconden nodig om me te oriënteren. Het museum is een Georgian gebouw, rode baksteen – inmiddels doforanje verschoten – met grote halvemaanramen aan weerszijden van de ingang. De tuinen zijn piekfijn verzorgd, met lage bolvormige struiken, stakerige bomen en glanzende klimop tot aan het dak.

'Deze kant uit,' zegt Asher opgeruimd terwijl ik achter hem aan loop naar de ingang. 'Laat me eerst even uitleggen wat u hier gaat zien. Dit museum is opgezet als privéverblijf. Maar er schuilt een addertje onder het gras. Elke kamer is uit een ander tijdperk in de Britse geschiedenis. We beginnen op de begane grond met kamers uit de zeventiende eeuw. Pas helemaal bovenin ben je in het heden. Toen het museum werd ontworpen, wilden we dat de bezoekers de tijd voorbij voelden glijden op hun tocht erdoorheen. Zeg maar of we daarin geslaagd zijn als we boven zijn. Volg me, als je wilt.'

Als er ooit een droomhuis voor de binnenhuisarchitect heeft bestaan, is dit het. Elk detail van het dagelijks leven is meegenomen in de inrichting van de kamers. Kolenkachels, roosterspitten en diepe haardsteden in de keukens vóór de tijd van elektriciteit en gas. In de tijd vóór echte badkamers: ruimten met sierlijk bewerkte aardewerken lampetkannen met diepe kommen, neergezet in alkoven voor de privacy. Het is interessant om te bedenken dat bepaalde elementen van kamerinrichting in honderden jaren niet zijn veranderd: in elk huis hoort een goed verlichte stoel om in te naaien, een tafel met stoelen voor de maaltijden, en een comfortabel bed.

Het museum doet elke stijlperiode eer aan. Er is een houtgesneden bureau uit de Stuart-periode, een Queen Anne-wasbekken, een Georgian rococoleunstoel met een zitting van wollen borduursel, een Regency-kaarttafel met ingelegd rozenhout, en mijn favoriet, een Edwardian luchter met zes tulpvormige glazen lampenkapjes. 'Je zou er duizelig van worden, niet?' zegt Asher achter me.

'Ik heb een zwak voor luchters.'

'Mijn vrouw plaagt me ermee omdat het zo'n hobby van me is.' Asher glimlacht. 'Kom, ik wil je iets voor je kerk laten zien.'

Ik loop achter hem aan door een donkere, smalle gang naar het achterste deel van het Almshouse, het hoofdgebouw van het complex.

'De meeste villa's in Engeland hebben een eigen kapel. In de dagen dat een rit naar de kerk ver was, richtte men een speciale kamer in om de mis te vieren. Hij werd gebruikt voor alle diensten, van gebedsdiensten tot begrafenismissen.' Bij de ingang van een kamer trekt hij een fluwelen gordijn opzij en gebaart me mee naar binnen.

We gaan een ronde ruimte binnen (volgens mij is de huidige Britse trend om glazen zonne-erkers aan de achterkant van een huis te bouwen hierop gebaseerd). Eén muur bestaat uit kleine glas-in-loodraampjes, waartegen een sierlijke reftertafel met marmeren blad is geplaatst. In het midden van de tafel staat een kaars naast een boek met een leren boekenlegger op de opengeslagen pagina. Achter de tafel, aan de voet van het glas-in-loodraam, staat een houten bank met rechte rugleuning. Aan de andere kant staan zes glimmende houten banken tegenover de tafel, zoals in een kerk.

'Dit wilde ik je laten zien.' Ik loop met Asher naar de muur tegenover het raamgedeelte. In die muur ingebouwd staat een glazen kast van ongeveer een meter hoog en een halve meter breed. Binnenin bevindt zich een engel van Italiaans gesso. De roze cherubijn hangt aan doorzichtig draad zodat hij lijkt te vliegen. De zwarte achterwand van de kast is in Tiepolo-stijl beschilderd met een blauwe lucht vol witte schapenwolkjes. Asher knipt een spotje aan, waardoor de engel in een hologram verandert. 'Betoverend, vind je niet? Ik heb deze techniek alleen maar in Italiaanse kerken gezien. Hier is het nooit aangeslagen. Maar toen ik het museum onder mijn hoede nam vond ik dat het op zijn plek was. Ik heb de kast in een klein stadje in Noord-Italië gekocht en heb hem lang zelf gehouden, tot ik er de perfecte plek voor vond. Nu blijkt het een van de favoriete stukken te zijn van het hele museum.'

De engel is zo klein, misschien maar twintig centimeter lang, maar hij is de blikvanger van deze kapel. 'Ik zoek naar een manier om de kruiswegstaties in mijn kerk goed uit te laten komen. Volgens mij heb je me net een idee gegeven. Dank je, Asher.'

'Ik wist dat je hem mooi zou vinden.' Hij wijst naar de engel. 'Je bent tenslotte een Italiaan.'

Asher stopt met piepende remmen voor het hotel wanneer hij Eydie op de stoep op ons ziet staan wachten. Ik vlieg bijna weer door de voorruit. De portier helpt Eydie in de auto. Ze zit nog maar nauwelijks, of Asher geeft plankgas. Waneer we de comfortabele snelheid van honderdvijftig kilometer per uur hebben bereikt, overhandigt Eydie me een briefje van de hotelreceptie:

B, bel me. Ik ben verhuisd. Ma is suïcidaal. C.

'Alles oké?' vraagt Eydie.

'De moeder van Capri Mandelbaum staat op het punt om uit het raam te springen.'

'Wie is Capri?' vraagt Eydie.

'Mijn verloofde. Dat was door onze moeders al geregeld vóór we nog konden lopen. Omdat we allebei ongetrouwd zijn gebleven, hielden ze voor het gemak vol dat we voor elkaar bestemd waren.'

'Bizar,' zegt Eydie begripvol.

'Zeg dat wel. Ik ben erachter gekomen dat als je iets lang genoeg laat versloffen, het je uiteindelijk opbreekt. En als je dan weet dat Capri nota bene degene was die mij vóór dit reisje liet weten dat ze genoeg had van de hele schertsvertoning… Ze zei dat ik niet de ware voor haar was, en nu ze tegen de veertig loopt, wil ze eindelijk wel eens iemand vinden met wie het echt klikt.'

'Moeten we niet teruggaan naar het hotel zodat je haar kunt bellen?'

'Zeer zeker niet. Haar moeder zit er al twintig jaar op te spinzen dat ik met haar dochter trouw. Twee uurtjes wachten tot ik terugbel kan er heus nog wel bij.' Ik laat deze trip door geen enkel drama van het thuisfront vergallen.

Ik laat Eydie de tijdschriftfoto zien van de luchter die ik heb gekocht in Antiquarius. 'Wat vind je ervan? Hij is van Monica Vitti geweest.'

Eydie bekijkt de foto aandachtig. 'Wat een schoonheid. Hoeveel heb je ervoor betaald?'

'Vierhonderd pond.'

'Een schijntje, vanwege de sterke dollar.'

'Dacht ik ook. Ik hoop dat ik er niet in ben geluisd.'

'En wat dan nog? Kun je er ooit zeker van zijn? Natuurlijk niet. Geniet er gewoon van en geloof voor jezelf dat hij van Monica Vitti is geweest. Wat verlang je nog meer van een antiek stuk? Van wat dan ook?' Eydie grinnikt en kijkt naar de weg. De snelheid waarmee we voortrazen schijnt haar niet te deren. Ze haalt een pakje sigaretten tevoorschijn, en biedt er Asher en mij een aan. Ik neem er geen. Ze steekt haar sigaret op en zegt: 'Ik ben dol op Engeland. Niet van die pietluttige snelheidsbeperkingen, hier.' Plotseling stuurt Asher het trottoir op en gaat op de rem staan. 'We zijn er.' Hij zet de versnelling in zijn vrij.

'Mag dit zomaar?' Voetgangers lopen om de auto heen alsof het de normaalste zaak van de wereld is dat er op het trottoir wordt geparkeerd.

'Wel als je de eigenaar bent van het gebouw,' antwoordt Asher.

'Waar zijn we?' vraag ik terwijl ik het portier voor Eydie openhou.

'Dit is Pimlico Road.'

'Kom, luitjes, maak een beetje voort.' Asher wenkt ons naar een ingang naast een winkelpui met een metalen veiligheidsscherm dat tot de grond reikt. We lopen achter hem aan door een smalle donkere gang, waar hij drie sloten met drie verschillende sleutels opent, het licht aanknipt, en ons uitnodigt naar binnen te gaan. Ik ren bijna de deur uit als ik zie wat er binnen staat. Het is een kamer vol reuzen.

Een leger heiligen – in marmer, beschilderd gips en brons, sommige wel ruim zes meter hoog, op sokkels, waardoor ze nog groter lijken – staat opgesteld in symmetrische rijen, alsof ze gereedstaan voor een driloefening. Ze nemen de enorme zolder geheel in beslag.

'Wat fantastisch macaber!' roept Eydie opgetogen uit.

Het lijkt wel of alle hemelse grootheden aanwezig zijn. Ik loop langs een rij Maria's: Onze-Lieve-Vrouwe van Smarten, Onze-Lieve-Vrouwe van het Meer, Onze-Lieve-Vrouwe van de Berg Carmel, Onze-Lieve-Vrouwe ter Sneeuw, Onze-Lieve-Vrouwe van Fatima. 'Hier is Fatima!' roep ik.

Als ik me niet meer zo overweldigd voel, zie ik dat de beelden magnifiek zijn. Sommige – zoals St.-Michaël – ridderlijk te paard met geheven zwaard; St.-Theresia, de patroonheilige van bloemen en planten, bedolven onder de rozen; St.-Lucia met haar uitgestoken ogen op een schaal; en St.-Jozef met het kind Jezus – lijken zo echt dat het is alsof ik de troepen inspecteer. 'Waar heb je ze vandaan?' vraag ik Asher.

'Uit Italië.'

'Zijn ze daar gemaakt?'

'Daar gemaakt en naar hier verscheept ter bewaring. Tijdens de Tweede Wereldoorlog werden de kerken in Italië zo vaak gebombardeerd dat een groep priesters een plan beraamde om het kerkelijk cultuurgoed veilig te stellen. 's Nachts laadden ze deze beelden in schepen en verzonden ze naar Engeland. Natuurlijk liepen veel beelden waterschade op, of de boten werden getroffen en verzwolgen door de zee. Deze verzameling heeft het gered.'

'Ongelooflijk.' Ik draai me om en kijk naar de zijmuren waar de heiligen naast de engelfiguur en haar trompet staan, evenals verschillende knielende engelen, en een reeks mollige cherubijnen die met ijzerdraad aan het plafond bungelen.

'Deze komen voornamelijk uit het noorden van Italië,' legt Asher uit, 'hoewel de reeks in klederdracht uit Napels komt. Ik heb tweehonderdzeventien heiligen en vijftien Maria's. Jaren geleden heb ik het Vaticaan erover geschreven, en ze hebben iemand gestuurd om ze te komen bekijken. Uiteindelijk wilde het Vaticaan ze niet terug. Ze hadden alweer een groot deel van de kerken opgebouwd, of net als jij, waren ze na eeuwen met restaureren begonnen en hadden ze opdrachten voor nieuwe beelden gegeven.'

'Wat een dwazen.' Ik loop door een ander gangpad.

'Als het Vaticaan ze niet terugnam, zijn ze niet waardevol,' zegt Eydie.

'Hangt af van wat je onder waardevol verstaat,' zegt Asher. 'Veel van deze beelden zijn gemaakt door plaatselijke kunstenaars, onbekenden, als je wilt. Ik vind ze mooi omdat ze origineel zijn. Mij maakt het niet uit door wie ze zijn gemaakt.'

'Dat hoeft ook niet,' antwoord ik. 'Ik ben zeer onder de indruk.'

'Ik heb de kinderen van Fatima.' Asher wijst naar het achterdeel van de ruimte. 'Kom maar mee.'

Ik loop met hem naar achteren en Eydie volgt ons. 'Kijk, hier zijn ze.'

Ik blijf stokstijf staan. Eydie slaakt een kreetje. 'Het lijkt wel of ze léven!' De levensgrote kinderen van Fatima, gemaakt van gips en uit de losse pols beschilderd, zijn daadwerkelijk in kleren gehuld, wat ze bijna griezelig echt maakt. Lucia dos Santos, een jaar of tien, draagt een katoenen rok en blouse en een zwarte hoofddoek. Francisco, acht, draagt een broek en een hoed die eigenlijk niet meer is dan een stevige, om zijn hoofd gewikkelde das. De jongste, Jacinta, draagt hetzelfde als Lucia, maar met een blauwe hoofddoek.

'Kijk eens naar die ogen,' zegt Eydie.

'Rond de eeuwwisseling was het gewoonte om glazen ogen te gebruiken,' vertelt Asher ons.

'Deze wil ik hebben,' zeg ik.

'Weet je het zeker?' vraagt Eydie terwijl ze een stap achteruit zet. 'Ze zijn ongelooflijk realistisch.'

'Ik weet het heel zeker.' Ik ben enorm ontroerd. Misschien komt het doordat deze beelden tijdens de oorlog de reis vanuit Italië hebben overleefd. Misschien komt het door deze kamer vol relikwieën die niemand wil hebben, waardoor ik ze mee naar huis wil nemen. Of misschien is het verhaal van Fatima voor het eerst werkelijk tot me doorgedrongen. Waar ter wereld ik ook ga, door kleine details word ik er steeds aan herinnerd dat ik vertrouwen moet hebben in mijn geloof. Ik heb niet gebeden om inspiratie voor het renoveren van onze kerk; het was niet eens bij me opgekomen, maar nu zal ik het wel doen.

'Ach, hemel…' zegt Eydie, terwijl ze een zakdoekje uit haar tas vist. Ik zie dat de tranen haar over de wangen stromen. 'Er is iets met deze kinderen, ze zien eruit als doodsbange vluchtelingen. Je kunt ze niet kopen, B. Ze zullen de mensen in New Jersey de stuipen op het lijf jagen. Die mensen houden van mooi en ongecompliceerd.' Ze snuit haar neus.

'Toch koop ik ze.' De manier waarop de drie beelden naar me kijken bezorgt me het dringende verlangen om het verhaal van Fatima te vertellen. Voor het eerst sinds pastoor Porporino me de opdracht gaf, voel ik de prikkel van echte creativiteit. Misschien zijn deze drie vreemde schepsels mijn stalen waarop de renovatie van de kerk gestoeld moet worden.

'Kom, kom,' zegt Asher zacht, 'neem rustig de tijd om erover na te denken. Als je besluit genomen is, kun je er niet meer op terugkomen.'

Mijn koffers zitten vol souvenirs van onze reis: een antieke Dresdener theepot met toebehoren, een kasjmieren sjaal voor Toot, dassen voor Nicky en Anthony, en een kilt voor Two (misschien zal hij die met Halloween dragen). Wanneer ik mijn koffers van de transportband trek, besef ik dat ik, hoe fijn ik het ook met Eydie heb gehad, blij ben om thuis te zijn en aan de slag te gaan met onze Fatimakerk.

Op JFK Airport zet ik Eydie in een taxi en ga naar de parking om mijn auto op te halen. In een telefooncel heb ik Capri gebeld en gezegd dat ik meteen naar palazzo Mandelbaum zou komen. Zodra ik achter het stuur zit heb ik al spijt van die belofte. Ik ben uitgeput. Op de terugreis heb ik nauwelijks een oog dichtgedaan. Eydie en ik hebben aan één stuk door gepraat, gerookt en de gratis port uit Madagascar gedronken. Ik heb haar het hele verhaal over Capri en mij verteld, dat ze fascinerend vond.

Ik stop op de oprit van de Mandelbaums. De tuin staat vol rood met witte impatiens en zo ver het oog reikt pronken de lepelbomen met hun roze bloesemtooi. Ik pak de Queen Mum-theedoeken die ik in Londen voor hen heb gekocht uit een koffer en druk op de bel. Capri doet open. Ze ziet eruit alsof ze al dagen heeft gehuild. 'Waar is ze?' vraag ik.

Capri wijst naar de keuken. Ik loop door naar achteren, op de voet gevolgd door Capri.

'Aurelia?'

Aurelia staat bij het aanrecht bonen te doppen. Ze draait zich niet eens naar me om. 'Met jou wil ik niets te maken hebben,' zegt ze. 'Jij was al die tijd op de hoogte.'

Ik voel me beledigd door haar houding, en heb zo'n jetlag dat ik mijn geduld verlies. 'Waar slaat het in vredesnaam op dat je zo'n toon aanslaat!'

Ze draait zich met een ruk om en kijkt me aan. 'Capri heeft achter mijn rug om een leasecontract getekend.'

'Ze is veertig jaar,' zeg ik voor alle duidelijkheid.

'Al was ze tachtig! Ze is stiekem bezig!'

'Dit kun je toch geen rebels gedrag noemen? In feite moet je onder ogen zien dat het hoog tijd werd. Je dochter is een volwassen vrouw die haar eigen leven wil leiden.'

'Je hebt geen idee wat ik allemaal doormaak.' Aurelia dept haar ogen met een zakdoek.

'En jij hebt geen idee hoe je me pijnigt met die dominante controledrang van je!' roept Capri uit.

'Kappen! Allebei!' Aurelia en Capri kijken me aan. 'Ik meen het.' Ik richt me tot Capri. 'Ik ben niet van plan hier nog langer te komen om voor je in de bres te springen. Het spijt me dat het lastig voor je werd toen je besloot om voor jezelf op te komen, maar je had je moeder moeten inlichten toen je besloot op jezelf te gaan wonen.'

'Ik moest…'

'Je moet volwassen worden!'

'Sla niet zo'n toon tegen haar aan!' blaft Aurelia me toe.

'En jij moet leren los te laten.' Ik grijp de keukentafel beet om in evenwicht te blijven. Aurelia legt haar hand op haar hart. 'Ik heb er genoeg van om altijd te moeten bemiddelen.' Ik kijk Aurelia aan. 'Ik ben je zoon niet.' Dan draai ik me om naar Capri. 'Noch jouw toekomstige echtgenoot. Ik ben je levenslange vriend. Ik hou heel veel van jullie allebei. Maar ik ben te oud om nog langer jullie pispaal te zijn. Dus laten we er niet omheen draaien. Aurelia, je dochter wil me niet. We zijn niet verliefd op elkaar. Nooit geweest. Geen vonk te bekennen. In feite zijn we twee zompige houtblokken op een kampeervuurtje van de welpen. Gesnopen?'

'Nu wel,' zegt ze zacht.

'Als je slim bent, help je Capri met pakken en geef je haar wat van die schitterende moderne stukken uit Sy's vroegere studeerkamer die op zolder staan. West Long Branch is geen plek voor Franse tierlantijnen. En nu ga ik ervandoor. Ik kom recht uit het vliegtuig, mijn hoofd tolt en het voelt alsof het er elk moment af kan vallen en spontaan in brand kan vliegen.'

Als ik in mijn auto stap, weet ik dat Aurelia een fatsoenlijk mens is, maar ik zie een kant van haar die me niet bevalt. Ze geeft nooit iets zonder dat het verplichtingen schept, ook al beweert ze zelf het tegendeel. Capri heeft zich naar haar moeders wensen geschikt omdat ze weinig keus had. Familiebanden kunnen bijzonder knellend zijn. Het zou verstandig zijn als ik die les van haar zou leren.

Ik kom thuis als een uitgewrongen dweil en zie dat ik een brief heb gekregen van Gian Angelo Ruttolo, aan wie ik heb geschreven voor ik met Eydie naar Londen vertrok. Hij komt eind juli naar New York en wil graag een dag naar OLOF komen om de kerk te bekijken.

De Britten, met hun rijke koloniale geschiedenis, hebben over de hele wereld prachtige decoratie-ideeën overgenomen. Mijn korte reisje gaf me bijna meer inspiratie dan ik aankan. Engeland is een onuitputtelijke bron voor interieurontwerpers. Ik heb de prachtige zijden stoffen, handgeknoopte wollen kleden en metalen details van India bewonderd. De invloeden uit het Verre Oosten, zoals het gebruik van vezels van rotan, stro en hennep naast het aloude chintz geven me echt een kick. Men zegt dat de Britten van uitgesproken kleuren houden omdat het er zo veel regent, maar ik geloof dat ze gewoon de meest kunstzinnige elementen uit elke plaats die ze kolonialiseerden aan hun eigen nationale palet toevoegden.

Misschien doet het afbreuk aan mijn rooms-katholieke wortels, maar ik ben dol op protestantse kathedralen. Ze zijn simpel, sober en vol licht. Soms is een middeleeuws wandkleed de enige versiering achter een altaar. Als er slechts één kunststuk te zien is, heeft dat zeer veel effect. Ik was weg van de zwart-witte marmeren diamantpatroonvloer in Westminster Cathedral, daarom wil ik die in de hal van de kerk namaken. Het deed me denken aan een schaakbord, en hoe dat bijzondere spel veel weg heeft van bekering: doe iets goeds, een zet vooruit; zondig, een zet terug; negeer de behoeften van anderen, blijf op hetzelfde vierkant.

De deurbel gaat, en ik hoor dat de deur met een sleutel wordt geopend. 'B, ik ben het, Toot. Niet schrikken!'

'Ik ben in de keuken,' roep ik.

Toot verschijnt in de deuropening met een rood met witte geglazuurde pot die ze op een Tupperware-taartstolp in balans probeert te houden. 'Soep,' zegt ze. 'Ik ken niemand die na een transatlantische vlucht niet verkouden werd.'

'Het is bloedheet buiten. Misschien verbrand ik levend, maar verkouden zal ik niet worden. Geloof me.'

'Hoor eens even, B,' zegt ze ernstig. 'Het zal in elk geval alle Europese onkuisheden wegspoelen.'

'Bedoel je soms onzuiverheden?' vraag ik bits.

Ze negeert mijn opmerking. 'Hoe was je reis?'

'Te snel voorbij. Ik had er wel een maand willen blijven.'

Toot pakt een placemat, een servet, een kom en een lepel. Ze schept haar ongeëvenaarde kippensoep in de kom en gebaart me om te eten. Ik ga zitten terwijl zij de stoel tegenover me pakt. Ik leg mijn servet op mijn schoot en proef de soep.

'Lekker?'

'Verrukkelijk.'

'Ik heb de kippenbouillon door kaasdoek gefilterd. Dat haalt het vet eruit.'

'Ik geloof niet dat je langs bent gekomen om me te vertellen hoe je soep maakt.'

Toot zucht. 'Sal en ik zijn bij het derde honk. Ik ga toch niet te snel, hè?'

'Het klinkt alsof je precies op schema zit. Hoewel…'

'Nou?'

'Als je man over de zestig is, vind ik dat je je niet hoeft in te houden. De klok tikt uiteindelijk door.'

'Je hebt gelijk. Ben ik afgevallen?'

'Ga eens staan.'

Toot gaat rechtop staan en rekt haar hals als een kip die op het punt staat een ei te leggen.

'Je bent beslist afgevallen.'

'Ik jog me suf.' Ze gaat weer zitten. 'O, B. Ik hoop dat je ooit ook verliefd wordt.'

'Ben jij verliefd op Sal?'

'Helemaal niet. Maar ik doe in elk geval mee aan het spel. Ik sta nog niet op het veld, pas op de parkeerplaats, maar wie weet? Het kan zomaar gebeuren. En misschien wel heel binnenkort. Ik ben het zo zat om alleen te zijn.' Ze trommelt met haar vingers op tafel.

'Wat is daar eigenlijk zo vreselijk aan?' Ik sta op en pak een doos crackers uit de kast.

'O, het is een ramp. Alleen zijn is wachten. Eerst was mijn leven niet anders dan wachten op een man, en toen hij er eindelijk was, zat ik vast in een huwelijk dat elke dag een beetje afstierf. Toen we gescheiden waren, werd ik een vrouw met een verleden, zonder toekomst.'

'Dat is helemaal niet waar. Je hebt een heel vol leven.'

'Als mens, ja. Als vrouw…' Toot draait haar beide duimen omlaag. 'Weet je hoe het zit: een vrouw is slechts een fractie van haar leven begeerlijk. Tegen de tijd dat je mannen doorhebt, is het te laat om die kennis te gebruiken. Kijk maar naar mij. Eenenvijftig, en alles weer opnieuw een plaats moeten geven. Wie doet dat nou?'

'Je moet niet achteromkijken.'

'Nou, B, ik moet wel. Want ik wil in deel twee van mijn leven niet nog eens een fout begaan waar ik dan weer overheen moet komen. Van wat ik nog aan veerkracht bezit wil ik graag genieten, snap je? Ik weet niet hoe mensen als Liz Taylor het klaarspelen. Ik kan niet omgaan met scheidingen. Ik ben bijna kapotgegaan aan Lonnie. En ik geef hem niet eens de schuld. Het kwam door mij. Ik zag de tekens aan de wand, maar ik had het te druk met de jongens, dus ik negeerde ze.'

'Welke tekens?'

'Nou, na een aantal jaren huwelijk, laten we zeggen rond…'

'Het achtste jaar?' Hoe kon ik het vergeten? Dat was het jaar dat we een blauwe lakleren pump maatje 38 in Lonnies kofferbak vonden. (Toot heeft maat 41.) De schoen was de eerste in een reeks kledingstukken die in zijn auto werd aangetroffen. Ik heb het nooit begrepen – merkten die vrouwen niet dat ze een schoen kwijt waren? Of hun ondergoed?

'Dat was de eerste keer dat hij me bedroog. Lonnie hield nou eenmaal van mooie vrouwen. Hij kon zijn ogen er niet van afhouden. En ik was zo stom om dat als compliment te beschouwen, omdat ik dacht: van al die mooie meiden heeft hij mij gekozen. Ik had moeten beseffen dat ik gewoon uitwisselbaar was.'

'Inwisselbaar.'

'Precies. Hij had afwisseling nodig. Een paar keer probeerde ik om het weer spannend tussen ons te maken, zoals die keer dat ik een blonde pruik opzette en met hem afsprak in een restaurant, maar iemand zag me daar en zei: "Ik wist niet dat je kanker had." Toen was de stemming volledig om zeep geholpen.'

'Wat moet dat erg voor je zijn geweest.'

'Dat wil je niet weten. Maar Sal, die is niet zo. Hij kijkt naar me alsof ik een overheerlijk taartje ben dat warm uit de oven komt. Het is alsof hij praktisch druipt...'

'Kwijlt,' corrigeer ik haar.

'En als ik een bord spaghetti voor hem maak, zelfs *schway schway*, ik doe het in vijf minuten met een blik tonijn, is hij zó dankbaar. Als Lonnie thuiskwam, keek hij in de pannen, en als het hem niet aanstond wat erin zat, pakte hij zijn sleutels en vertrok naar een restaurant, zonder ons! Ik kan me niet voorstellen dat Sal dat zou doen.'

'Ik ben blij voor je, Toot.'

'Er is wel één probleem.'

'Wat dan?'

'Hij wil... je weet wel.'

'Wat bedoel je?'

'Je weet wel.'

'Nee, echt niet.'

'Hij wil iets… speciaals.' Toot legt haar handen op tafel en wrijft over het hout alsof ze een tafelkleed gladstrijkt.

'Wat bedoel je nou?'

'Laat ik het zo zeggen. Ma heeft me geleerd dat als een man dát ooit zou vragen, je hem de laan uit moest sturen.'

'O… dát.' Onze moeder had veel regels. Goddank was deze me bespaard gebleven. 'Toot, ik vind dit niet echt een prettig onderwerp.'

'Dat dacht ik al.'

'Goed zo.' Ik pak vier zoute stengels, verpulver ze in mijn vuist en sprenkel ze over mijn soep.

'Daarom ben ik naar pastoor Wiffnell gegaan. Niet rechtstreeks, ik vroeg het hem in de biechtstoel.'

'Ben je naar een priester gegaan? Dáármee?'

'Maar natuurlijk. Waar betalen we hun anders voor? Ik had wat advies nodig. Wie kan ik in vredesnaam anders zoiets vragen als jij door heel Europa sjouwt?'

'O, ik zou het niet weten. Misschien een vriendín?'

'Mijn vriendinnen zijn in slaap gesukkeld op seksgebied. Op de kleuterschool zei zuster Maria Purificatie tegen de meisjes in mijn klas dat we in bad moesten met onze kleren aan. Ik leerde me voor mijn lichaam te schamen in hetzelfde jaar waarin ik blokletters leerde schrijven.'

Ik kan de logica daarvan in de verste verte niet ontdekken, daarom vraag ik: 'Wat zei pastoor Wiffnell?'

'Hij zweeg een hele tijd. Toen zei hij eindelijk: "Hou je van die man?" Dus ik antwoordde hem eerlijk. Ik zei: "Ik weet het niet zeker." Toen zei hij: "Waarom wacht je niet tot je het wel zeker weet?"'

'Goed antwoord.'

'Ik weet het niet. Vroeger zeiden ze: "Niet doen! Zeg tien weesgegroetjes en de volgende keer als je zulke gedachten hebt, denk dan aan de bloedende stigmata van Santa Rosa van Lima." Dat

mis ik. Nu kan alles zomaar. Ik heb viervierdengebak meegenomen. Wil je een stuk?'

'Extra groot, graag.'

6

De Bernini van Bay Ridge

Wij, als plaatselijke bevolking, accepteren zonder morren de massa's toeristen in ons kuststadje. Main Street in OLOF is in augustus altijd afgeladen. Er is een Italiaanse ijskar die heel wat volk aantrekt in de hitte. De verkoper zet hem neer op het kerkplein, waar de mensen hun ijs kopen en dan op de kerktrappen gaan zitten om het op te eten – onze versie van *la passegiata* in Italië. Ik wacht in de kerk tot ik werkelijk niet meer zonder sigaret kan. Overal waar ik ga en sta word ik gebombardeerd met vragen over de renovatie van de kerk. Ik word er doodmoe van om steeds maar weer uit te leggen dat ik pas in de onderzoeksfase ben.

Christina wacht in de sacristie met haar getypte inventaris van de kerk. Ik ga naar buiten en steek een sigaret op. Sinds ik met dit project ben begonnen rook ik behoorlijk veel, maar ik heb mezelf voorgenomen dat ik zal stoppen zodra het ontwerp af is. Een goede sigaret kalmeert, en momenteel heb ik dat nodig.

Ik zie een Lincoln uit New York de hoek om komen naar ons stadsplein, en ik zwaai. Zoals te verwachten is Eydie precies op tijd. De zwarte Lincoln stopt bij de stoeprand en Eydie stapt achter uit de auto in het mooiste ensemble waarin ik haar tot nu toe heb gezien: een strakke broek in oranje paisley met nauwe pijpen, oranje suède laarzen met plateauzolen, een knalroze blouse met uitlopende mouwen en een los gehaakt mouwloos kort jasje met oranje, groene en witte strepen. Ze is de verpersoonlijking van 1970.

'B!' Ze zwaait enthousiast. De chauffeur stapt uit en voegt zich bij Eydie bij het achterportier van de auto. Het duurt even, maar dan komt Gian Angelo Ruttolo met haar hulp naar buiten. Hij is klein, ongeveer een meter zestig, en heeft een slank, gespierd lichaam. Hij is in het zwart gekleed en heeft een platte strohoed op, en als hij met zijn rug naar me toe staat, zie ik dat hij een lange witte vlecht heeft. Ik wist niet dat er ook bejaarde hippies bestonden. Als ik me naar hen toe haast om hen te verwelkomen, staat hij geïnteresseerd naar de kerk te kijken. 'Mooi metselwerk,' mompelt hij, nog voor Eydie ons aan elkaar heeft voorgesteld.

'Het is een eer om u hier te mogen ontvangen,' zeg ik terwijl ik hem de hand schud.

'Spreek je Italiaans?' vraagt hij.

'*Poco.*' Ik duid met mijn duim en wijsvinger aan hoe weinig dat is.

Hij grijnst en schuift me opzij. Vervolgens klimt hij de trap op, zich vasthoudend aan de koperen leuning.

'Wat zit hem dwars?' fluister ik.

'Hij is geen makkelijk type. Ongeduldig,' fluistert Eydie terug.

We volgen hem de kerk in, waar Christina hem in het Italiaans begroet. Hij begint te stralen, zoent haar op beide wangen en streelt enthousiast haar handen. Het lijkt Christina niet te deren, ook al is ze een flink stuk langer dan hij. Ik had nooit gedacht iemand tegen te komen die frêler was dan Christina, maar hier staat hij.

'*Cominceremmo?*' Gian Angelo draait zich naar me om zonder Christina los te laten.

'*Vorrebbe che io le mostrassi la chiesa?*' vraagt Christina hem.

'*Vorrei che mi mostrasse tutto il mondo,*' zegt hij met twinkelende ogen.

'Versta je het?' vraagt Eydie me.

Flirten versta ik in elke taal. 'Hij wil haar de wereld laten zien,' fluister ik tegen Eydie. 'Is hij hier om mij te helpen of om een vrouw in bed te krijgen?'

'Allebei,' antwoordt ze met een glimlach.

We laten Gian Angelo de kerk zien: omhoog naar de koortribune, door de gangpaden, via de smalle trap vanaf de klokkentoren omlaag, door het schip, naar de zijaltaren, terug naar de sacristie, de voorraadkamers, de kantoren, en de hal met toegang tot het kerkhof. Hij klopt op muren en kijkt onder beelden. (Op zoek naar geld of geheime brieven, misschien? Brieven onder beelden zijn lange tijd de verkozen postdienst voor clandestiene minnaars geweest.) Hij controleert namen en data van constructie, krabt met zijn nagel over elk metalen oppervlak en betast het marmer op scheuren en breuken. Hij neemt een aantal minuten de tijd voor de Menecola-fresco van de kinderen van Fatima, opkijkend naar Maria. Tot mijn verrassing schijnt hij het geen onding te vinden. Hij is blijkbaar zeer geïnteresseerd in de gebruikte verf en techniek van de kunstenaar. Ik krijg het gevoel dat ik rondloop met een archeoloog in plaats van een architect.

Christina en Gian Angelo hebben inmiddels een geheimtaal ontwikkeld. Eydie spreekt Italiaans, maar ze sluiten haar buiten hun sotto voce gedachtewisselingen. Ik erger me een beetje aan Chris, maar zij kan er eigenlijk niets aan doen. Hij is onze gast, en zij is alleen maar beleefd. Tegen mij zegt ze: 'Gian Angelo wil me zijn beoordeling in het Italiaans geven, dan zal ik het vertalen.'

'Prima.' Ik haal mijn schouders op en werp Eydie een blik toe. We gaan op de voorste kerkbank zitten.

Christina loopt met Angelo, die een hartstochtelijk betoog houdt, rondjes om het altaar en maakt aantekeningen. Hij wijst, hij gebaart, hij verheft zijn stem. Christina krabbelt op haar notitieblok, onderbreekt hem af en toe en herhaalt wat hij zegt, of stelt een vraag. Nadat die vertoning een kwartier heeft geduurd, gaat hij op de priesterzetel zitten, slaat zijn benen over elkaar en kijkt ons aan.

'Gian Angelo zegt dat de originele constructie van de kerk uitstekend is,' bericht Christina. 'Goede basisstructuur, zegt hij. De beelden zijn rommel, uit mallen in plaats van gebeeld-houwd. Het enige wat hij zou houden is het ruwe kruis boven het Mariabeeld. Hij zegt dat het Siciliaans is en handgesneden. Het fresco bevalt hem. Het is door een amateur geschilderd, maar die heeft er zijn ziel in gelegd, en dat is belangrijker dan techniek. Zijn uiteindelijke advies is de kerk te moderniseren en meer toegankelijk te maken. Doe de communiebank, de biecht-stoelen en de doopvont weg. Vervang de banken. Ze zitten on-gemakkelijk, dus neem nieuwe, zegt hij. Het zijn monumenten uit een andere tijd, toen schaamte en geheimen deel uitmaakten van de doctrine. Een kerk, zegt hij, hoort de mensen te dienen, in plaats van groots en isolerend boven alles uit te torenen, en hij stelt voor om ter inspiratie een voorbeeld te nemen aan joodse synagogen en ontmoetingshuizen van de quakers, waar de kamers multifunctioneel zijn en niet alleen bedoeld voor re-ligieuze diensten.'

'Interessant,' zegt Eydie.

'Vraag Gian Angelo wat hij zou doen om deze kerk te onder-scheiden van alle andere traditionele kerken in New Jersey.'

Christina vraagt het Gian Angelo. Hij luistert en slaat dan zijn ogen ten hemel.

'Hij zegt dat je Rufus McSherry moet inhuren.'

Eydie geeft mijn hand een klopje. 'Tijd om naar Rufus te gaan.'

Nadat ik afscheid had genomen van Gian Angelo, Eydie en Chris-tina, ging ik naar huis en at een lichte maaltijd van sardientjes op geroosterd brood, een naproefje van mijn trip naar Engeland. Het is een zachte zomeravond met een koele bries, en ik besluit een wandeling langs het strand te maken. Het strand achter de Villa di Crespi is publiek domein, maar het is een smalle reep rotsachtige kust met ruw zand, zodat er alleen maar wandelaars langslopen, en er nooit zonnebaders liggen. In de verte, in zuidelijke richting, zie ik mensen op het strand waar het uitwaaiert en het zand zacht is, maar vanaf hier lijken ze zo klein als kleurige confetti. Nu en dan wordt het geluid van een radio of gelach op de wind meegedragen, maar meestal is het stil, met enkel het kabbelen van de golven.

Uit gewoonte sta ik af en toe stil om opvallende schelpen op te rapen, en die welke ik echt mooi vind leg ik altijd in een prachtige Baccarat-schaal in mijn woonkamer. Dat is mijn manier om te herdenken dat ik ooit jong en zorgeloos was.

In zekere zin is te krijgen wat hij wil het ergste wat een kunstenaar kan overkomen. Ik droomde ervan om de kerk te renoveren en was razend enthousiast toen ik de opdracht kreeg. Alleen duurde het niet lang voor ik besefte dat ik het misschien niet in me heb om het potentieel van de kerk te realiseren.

Zo moet een sopraan zich voelen als ze de noten op de bladzijde ziet en in haar hoofd kan horen, maar op het moment dat ze haar mond opent de toonhoogte niet kan bereiken. Daar staat ze, verlamd voor het orkest, wetend dat ze de aria geen eer aan kan doen. Zo voel ik me ten opzichte van de Fatimakerk. Ik heb de ideeën, maar zal ik de vaklieden vinden om mijn ontwerp ten uitvoer te brengen?

Deze opdracht is iets heel anders dan een huis of een zaak inrichten. Het gaat er niet om één klant tevreden te stellen, het gaat erom een plaats te creëren waar allerlei verschillende mensen inspiratie en vrede kunnen vinden. Een kerk biedt onderdak aan de stoutste dromen, diepste angsten en grootste smarten van de gelovige. Een gebouw moet alles zijn voor alle mensen die daar samenkomen. Misschien kan ik er daardoor geen vorm aan geven. Ik weet niet welke richting ik op moet. Ik heb wanhopig behoefte aan inspiratie.

De zon gaat onder en laat een spoor witte wolken achter zich dat eruitziet als een rolgordijn dat is opgetrokken om het laatste licht binnen te laten. Terwijl de zon zich met de donkere horizon versmelt als een oranje sorbetbol, valt de duisternis om me heen, en voel ik me waarlijk eenzaam. Dit is een moment waarop ik een geliefde zou willen om mijn leven mee te delen. Het zou fijn zijn om gesteund te worden door iemand die in me gelooft en verlost te raken van mijn zelftwijfel. Dit is natuurlijk waarom mensen trouwen. Ze zijn bang voor de duisternis.

Rijdend door de straten van Bay Ridge met Christina, zie ik dat de buurt veel op OLOF lijkt, behalve dat onze kinderen in het gemeentelijk zwembad zwemmen in plaats van verkoeling te zoeken in het sproeiwater van opengedraaide brandkranen, en er zijn meer Ieren. Hier zien we die geweldige Amerikaanse mix van de Ierse en Italiaanse arbeidersklasse, die de schitterendste kleurencombinatie oplevert: roomblank met ravenzwarte haren en blauwe ogen. De emotionele combinatie is al net zo fascinerend: opvliegende karakters en ingetogen schaamte.

Rufus McSherry werkt in een pakhuis in Seventy-second Street, ter hoogte van Third Avenue in een doodlopende straat, Bennett Court. Een paar neven van onze Martinelli-tak wonen enkele straten verderop en hebben ons uitgenodigd voor een barbecue als we klaar zijn, wat zoveel betekent als een eetfestijn van geroosterd lam aan het spit, een kalkoen van tien kilo en allerlei bijgerechten met aubergine, rigatoni en artisjok. En dat alles vóór de emmer zelfgemaakt ijs.

'Heb je de foto's?' vraag ik Christina als we bij de ingang van het pakhuis staan.

'Alles, inclusief Gian Angelo's aanbevelingen.'

'Het verbaast me dat hij je niet mee terug naar Italië heeft genomen.'

'Dat wilde hij wel.'

'Hoe oud is die man?' Ik druk op de bel met de naam McSher-ry.

'Geen idee. Tachtig?'

'Allemachtig. Wanneer houdt het eens op?' vraag ik.

'Wanneer houdt wat eens op?' dondert een stem door de inter-com. Christina en ik schrikken behoorlijk.

Ik druk op de knop van de intercom en antwoord: 'Ik had het over een man van tachtig die nog steeds achter de vrouwen aan zit.'

'Goeie vent,' antwoordt de stem.

'Ik ben Bartolomeo di Crespi.'

'Kom boven.'

De zoemer gaat luid. Ik duw de zware stalen deur open en hou hem vast voor Christina, die me aankijkt alsof ze ineens grote twijfels heeft. Er is een lange smalle trap zonder leuning naar een verdieping hoger met een overloop waar een kaal peertje aan het plafond bungelt. We klimmen zonder klagen in de augustushitte naar boven, maar het scheelt slechts een haartje of ik ren naar be-neden om terug in onze auto met airco te springen.

'Rufus McSherry?' vraag ik de man die boven aan de trap staat.

'Nee, ik ben Pedro Alarcon, zijn assistent,' zegt de man. Hij schudt me de hand. Pedro is rond de vijfendertig, heeft zwart haar, een goudbruine huid en een sympathiek gezicht. Hij is on-geveer een meter vijfenzeventig, met een vierkante kin, donkere ogen en een kleine brede neus. Hij schudt Christina de hand. 'Kom mee, alsjeblieft.'

Christina en ik volgen hem door een kleine kamer vol verfblik-ken, zakken cement, dozen marmerbrokken, strengen ijzerdraad, houten planken en zakken gips. Dan stappen we de werkkamer binnen. Ik inhaleer de geur van olieverf en vernis, een zalige com-binatie van kunst in uitvoering.

Het pakhuis is een enorme open ruimte die is opgedeeld in verschillende werkgebieden. Het plafond, wel tien meter hoog, bestaat uit een reeks oude, hellende, in staal gevatte dakramen. Sommige staan op een kier, waardoor er zon en een welkome bries binnenkomen. De vloerplanken, breed, grenen, kromgetrokken van ouderdom, kraken luid als we eroverheen lopen.

Tegen een muur staat een rij werktafels met verzonken bladen. Hier worden de gebrandschilderde ramen gemaakt. Christina en ik zien toe hoe Pedro gietvormen die naast elkaar op de tafel staan, vult met epoxyhars. Hij laat de heldere vloeistof even verstijven, schudt dan de vorm zacht heen en weer zodat hij bezinkt. We turen over zijn schouder, gefascineerd door de procedure.

'Dit is een zeer oude techniek,' legt Pedro uit. 'Ik maak geen ramen zoals de Italianen. Die zijn mooi, maar te glad. Ik hou van de Mexicaanse manier. Wij gebruiken zand en hitte om glas te maken. Geen pijp om glas te blazen, wij gebruiken onze handen. Daardoor krijg je dikke glasblokken, die in de vormen gelaagd worden om ze gewicht en structuur te geven. Mijn ramen zijn dus primitief.'

'Ze zijn heel robuust,' zegt Christina.

'Een goed raam moet honderd jaar mee kunnen. En dat doet het ook' – hij glimlacht – 'als ik mijn werk goed doe.'

Ik kijk in de gietvorm, waar een reeks geometrische vormen onder de hars naar boven komt, als riet dat in een vijver naar boven schiet. De gietvorm is gevuld met vierkante brokken smaragdgroen glas, vastgeklonken met een dikke rand klei.

'Wat mooi,' zegt Christina.

'Ik zie mijn ramen graag als gedichten. Ik wil niet zeggen wat ze betekenen. Dat laat ik aan jullie over.' Pedro wijst naar de gietvorm. 'Zie je die patronen? Sommigen zien er een engel in, anderen een vlinder. Wat je maar wilt.'

Pedro gaat verder met zijn werk, terwijl wij onze aandacht richten op een doek van meer dan twaalf meter breed en ongeveer zes meter hoog. De wandbekleding van een intens blauwe hemel met helderwitte wolken zou de achtergrond van een willekeurige scène in een schilderij van Tiepolo kunnen zijn, maar er is iets aan toegevoegd. Een flard roze zonlicht breekt als een ontrold satijnen lint door de wolken. De lucht zou door een oude meester geschilderd kunnen zijn, maar het lint is zonder meer modern. De combinatie brengt een glimlach op mijn gezicht.

'Stel je voor dat je daar elke ochtend mee wakker wordt,' zegt Christina vol waardering. 'Dat is pas inspirerend.'

'Waar zou je het hangen? Je zou in een zaal moeten wonen,' antwoord ik zonder mijn ogen ervan af te kunnen houden.

'Goedgekeurd?' klinkt de intercomstem achter ons.

Ik schrik me wild; Christina pakt mijn arm. We draaien ons om. 'U jaagt mensen graag de stuipen op het lijf, niet soms?' zeg ik tegen hem.

Hij gooit zijn hoofd achterover en lacht. 'Ik doe niets liever. Ik ben Rufus McSherry.' Hij geeft eerst Christina een hand. Ze lijkt wel een poppetje naast de potige Ier. Hij is rond de veertig, ruim een meter tachtig, met brede schouders en zwaar gespierde armen (van al dat klimmen op steigers, ongetwijfeld). Hij heeft de grootste handen die ik ooit heb gezien; Christina's hand verdwijnt volledig in de zijne. Zijn golvende haar heeft iets rossigs (vandaar zijn naam!), maar ook grijs, waardoor het meer bruin dan roestkleurig is. Hij zou wel eens naar de kapper mogen, aangezien het haar hem op de schouders valt zoals bij de jonge Abraham Lincoln. Ongeschoren is hij ook. Zijn brede gezicht past bij de rest van zijn lichaam: sterke kaaklijn, een goedgevormde rechte neus met een stompe punt en een mooie mond met sterke witte tanden.

Zijn diepliggende bruine ogen glinsteren van ondeugd. Hij houdt ze half dichtgeknepen tot iets zijn aandacht trekt, dan springen ze wijd open. Als hij naar Christina kijkt, is het alsof zijn ogen in hun kassen veren. Hij houdt zijn hoofd schuin en bestudeert haar. Door hoe ze op haar tenen staat en naar hem glimlacht terwijl ze hem over zichzelf vertelt, concludeer ik dat er meer in deze kamer omgaat dan artistiek overleg.

Ik wijs naar de wandbekleding waaraan hij werkt. 'Mijn eerste gedachte was Botticelli. Maar als ik langer kijk, zie ik Tiepolo. Hou je van hem?'

'Absoluut.' Rufus glimlacht.

'Zijn blauw is ongeëvenaard, vind ik. Waar is dit voor?'

'Het is een decorstuk voor een opera.'

'Welke?'

'*De barbier van Bagdad.*'

'Nooit van gehoord.'

'Peter Cornelius. Waardeloos. Duits. Dit is de lucht die de generaal door het raam van zijn kamer ziet, waar hij op sterven ligt. Ik wilde hem iets geven om voor te leven. Heb je honger?'

Ik weet niet waarom alles wat deze man zegt me een shot adrenaline geeft, daarom haal ik diep adem om rustiger te worden.

'Eerlijk gezegd wel.' Ik kijk naar mijn nicht.

'Christina?' vraagt Rufus glimlachend. Ze knikt dat ze honger heeft, maar ik denk dat ze zich groen zou laten verven en aan haar voeten op Fourth Avenue zou laten hangen als deze man het haar zou vragen. 'Kom mee dan.'

'En Pedro?' vraag ik.

'Ik roep hem als het eten klaar is.'

Terwijl we achter Rufus aan lopen, een beetje zoals de Lilliputters toen ze de reus naar het uiteinde van de wereld volgden en te pletter vielen, draait Christina zich om en kijkt me aan; ze glimlacht. Plotseling zie ik haar oude zelf: voor het eerst in maanden ziet ze er gelukkig uit. Rufus trekt een paar oude fluwelen gordijnen opzij, waarachter een keuken ligt. Wanneer Christina door de deuropening loopt, zie ik dat zijn ogen haar mooie lichaam volgen. Als ik eindelijk zijn blik vang, kijk ik hem ijzig aan, wat hem aan het lachen maakt.

De keuken is schoon en spaarzaam gemeubileerd. Er staan een formicatafel met bijpassende zilverkleurige stoelen, restaurant-stijl, een fornuis, een gootsteen en een koelkast. De pannen en het kookgerei zijn van topkwaliteit. 'Hier, ga zitten.' Hij schuift een stoel naar achteren voor Christina en wijst dan waar ik mag zitten. 'Hier, Bart, trek deze fles maar open.' Hij gaat naar het fornuis, waar een grote pan kokend water staat te dampen.

Christina barst in lachen uit, maar houdt zich onmiddellijk weer in. 'Bartolomeo heeft er een hekel aan om Bart genoemd te worden.'

'Waarom?'

'Tom Mix-films,' leg ik uit. 'Black Bart en zo.'

'Hoe moet ik je dan noemen?' vraagt Rufus.

'B.'

'Oké, B.' Hij zet niet bij elkaar passende wijnglazen op tafel. 'Ik ga spaghetti carbonara voor ons maken, goed?'

'Helemaal goed.' Christina kijkt me aan zoals mijn moeder vroeger deed, met een brede glimlach die betekent: gedraag je!

Rufus mikt een pond linguini in het water en roert. Dan pakt hij een grote gietijzeren bakpan van de plank en zet hem op een lage vlam op het fornuis. Hij loopt naar de koelkast, pakt een schijf boter en doet hem in de pan. Hij pakt een ui uit een draad-mand op de vensterbank, hakt de uiteinden ervan af, ontdoet hem van de schil en snijdt hem recht boven de pan (zonder be-traande ogen). Hij pakt vier eieren en een pakje room uit de koel-kast, slaat de eieren stuk in een kom, en klopt ze licht terwijl hij langzaam de room toevoegt. Dat mengsel zet hij opzij, waarna hij een pak bacon uit de koelkast haalt en het opent met een steak-mes. Hij haalt er zes plakken bacon uit, die hij in kleine stukjes snijdt en in de boter en uien in de pan laat vallen. Het sist en knet-tert en ruikt verrukkelijk. Hij roert nog eens in de pasta, prikt er een sliert uit en zuigt die op. (Het eraan gepaard gaande geslurp hoeft van mij niet.) 'Al dente.'

Rufus giet de pasta af in een vergiet in het aanrecht. Hij schudt het vergiet flink heen en weer, en stort de pasta in de bakpan bij de boter, ui en bacon. Al roerend voegt hij voorzichtig het ei-roommengsel toe. De pasta krijgt een mooie goudbruine kleur. Hij loopt weer naar de koelkast en haalt er een stuk verse Parmezaanse kaas uit. Hij draait het gas uit en schaaft de heerlijke kaas over de hete linguini.

'Dat ruikt fantastisch,' zegt Pedro in de gordijnopening. Terwijl hij zijn handen bij het aanrecht wast, pakt Rufus borden van de plank, die hij voor ons neerzet. Pedro legt papieren servetten, grote lepels en vorken neer. Rufus maalt verse zwarte peper over de pasta en zet de pan midden op tafel.

'B, wil jij opdienen?' Rufus geeft me een opscheplepel en een vork.

Hij loopt naar de koelkast, haalt er een ovenschaal uit en zet die op tafel. Daarin heeft hij lange dunne pepers gevuld met slierten ansjovis besprenkeld met olijfolie.

'Rufus, gevulde pepers is een van mijn favoriete gerechten,' zeg ik. 'Mijn grootmoeder maakte ze vaak.'

'De mijne ook.'

'Een Ierse oma die gevulde pepers maakte?'

'Mijn familie van moeders kant is Italiaans. Altezza. Uit Puglia.'

'Pedro, waar komt jouw familie vandaan?' vraag ik.

'Uit een klein stadje in Mexico. La Paz.'

'*Buon appetito!*' Rufus heft zijn glas en we proosten.

Ik heb nog nooit linguini recht uit de pan opgediend gegeten. Mijn moeder was zo pietluttig met tafeldekken dat er nog geen pak melk op tafel mocht staan als we ontbeten. Alles moest in de juiste kom, schaal, bak enzovoort: brood in een mand, melk in een kan, pasta in een opdienschaal. Maar hier, recht uit de pan, is elke romige hap nog heerlijker dan de vorige. Ik vraag me af of het iets heeft te maken met de olijfolie waarmee de pan is ingevet. Daardoor lijkt de saus meer smaak te krijgen. Of misschien komt het gewoon door Rufus. Ik heb al door dat robuust zijn motto is, alleen al in zijn houding, zijn kunst en zijn pasta. Ik wil alles over hem weten. De wijn is een volle chianti, een volmaakte aanvulling op de bacon en ui.

'Ben je getrouwd, Rufus?' vraag ik.

'Nee. Jij?'

'Nee.'

'De laatste vrijgezellen in Amerika,' zegt Christina. 'Wie had kunnen denken dat je ze in een pakhuis in Brooklyn met borden linguini zou aantreffen?'

'Ik ben ook niet getrouwd,' zegt Pedro.

'Gefeliciteerd,' zeg ik.

'En jij?' vraagt Rufus aan Christina.

Heel even denk ik: als je dacht dat ze getrouwd was, waarom flirtte je dan zo openlijk met haar? Maar ik hou mijn mond. We zijn tenslotte zijn gasten.

'Ik was getrouwd. Dertien jaar lang gelukkig getrouwd. Mijn man is ruim een jaar geleden overleden. Hij heette Charlie. Onze dochter, Amalia, is twaalf.'

Ik kan er niet zeker van zijn, maar volgens mij is dit de eerste keer dat Christina over Charlie heeft gesproken zonder vol te schieten. 'Ze is een prachtkind, die Amalia,' zeg ik opgewekt in een poging om van onderwerp te veranderen.

'Dat is verdomd zwaar.' Rufus kijkt Christina aan. 'Kun je er enigszins mee leven?'

Christina haalt haar schouders op. 'Ik weet niet wat ik daarop moet zeggen.' Pedro en ik kijken omlaag naar onze borden en rollen slierten pasta om onze vorken.

'Probeer het eens,' zegt Rufus vriendelijk.

'Nou, het is heel vreemd.' Christina leunt achterover in haar stoel. 'Toen ik getrouwd was, vroeg ik me vaak af wat er zou gebeuren als mijn man me zou verlaten.'

'Je zei dat jullie gelukkig waren,' zegt Rufus.

'Heel gelukkig. Daarom maakte ik me waarschijnlijk zorgen om het ergste wat er kon gebeuren. Ik kon me geen leven zonder hem voorstellen. We hadden natuurlijk ook ruzie, en moeilijke tijden, maar het was vooral goed. Een fijn leven. Daar waren we echt dankbaar voor, en we wisten dat als er iets ergs zou gebeuren, we er samen doorheen zouden komen.'

'We zijn een familie met veerkracht,' zeg ik trots.

'Mijn grootste probleem is dat ik niet weet wat ik moet doen.' Christina neemt een slok wijn. Rufus kijkt haar aan met een blik die haar aanspoort door te praten. 'Ik bedoel het letterlijk,' vervolgt ze. 'Toen Charlie nog leefde, hadden we een regelmatig leven. Er waren verwachtingen, en daar voldeden we aan. We hadden lol. Soms gingen we met zijn drieën de hele dag uit, en als we thuiskwamen, vielen we amechtig op de bank en boden we elkaar geld aan om dingen te halen omdat we zo moe waren. Charlie bood Amalia bijvoorbeeld een dollar om een biertje voor hem te pakken; als de telefoon ging, bood ik Charlie vijftig cent om op te nemen. Dat soort dingen. Onze eigen maffe familiedynamiek. En dat is nu weg. En ik weet niet hoe ik iets nieuws moet verzinnen. Het lijkt wel onmogelijk.'

'Hoe gaat het met Amalia?' vraagt Rufus. 'Behalve dat het een prachtkind is?'

'Dat is nog het ergst. Ik kan haar niet geven wat ík heb gehad. Twee ouders in een liefdevolle omgeving. Ik weet hoe belangrijk mijn vader voor me was. Voor een meisje betekent dat bescherming, een gevoel dat niets je kwaad kan doen. Voor een zoon...' Ze maakt haar zin niet af.

'Is het net zo,' zegt Rufus. 'Mijn vader stierf toen ik negen was.'

'En ik was altijd bang dat de mijne zou sterven omdat mijn ouders zo oud waren toen ik werd geboren,' flap ik eruit. 'Ze waren over de veertig. Mijn vader was bijna vijftig!' Ik weet niet waarom ik dat zeg. 'Sorry. Dat is iets heel anders. Ze stierven pas toen ze in de tachtig waren.'

'Nee hoor, geeft niets.' Rufus glimlacht naar me.

'Aangezien jij zo jong was toen je je vader verloor, weet jij dan misschien wat ik voor mijn dochter kan doen?' vraagt Christina.

Rufus leunt achterover en denkt na. 'Dat heeft nog nooit iemand me gevraagd.' Hij pakt de opscheplepel en vork en geeft ons, ondanks onze protesten, alle drie nog een flinke portie van de zalige pasta.

'Je hebt jezelf deze keer overtroffen, baas,' zegt Pedro waarderend.

'Bedankt.' Rufus staat op en zet de pan in de gootsteen. Hij draait zich om en slaat zijn armen over elkaar. 'Christina, het enige wat ik je kan zeggen is: praat over je man. Veel. Wees niet bang de stemming te bederven door over hem te beginnen, want als je op zo jonge leeftijd je vader verliest, wil je je alles van hem herinneren, en het lijkt wel of de hele wereld wil dat je hem vergeet.' Christina werpt Rufus een dankbare blik toe.

Als we hebben afgewassen laat Rufus ons het pakhuis zien. Christina en ik zijn verbluft over de reikwijdte van hun werk. Naast de groene ramen die Pedro ons eerder liet zien, restaureert hij ook een rozenraam voor de St.-Francisco Xavierkerk in Chelsea, terwijl Rufus de laatste hand legt aan een reeks achterschermen voor een reizend operagezelschap. Daarbij doen ze ook de restauratie van een kleine kapel in Connecticut. Ze nemen alleen opdrachten aan die ze interessant vinden, legt Rufus uit, en waarin ze hun verschillende vaardigheden in glaswerk, schilderkunst en houtbewerking kwijt kunnen.

Rufus loopt met ons mee naar de auto, opent het portier voor Christina en kust haar vriendschappelijk op de wang. Dan draait hij zich om naar mij en schudt me de hand. Ik stap in de auto. 'We zijn niet aan een zakelijk gesprek toegekomen,' zegt hij door het raam.

'Geeft niet,' antwoord ik. 'We hebben belangrijkere zaken besproken.

'Dat dacht ik ook.' Hij glimlacht breed. 'Maar hoe zit het met jouw project?'

Ik geef Rufus het dossier over de Fatimakerk. 'Het zou geweldig zijn als je de fresco's zou willen schilderen, en Pedro zou onze gebrandschilderde ramen kunnen vernieuwen. We hebben een bidplaats voor Maria nodig. Een nieuw altaar. Er moet zo veel gedaan worden. Wanneer kun je komen kijken?'

'In december.'

'December! Dat duurt nog vijf maanden!'

'Je hebt toch tijd nodig voor je onderzoek en ontwerpplan?'

'Ja, maar…'

'Het is prima,' zegt Christina. 'Meneer pastoor wil toch niet dat we met het echte werk beginnen tot na de Fatimafeestdag, en die is op 13 oktober.'

'Zie je wel? Dan liggen we helemaal op schema.' Rufus glimlacht.

Ik kijk hem na als hij terug naar binnen gaat. Wanneer de deur achter hem dichtgaat, herinner ik me een verhaal dat mijn moeder me vroeger voorlas, over een reus die over de aarde zwierf. Zijn voeten waren zo groot dat zijn voetstappen valleien in het zand maakten tijdens het lopen. Sommige mensen zijn buitenproportioneel. Rufus McSherry is een van hen.

'En, wat vond Rufus?' vraag ik Eydie, die ik meteen gebeld heb nadat ik Christina had thuisgebracht.

'Hij was geïntrigeerd. Hij vond je grappig.'

'Denk je dat hij voor me wil werken?' dring ik aan.

'Hij zei dat hij je ontwerp wil zien. Dan komt hij om de kerk te bekijken. Dus ga aan de slag. En zorg dat het goed wordt. Hij houdt van een uitdaging.'

De moed zinkt me in de schoenen. 'Eydie, ik zit nogal in de problemen,' beken ik.

'Hoe bedoel je?'

'Ik heb een soort artistieke crisis. Ik kan maar niet beslissen welke kant ik op moet, of wat ik moet doen.'

'Nou, dat is zo opgelost!' zegt ze.

'Hoe dan?' Ik klink als een meelijwekkende sul.

'Ga naar Italië,' zegt ze gedecideerd. 'Dat doen we allemaal wanneer we vastzitten. Ga naar Italië, kijk om je heen en steel, steel en steel! Steel alles, van vormgeving tot marmer en lay-out. Als je wilt slagen, moet je naar de bron gaan. Daar vind je het antwoord.'

Ik kijk naar Capri, vast in slaap in stoel 5A op TWA-vlucht 17 vanaf JFK naar Milaan. Wat een wereld van verschil om over de Atlantische Oceaan te vliegen met Capri in plaats van met Eydie. Met Capri voel ik me als haar broer, die zorgt dat we bij de juiste gate zijn, en dat ze tijdschriften en een boek bij zich heeft voor de lange vlucht. Met Eydie had ik alleen maar sigaretten en de dranktrolley nodig. De tijd vloog voorbij terwijl we het over kunst hadden. Bij deze vlucht is het alsof ik op een boerenwagen naar het westen trek. Het duurt te lang en is te hobbelig.

Een groot kunstenaar, ik weet niet meer wie, zei dat je wanneer je je geblokkeerd voelt, terug moet naar je oorsprong. Gelukkig is mijn artistieke en spirituele origine de Golf van Genua, de uitgestrekte saffierblauwe baai die uitmondt in de Ligurische Zee. Eydie had gelijk. Zodra we geland waren, kwam de inspiratie. Ik had Aurelia beloofd dat Capri en ik haar veertigste verjaardag in Italië zouden vieren, dus terwijl Capri schoenen koopt, ga ik op zoek naar ideeën voor de renovatie van de Fatimakerk.

Ik heb de reis samen met Capri gepland. Zij wil overdag naar het strand en 's avonds uit eten en dansen. Ik hoef geen zongebruinde huid of rumbales. Ik wil overdonderd worden door inspiratie.

Capri en ik hebben altijd geweten dat we onze Italiaanse afkomst uit Santa Margherita delen. Pasgeleden heeft ze echter ontdekt dat allebei onze families, de Castones en de di Crespi's, zijn verbannen uit La Spezia, een stad ten zuiden van ons Santa Margherita, na een of ander politiek geharrewar inzake havenbelasting. De Castones deden in boten, en de di Crespi's waren vissers, daarom verenigden ze zich tegen het stadsbestuur. Helaas verloren ze de strijd en trokken naar het noorden, naar deze schilderachtige kleine inham, en begonnen opnieuw.

'Ik ben in de hemel,' zegt Capri als ze me in haar kamer begroet. Haar balkon heeft uitzicht op de zee, terwijl het mijne uitkijkt over de rotsen van Santa Margherita. 'Ik voel me helemaal geen veertig. Ik wens mezelf nog vele jaren.'

Ik zie dat ze haar bril niet op heeft. Haar ogen zijn bekoorlijk kastanjebruin met groene vlekjes. 'Waar is je bril?'

Capri bloost. 'Dus je ziet het. Ze hebben iets nieuws ontdekt: zachte contactlenzen. Die beschadigen het hoornvlies niet, zoals de harde. Mijn oogarts zei dat ik moest wachten tot we geland waren voor ik ze in mocht doen, omdat ze in het vliegtuig konden uitdrogen.'

'Wauw.' Capri is echt aantrekkelijk zonder haar bril, of misschien is ze meer ontspannen omdat ze goed kan zien. Wat de reden ook is, het resultaat is verbluffend.

'Ik weet het. Wat een verschil, hè?' Capri straalt.

We hebben een lichte maaltijd op haar balkon besteld. Capri heeft ravioli gevuld met verse erwten en munt gedrenkt in olijfolie, gegrilde garnalen met knoflook en cassisijs. We drinken koele, sprankelende witte wijn van de plaatselijke wijngaard. We brengen een toost op elkaar uit. We praten weinig en genieten van het eten. Er wordt op de deur geklopt. Zodra ik opendoe, snellen er drie obers langs me met een slagroomtaart met rode rozen en brandende sterretjes erop. '*Buon compleanno!*' roepen ze. Capri is verrukt als ik foto's neem terwijl ze grinnikt achter de oogverblindende sterretjes. Een van de obers geeft Capri een kaart. *Van harte. Veel liefs, ma.*

'Niemand houdt zoveel van je als je moeder,' zeg ik.

'En niemand kan je zo verstikken als je moeder.' Capri rukt de sterretjes uit de taart. 'Ik weet dat ze het goed bedoelt. Maar *oy vey*. Sorry. Ik wil niet klagen. Bedankt dat je deze reis met me maakt en mijn verjaardag met me wil vieren.'

'Ik doe het met plezier.'

'We zijn altijd goede vrienden geweest.'

'Klopt. Jouw familie had het geld en de mijne had de goede smaak.'

'Ik moet je waarschuwen. Ook al hebben we haar ingeprent dat het uitgesloten is, hoopt ma nog steeds dat we zullen trouwen. Toen ik naar het vliegveld vertrok, zei ze: "Ik zou het enig vinden als jij en B daar stiekem trouwden."'

'Heb je gezegd dat ze zich met haar eigen zaken moet bemoeien?'

'Wat zou het uitmaken? Bovendien, ze begint langzaamaan het een en ander te accepteren. Ik heb haar het appartement laten zien en ze was positief. Voor zover dat mogelijk is als ik niet mijn intrek neem in de Villa di Crespi.'

In de lucht hangt de zoete geur van nachtbloeiende jasmijn die langs de buitenmuur aan zo dicht verstrengelde stengels kruipt dat je de stenen muur eronder niet kunt zien. Als ik één nieuw ding op deze reis leer is het draperen. In Santa Margherita lijken de bloemen te groeien in harmonie met de vormen eronder, niets bloeit in nette rijen, er zijn geen onberispelijk verzorgde tuinen. Het is wild, slordig en Italiaans, en ik vind het schitterend.

'Ik mis New Jersey totaal niet,' zegt Capri terwijl ze over het balkon leunt en over de wijde baai uitkijkt. Ze slaat haar roze zijden sjaal met lichtblauwe franje om haar schouders. De deurbel gaat.

'Ze komen zeker afruimen,' zeg ik terwijl ik voor de tweede keer naar de deur loop. Als ik de deur open, steekt een slanke Italiaan van een jaar of veertig, ongeveer een meter zeventig, met zwarte krullen en dikke wenkbrauwen, zijn hand uit. '*Ciao.* Jij bent natuurlijk Bartolomeo di Crespi.'

Ik heb mijn naam nooit eerder zo perfect horen uitspreken. 'Inderdaad. En jij?'

'Eduardo Pinetti.'

'Eddie Pinetti?'

'O, doe toch niet zo grappig.' Capri stevent langs me heen en trekt Eduardo naar binnen. 'Hij maakt een grapje,' zegt ze tegen hem.

'Aha.' Eduardo glimlacht.

'Kennen jullie elkaar?' vraag ik.

'Min of meer. Florence, die de boekhouding doet bij een van onze banken in Parsippany, heeft Eduardo ontmoet toen ze hier op vakantie was. Toen zijn we elkaar gaan schrijven en we spraken af om elkaar te ontmoeten als ik hier kwam.'

'O, jullie hebben een… afspraak?'

'Precies.' Capri glimlacht. 'Je vindt het toch niet erg, hè, B? Je zei al dat je vroeg naar bed wilde.'

'Natuurlijk niet.' Maar ik klink geërgerd.

'Eduardo neemt me mee uit dansen.'

'Geweldig.'

'Ga mee, als je zin hebt.' Eduardo kijkt me aan. Ik zie dat hij het niet meent.

'Nee, nee, gaan jullie maar gezellig samen. Veel plezier. Ik heb het morgen ontzettend druk.'

'O, goed, want morgen neemt Eduardo me mee op zijn boot. Hij wil me de huizen langs de baai laten zien.'

Capri pakt haar tas en pakt Eddie bij de hand. 'Welterusten, B. Neem een stuk taart!'

Ze huppelen bijna weg. Ik schuif mijn stoel naar de tafel en prik mijn vork in het woord *buon*. Ik proef het. Het taartglazuur is luchtig en zoet. Ik schenk mezelf een koel glas wijn in en proost op de maan boven me, die deze avond een volmaakt kobaltblauwe tint heeft. Dit is kennelijk het land van geluk in de liefde, dus natuurlijk gaat de oude vrijster met droge ogen dansen, terwijl de vrijgezel met een buik als een wasbord in een hotelkamer taart zit te eten.

Uiteindelijk bel ik Capri om twaalf uur 's middags, nadat ik een uur in het restaurant op haar heb gewacht om te brunchen. Ik vind het vervelend om haar te bellen, maar ik wil niet de hele dag verdoen met wachten tot Ginger Rogers wakker wordt. Als ze de telefoon opneemt, hoor ik Eduardo op de achtergrond. Fatsoensnormen vliegen in Italië recht het raam uit. Het is alsof de bloemengeur in de lucht, de warme zon en de wijn samenspannen om een rationeel persoon te veranderen in een losgeslagen sekspoes. Capri is duidelijk geen uitzondering.

Ik verlaat het hotel en ga naar de smalle kronkelstraat die naar de stad voert. De huizen zijn lichtblauw en feloranje geschilderd, met witte sierstrippen, als marsepeinen vruchtjes in slagroom. In de verte, aan het eind van de hoofdstraat, zie ik de kerk van Santa Margherita. Eydie heeft me verteld dat ik daar inspiratie zou opdoen, en ik hoop dat ze gelijk heeft.

Ik loop langs het kerkhof, dat meer weg heeft van een onroerendgoedproject dan van een laatste rustplaats. De sierlijk bewerkte mausolea staan vlak naast elkaar, als dure herenhuizen. De inwoners van deze stad hebben enorme ego's, vooral in de dood. De accenten van marmer en verguldsel geven het kerkhof het aanzien van een klein koninkrijk vol miniatuurpaleizen. Terwijl sommige zo groot zijn dat er een tuin omheen past, hebben andere hun eigen overdekte passage met altaar. De meeste zijn voorzien van tomben, busten van familieleden, uitgehouwen in reliëf in deuren en poorten. Sommige zijn van stucco en geschilderd in mediterrane tinten als botergeel, maagdenpalmblauw en mosgroen. Sommige deuren zijn van houtsnijwerk, andere hebben ruiten van gebrandschilderd glas. Sommige mausolea hebben eenvoudige smeedijzeren poorten, die naar een beeldhouw-werk voeren waar de beminde gestorvenen in stijl aan weerszij-den van een stromende fontein rusten. Ik zou willen dat ik alle teksten aan de buitenkant van de grafkelders kon lezen. Er zijn zegeningen en waarschuwingen en schilderingen van de overle-denen. De farao's van Egypte kunnen de Ligurische Italianen niet de loef afsteken als het op weelderige graven aankomt.

Ik klim de trap op naar de ingang van de kathedraal, waarbij vergeleken onze kerk in OLOF eruitziet als de leeszaal van de chris-tian science. De Grieks-Romeinse buitenkant is gepleisterd in een rijke perzikkleur en schittert in de mediterrane zon; de sierlijke randen zijn geschilderd in glinsterend paarlemoer. Statige Tos-caanse zuilen verankeren de hoofdingang op een fronton als een bruiloftstaart, terwijl hoge pilasters de kleinere deuren omlijsten. Boven het hoofd torent een tweede verdieping met een prachtig beeld van St.-Petrus met twee obelisken. Als ik opkijk, zie ik le-vendige tinten koraalrood en wit afgetekend tegen de blauwe lucht, wat me doet denken aan een open zeeschelp.

Binnen is het alsof ik in goddelijk Florentijns papier ben ge-wikkeld, een mozaïek van robijnrood en donkergroen met spik-kels metalliek goud. De fresco's, vol taferelen van nobele heiligen, gevolgd door een menigte Italianen (de kruistochten, natuur-lijk), zijn in authentiek detail afgebeeld in een kleurenpalet van zachtoranje, heideblauw en verschoten paars. Elke centimeter van de muren en het gewelfde plafond is gevuld met beelden van hemel en aarde en engelen en zondaars. Het is alsof de kunste-naars niet genoeg ruimte hadden om hun gevoelens uit te druk-ken, en daarom hun boodschap van plint tot plafond in schilde-ringen uitdroegen.

Achter in de kathedraal zie ik Maria in een grot. Ze draagt een golvend blauw gewaad en boven haar hoofd zweeft een gouden krans – een band van sterren. De ruwe stenen onder haar voeten dansen in het licht van de gebedskaarsen. Ik word onweerstaanbaar naar haar toe getrokken en rep me langs het altaar naar de bidplaats. De kunstenaar heeft natuurlijke grijze en zwarte veldstenen in verschillende grootten door elkaar aan de muur bevestigd, om de indruk van een grot te wekken. De stenen steken hier en daar uit, met glinsterende zandkorrels op de punten.

Het beeld zelf staat op ongeveer zes meter hoogte op een stenen richel. De muur achter haar is verguld, waardoor de illusie ontstaat dat Maria als een engel in de lucht zweeft.

Onder haar, knielend in gebed, is een gebeeldhouwde Santa Margherita van een jaar of elf. Ik steek mijn hand uit om de onderkant van haar jurk aan te raken. Ik ben zeker niet de eerste die dat doet, want er is een afgesleten plek in het marmer van de jonge heilige, waarvan ik me voorstel dat die door velen is aangeraakt. Ik vind het een overweldigende sensatie dat anderen dezelfde behoefte hadden om deel van dit tafereel te willen zijn. Kwamen ze smeken om bemiddeling? Om genezing? Om inspiratie? De grootsheid van een kerk als deze kan ontmoedigend zijn wanneer een zondaar werkelijk op zoek is naar verbintenis. De groef in het marmer voelt als de palm van een hand die troostend wordt uitgestoken.

Als ik mijn hand terugtrek voel ik iets kouds. Ik kijk naar mijn handen en dan naar de muur. Water druppelt als een glazen koord vanaf de hoge stenen en verdwijnt in een spleet achter het beeld van Santa Margherita.

Ik kniel aan haar voeten en begin te bidden. Ik weet niet eens waarom dit meisje met haar kleine neusje beroemd is. Er staat een hoge metalen armkandelaar vol lange witte kaarsen die in verschillende lengten branden, als een onregelmatige omheining. Ik sta op en steek een kaars aan die is uitgegaan en maak een kruisteken. 'Wijs me de weg,' vraag ik. Maar vreemd genoeg denk ik op dit ogenblik dat ik die heb gevonden. Eydie had gelijk. Alle antwoorden zijn in Italië te vinden. Ik heb het mijne gevonden in de kathedraal van Santa Margherita, terwijl Capri het hare heeft gevonden door in een speedboot de Golf van Genua te verkennen.

Ik neem niet de moeite om uit te pakken als ik weer thuis ben. Ik ben zo vol van inspiratie dat ik niet kan wachten om aan het werk te gaan. Ik bel Two en Christina om te vragen of ze zo snel mogelijk naar mijn kantoor willen komen. Ik ben in de ban geraakt van gotische architectuur, barokke beelden en de glimlachende gezichten van de rococoputti. Ik heb de kathedraal van Santa Margherita in mijn hoofd, en dat beeld wil ik niet kwijtraken vóór ik wat ik heb gezien kan toepassen op onze kerk. Ik wil niet dat er ook maar één spontane ingeving verloren gaat. Christina maakt aantekeningen terwijl ik schets. De laatste dagen van augustus gaan over in de eerste koude herfstwinden terwijl we zwoegen met ons onderzoek.

Two typt aantekeningen en maakt de lunch voor ons en soms, wanneer we laat doorwerken, het avondeten. Amalia komt na school naar ons toe terwijl ik in mijn kantoor bezig ben met nadenken, ontwerpen en schetsen, in de hoop de mooiste kerk van New Jersey te creëren. De Villa di Crespi is een creatief bolwerk van ideeën en mogelijkheden geworden. Ik werk op volle kracht, en geniet ervan.

Christina en ik gaan een dag naar de steenhouwer om monsters van plaatselijk gesteente van New Jersey te bekijken. Ik wil inheemse materialen gebruiken in de renovatie, daarom besteden we veel tijd aan het verzamelen van houtmonsters, marmer en veldsteen.

'Moet je dit zien!' Two komt binnen met een grote geopende kartonnen doos.

'Wat is dat?'

'Veldsteen uit Wainscott. Kijk eens naar de kleur.'

Ik pak een steentje uit de doos. 'Hmm. Net Dentyne.' Het steentje heeft precies dezelfde kleur als kauwgom.

'Te roze.' Christina kijkt op van haar schrijfblok.

'Niet als accent in de grot. Vooral niet als we Maria een gouden achtergrond geven. Ik zou dit wel in de hal kunnen gebruiken, als achterscherm voor de wijwatervonten.'

'Ja, mooi,' zegt Christina goedkeurend.

'Oom, ik heb de oorfauteuil bij de Shumans bezorgd.'

'Heb je hem voor haar neergezet?'

'Natuurlijk. Ze vond het schitterend. Was razend enthousiast. Ik vroeg me af…'

'Nou?' Ik kijk op naar mijn neef.

'Mag ik wat schetsen voor u doen voor Lina Aldo's huis? U hebt het zo druk met de kerk, daarom dacht ik dat ik u misschien wat ideeën kon laten zien.'

Ik twijfel. Ik wil hem de les lezen hoeveel tijd en moeite het mij gekost heeft om het tot binnenhuisarchitect te brengen, inclusief de opleiding, maar ik bedenk me. 'Prima idee. Je kunt een ontwerpconstructie maken en een kamerplan, dan zal ik ernaar kijken.'

'Bedankt, oom.' Two pakt de post en gaat ermee naar het postkantoor.

'Weet je zeker dat je behoefte hebt aan concurrentie?' vraagt Christina glimlachend.

'Het blijft in de familie. Zou het niet geweldig zijn als Two werkelijk voor the House of B zou willen werken? Dat is de droom van elke Italiaanse oom. Ik wil meer nalaten dan mijn verzameling manchetknopen. Ik zou het prachtig vinden als the House of B werd voortgezet door de volgende generatie.'

7

Een wanddecoratie in Manasquan

Moeder Natuur schonk ons net op tijd voor mijn jaarlijkse kerstparty op 3 december een dun laagje glinsterende poedersneeuw. De nachtelijke hemel is weelderig donkerblauw en vol zilveren sterren, die de Villa di Crespi in een Currier & Ives-achtige gloed zetten. Ik hoor mijn keukendeur knarsen net als ik nog wat peterseliegarnering op een schaal paddenstoelen in bladerdeeg leg.

'Dit is voor het eerst sinds 1951 dat ik me in strapless waag,' zegt Toot, 'en er is geen betere plek om mijn decolleté te showen dan jouw woonkamer.' Ze loopt naar binnen, laat een minkstola van zich af glijden en laat een smaakvol zwart strapless jurkje zien.

'Je ziet er fantastisch uit, Toot.'

'Weet ik. En je zult je oren niet geloven. Wacht tot je het laatste nieuws over mijn seksleven hoort. Luister je?'

'Nee,' zeg ik botweg, terwijl ik haar een schaal mozzarellabolletjes geef om bij het buffet te zetten.

'Ik vertel het je toch. Ik voel me net als die hondjes in jurkjes in een circusact. Je weet toch wel hoe de clown een doos opent en die minipoedels in roze tutu's er een voor een door gouden hoepels uit springen? Zo is het met Sal. Als we een hoepel gehad hebben, komt er meteen weer een volgende.'

'Is hij een uitdaging?'

'Niet te geloven. Het is lastig wanneer ze zestig plus zijn. Uithoudingsvermogen is beslist een punt.' Toot pakt een besuikerd sneeuwpopkoekje, bedenkt zich en legt het terug naast de rendieren met kaneelneus. 'Het ging juist zo goed tussen ons, en toen kregen we een probleempje. Er ging iets mis in het buizensysteem, als je snapt wat ik bedoel.'

'Eh…'

'Dus nu wordt Sal erg zenuwachtig als we aan de daad toe zijn. Dan raakt hij zo opgefokt dat we moeten stoppen. Hij is bang voor een nieuwe disfractie…'

'Disfunctie.'

Ze negeert me en vervolgt: 'En ik weet niet hoe ik hem kan laten ontspannen. Ik heb het geprobeerd met rum-cola, rumkoffie, rumcake, massage, Cubaanse sigaren en oesters. Als we bij de doelpalen zijn, laat hij het afweten. Misschien ben ik te heftig voor hem. Misschien is dat het.'

'Toot, hoezeer ik je ook ben toegewijd, ik smeek je: vertel me alsjeblieft niets meer over je seksleven.' Ik pak een schaal aardappelpartjes met zure room en kaviaar. 'Kom mee.' Toot volgt me naar de eetkamer. 'Dit is een heel belangrijke avond. Het is niet alleen mijn jaarlijkse kerstparty. Het is het eerste bezoek van de echte vaklui die hopelijk met mij aan de kerk gaan werken. Rufus en Pedro komen eindelijk naar Jersey. Ik ben doodnerveus, want ik heb mijn ontwerp af en nu moet ik het hun laten zien. Stel dat ze mijn ideeën waardeloos vinden?'

'Sinds wanneer ben jij ooit nerveus geweest om een opdracht?'

'Vanaf het moment dat meneer pastoor me zijn zegen gaf.'

'Maar je wílde het zo graag.'

'Dat betekent niet dat het me niet de stuipen op het lijf jaagt.'

Toot zet de schaal mozzarella op tafel en draait zich naar me toe. 'Nu moet je eens goed naar me luisteren. Verman je. Je bent de beste. Je bent een di Crespi, godallemachtig. Je bent een verdomd goede binnenhuisarchitect. Kijk eens naar je kerstboom.

Wie heeft het lef om een boom helemaal in het rood op te tuigen? Het lijkt hier wel een hels vlammende kerst! Wie bedenkt er nou rode lichtjes, rode slingers en rode popcorn? Dat zal ik je vertellen: een vent met ballen. Er is moed voor nodig om in jezelf te geloven. Dus geloof in jezelf!'

Toots peptalk maakt het alleen nog maar erger. De deurbel gaat. Toot en ik kijken elkaar aan. 'Tante Edith,' zeggen we allebei tegelijk. Toot loopt met me mee naar de deur.

Ik doe open. 'Zalig kerstfeest, tante Edith!' Ik buig me naar haar toe en kus haar op beide wangen. Ze ruikt naar lavendel en mottenballen.

'Ik brak bijna een heup op dat ijs. Waar zijn de krabcakejes?' Ik wijs naar de eetkamer en een groot bord met tantes favoriete Engelse muffins met krab en cheddar. Ik geef nicht Marlene, Ediths dochter, een snelle welkomstkus terwijl ze tante Edith naar het buffet begeleidt. Marlene is een lange, magere vrouw met brede heupen. Op de rug gezien lijkt ze op een basviool. De brede ceintuur op haar harembroek accentueert haar vorm nog meer. Tante Edith werkt een aantal krabcakejes weg als een handvol pijnstillers. Pia, die me het recept heeft gegeven, is de zus van nicht Carmine. Ze is gespecialiseerd in recepten met mayo.

PIA'S KRABCAKEJES

voor 48 stuks

½ kop zachte boter
1 kop geschaafde mozzarella
1 kop zachte pepersmeerkaas
2 eetlepels mayonaise
1 teen fijngehakte knoflook
½ pond krabvlees
8 Engelse muffins, gehalveerd

paprikapoeder
zout
1 kop geraspte cheddar

Meng de boter, mozzarella en smeerkaas in een kom. Voeg mayonaise, knoflook en krabvlees toe. Meng het geheel goed door elkaar. Smeer op de gehalveerde muffins en bestrooi met paprikapoeder. Voeg zout toe naar smaak. Verdeel de geraspte cheddar over de bovenkant. Plaats de muffins op een bakplaat en gril ze tot ze goudbruin zijn. Snij alle gehalveerde muffins in zes partjes en serveer.

'Het ziet er hier schitterend uit,' zegt nicht Marlene, terwijl ze mijn winterwonderland in zich opneemt. 'Wel veel rood, maar ik voel me niet overweldigd.'

'Goed zo.' O, hou alsjeblieft je mond, Marlene, denk ik. Je hebt de slechtste smaak van de hele familie. Je hebt je eigen woonkamer in zwart-wit ingericht. Net de binnenkant van een geblokte sok!

De deurbel gaat weer. Toot doet open. Het feest begon om acht uur vanavond, wat betekent dat alle neven en nichten die ik heb (zevenenvijftig officieel) de komende tien minuten elk binnen drie seconden na elkaar zullen arriveren, waardoor mijn huis zal lijken op een kraal met bijeengedreven vee in een western van Joel McCrea. De di Crespi's zijn stipt.

'B! Mensen uit New York!' roept Toot bij de deur. Ik excuseer me bij nicht Marlene, die net over eczeem is begonnen, en loop naar de deur.

'Eydie, hallo schat!' zeg ik enthousiast.

Eydie is van top tot teen gehuld in robijnrood fluweel. 'Pa rom pom pom pom!' zeg ik vol bewondering, en ik kus haar op beide wangen.

Ze is in gezelschap van vier knappe mannen in smoking. 'De

hemel zij dank dat je de originaliteit bezit om de maandag-avond te kiezen om ertegenaan te gaan. Dit zijn de hoofddan-sers van *Hello Dolly!*, en vanavond staan ze niet op het podium. Dit zijn Mark, Averell en Sam. En dat is de danscaptain, Ron-nie.'

'We zingen ook,' zegt Sam grijnzend.

'Dat is maar goed ook. Mijn tante Edith is niet van drie straten ver over het ijs komen glijden om jullie bologneseworst op rogge-toast te zien eten,' zeg ik.

Het viertal zet in volmaakte vierstemmige harmonie 'Jolly old Saint Nicholas' in.

'O, zing nog wat, alsjeblieft!' smeekt Toot.

'Eerst wat wodka,' stelt Averell (geloof ik) als voorwaarde.

'Geef deze nachtegalen wat te drinken!' roept Toot behulp-zaam.

Ik mix vier wodka collins bij de zelfbedieningsbar. Precies op dat moment stroomt mijn voltallige familie binnen, ratelend als opwindgebitten uit een fopshop. Ik zet de drankjes voor de Hello Dolly's op een blad. Terwijl ik me door de menigte wurm, hoor ik mijn nicht Frannie een snel hors-d'oeuvrerecept aan Marlene doorgeven. 'Je hoeft alleen maar een groot stuk Philadelphia-roomkaas te kopen.'

'Oké,' zegt Marlene vol aandacht.

'Haal het uit de verpakking en leg het op een bord. Dan over-giet je het met cocktailsaus, je weet wel, ketchup, mierikswortel-saus en een scheut vers citroensap.'

'En dat giet je over de roomkaas?'

'Precies. Doordrenk hem. Zorg dat je bord groot genoeg is, je wilt niet dat de cocktailsaus over je hele tafel loopt. Weet je wat? Neem een bord en leg er een waaier biscuitjes op. Doop die in de roomkaas met cocktailsaus en ik zweer het je, je mist niet eens de garnalen.'

Ik werp hun een blik toe. Even over een goedkoop hors-d'oeuvrerecept beginnen op mijn feest waarvoor ik alles uit de kast heb gehaald is niet zoals het hoort.

Eydie heeft een drankje van oom Petey ingevorderd, die er al een paar ophad voor de party (wie houden we voor de gek, hij had al flink wat op vóór de lunch), en nu zit hij gebogen op de sofa en fluistert iets in haar oor. Ze glimlacht beleefd, en dan zie ik dat hij zijn paarsige tong in haar oor steekt. 'Oom Petey!' roep ik met een donderstem. 'Ga onmiddellijk naar de keuken en neem een kop koffie!' Hij maakt zich snel uit de voeten. 'Sorry, Eydie.'

'Maakt niet uit. Het was maar een stukje tong.'

'Het begint met een stukje tong, en je weet wat er dan volgt.'

'Wat dan?'

'Voor je het weet speelt hij paardje.' Ze kijkt me aan. 'Jij was er vorig jaar niet. Na een aantal whisky-soda's reed hij tante Georgie zowat een verzakking.'

'B! De deur!' gilt Toot vanuit de hoek van de eetkamer, waar ze oreert over joggen als je boven de vijftig bent zonder een hartaanval te krijgen.

Ik excuseer me bij Eydie en loop naar de voordeur. 'Rufus. Pedro.' Ik schud hun de hand. 'Welkom in de Villa di Crespi, waar de wijn vloeit en de vrouwen… ach, kies maar.'

Rufus geeft me een fles wijn in een chique zilverkleurige zak. Pedro geeft me een kistje van houtsnijwerk. 'Uit Mexico,' zegt hij.

'Dank je,' zeg ik. 'Rufus, je haar krijgt een tien plus.' Vanaf de nek opwaarts ziet hij eruit als een Romeinse soldaat, met zijn dikke haar dat achterovergeborsteld is. Vanaf de nek omlaag zou hij recht van Princeton kunnen komen (op studiereis), om door een ringetje te halen in antracietgrijze wollen broek, blauw overhemd en marineblauwe blazer. Pedro draagt een zwarte broek, wit overhemd en een zwart colbert.

'Ik wist niet dat je een butler had ingehuurd,' zegt nicht Marlene achter me.

Ik draai me met een ruk om en fluister: 'Het is geen uniform. Hij is een gast.'

Marlene haalt haar schouders op. 'Dat kon ik niet zien. Sorry.'

Ik neem me voor om haar voorgoed van mijn gastenlijst te schrappen. Marlene is zonder meer gestoord.

'Ha, neef.' Christina, die er goddelijk uitziet, kust me op de wang.

'Oom B, ik heb een versiering gemaakt,' zegt Amalia terwijl ze me een glimmend rode vogel van knutselpapier overhandigt. 'Maakt u zich geen zorgen. Hij is rood.'

'Hang hem maar in de boom.' Voor ze wil weglopen, neem ik haar terzijde. 'Je ziet er heel mooi uit,' zeg ik.

'Niet waar.' Ze bloost.

'Je vader zou heel trots op je zijn.' Nu glimlacht ze. 'En ga nou die vogel ophangen.'

Rufus en Pedro staan bij de buffettafel; Christina gaat bij hen staan. In een simpel zwart mouwloos hemdjurkje, witte parels, en haar haren elegant opgestoken ziet ze er bijzonder stijlvol uit. Ik kijk naar Toot, die naar me toe loopt terwijl ze met beide handen het hartvormige strapless lijfje van haar jurk omhoogtrekt.

'B, hier is Sal,' zegt ze vrolijk.

'Vrolijk kerstfeest, Sal.' Ik wend snel mijn ogen af, want nu zie ik niet het gezicht van mijn zusters vriend, maar een wandelend erectieprobleem.

'Is het geen kanjer?' Toot drapeert zich om Sal heen als een autohoes. Sal heeft een rond gezicht en een vierkant lichaam, en doet me denken aan de eerste clown die ik ooit tekende. Hij is kaal met lange bakkebaarden en niet bepaald lang (dat geeft niet, Toot is een meter vijfenzestig). Hij is gekleed in een donkerblauw pak met een rode das. Toot wijst naar mijn gezicht en trekt een cirkel met haar wijsvinger. 'B lijkt op mama.' Ze wijst naar zichzelf. 'En ik op papa. Kun je nagaan.' Sal lacht. Hij lijkt mijn zus werkelijk grappig te vinden.

'En wie ben jij?' Toot werpt één blik op Rufus McSherry en paradeert op hem af, haar in handschoen gehulde hand uitgestoken.

'Rufus McSherry.'

'Mag ik je Mister Wauw! noemen? B, je hebt me niet verteld dat de heer McSherry zo woest aantrekkelijk was,' zegt Toot bijna spinnend als een kat. Dat strapless jurkje maakt haar echt ongeremd. Ik schaam me dood.

'Ik wilde dat je het zelf zag.' Ik loop om de bank heen en trek met een ruk de ramen open, nu Toot meer hitte afgeeft dan een kolenkachel. 'Het buffet is in de eetkamer; de bar in de studeerkamer. Als je met honger of nuchter naar huis gaat, is het je eigen domme schuld,' zeg ik tegen Sal. 'Je moet beslist de punch proberen. Hij is gemaakt volgens tante Vi's recept. Ze is negenennegentig geworden en zwoer dat het door de punch kwam.'

DE CADEAUTJES VAN DE KERSTMAN

TANTE VI'S K.O.-KERSTPUNCH

2 175 ml-blikjes frozen pink-limonadeconcentraat
1 kop verse bosbessen
16 marasquinkersen
1 liter frambozenijs of sorbet
2 flessen rosé (of andere roze tafelwijn)
suiker
1 fles gekoelde mousserende rosé

Maak een kan roze limonade volgens de aanwijzingen op het blik. Vul 4 ijsblokjesbakjes met de limonade. Voeg aan elk vakje een bosbes of marasquinkers toe. Vries in. Meng in een punchkom het ijs, de rosé en het tweede blikje limonadeconcentraat en roer glad. Voeg suiker naar smaak toe. Schenk net voor het

opdienen de mousserende rosé erbij, voeg de cadeautjes van de
kerstman – de ijsblokjes – toe en serveer.

'Hallo, Tootsie.' Lonnie en Doris kussen Toot.

'O, ik wist niet dat jullie ook kwamen,' zegt Toot met een blik
naar mij.

'Ik zag Doris bij de supermarkt en we moesten vechten om de
laatste tube vijgenpasta,' leg ik uit. 'Wat kan ik zeggen? Het is familie.'

'Dank je, B,' zegt Lonnie met een glimlach. Doris geeft mijn
hand een kneepje.

'Nou, aangezien we kennelijk een love-in houden, Lonnie, Doris, maak kennis met mijn… vriend, Sal Concarni.'

'Van Belmar?' vraagt Doris.

'Precies.'

'Volgens mij heb je de leidingen in mijn huis in de stad ooit gerepareerd.'

'O ja, ja,' herinnert Sal zich. 'Jij had dat huis met souterrain in
Sea Girt Estates.'

'O, ik ben dol op een man die zijn mouwen oprolt en een ver-
stopping verhelpt,' zegt Toot. 'Sal is erg goed.' Er valt een lange
stilte.

'Waar zouden we zijn zonder riolering?' Lonnie doet een poging het luchtig te houden. 'Echt, denk eens na. Wat voor stinken-
de wereld zou dit zijn zonder buizen en afvoer en septic tanks en
al dat soort zaken?'

Niemand weet iets te zeggen. Na wat een eeuwigheid lijkt te
duren opper ik: 'Waarom pakken jullie niet wat lekkere hapjes
van het buffet? Ik heb kalfsham gemaakt, Doris. Ik weet dat je
daarvan houdt.'

Opgelucht neemt Doris Lonnie mee naar het voedsel.

'Kijk,' fluistert Toot.

Eerst herken ik de vrouw niet, dan besef ik dat het mijn aangetrouwde nicht is, Ondine. Ze is zo opgeblazen dat haar gezicht eruitziet als een pannenkoek met twee chocoladeflikken als ogen. 'Wat is er met haar gebeurd?' vraag ik Toot.

'Ze houdt water vast. Het moet een meisje zijn.'

'Hoe weet je dat?'

'Het berooft haar van haar schoonheid.'

Ik ga naar Ondine en geef haar een kerstomhelzing. 'Ik ben gigantisch, B,' klaagt ze. 'Moet je mijn handen zien. Het zijn net honkbalhandschoenen.' Ze steekt ze omhoog. Ze heeft gelijk. 'Mijn ringen passen niet meer, en Nicky moet mijn benen scheren.'

'O, hemel.' Wat is er toch met de vrouwen in mijn familie? Kennen ze geen greintje discretie?

Ondine vervolgt: 'Het is vreselijk. Niemand heeft me iets verteld.'

'Je bent alle ellende zó vergeten als de baby er eenmaal is,' zeg ik.

'Dat zegt iedereen maar steeds. Ik hoop dat ze gelijk hebben. Stel dat het kleine mormel hoefjes heeft, zoals dat kind in *Rosemary's Baby*?'

'Kom, kom, denk alleen mooie gedachten. En ga alleen naar vrolijke films. De baby heeft behoefte aan positieve invloeden, zelfs nu. Dus eet een lekker gehaktbroodje en ontspan je. Waar is je man?'

'Ze zijn aan het kaarten in de keuken.'

Ik val uit tegen mijn zus, die met haar vriend pronkt tegenover de kloosterzusters. 'Toot, je zonen zitten te kaarten in mijn keuken. Wil je ze er alsjeblieft aan herinneren dat de drie wijzen niet stopten om een potje te kaarten voor ze naar de kribbe gingen. Ik wil dat ze zich met de andere gasten bezighouden. Nu! Dank je.'

'O, B!' Capri kust me snel op de wang. 'Ik heb je zo veel te vertellen.' Ze ziet eruit als een schattige elf in haar groene fluwelen broek en rode trui met bloemkransbroche.

'Waar is je moeder?' vraag ik.

'Ze voelde zich niet lekker omdat ik vandaag mijn laatste spullen uit huis heb gehaald.'

'Niet te geloven, je bent al sinds augustus aan het verhuizen.'

'Ik probeer ma er geleidelijk aan te laten wennen. Maar het werkt niet. Er is altijd wel iets. Eerst was het haar verjaardag. Daarna was het pa's boomceremonie bij de B'nai B'rith. Toen was het de herdenkingsdag van pa's dood. Vervolgens kreeg ze een niersteen. Ik dacht dat het eindelijk beter zou gaan toen ze die kwijt was, maar daarna kreeg ze lichte bloedarmoede, en nu zijn ze de laatste dozen komen halen. Het spijt me.'

'Geeft niet. Loop met me mee. Ik wil je voorstellen aan een paar echte New Yorkers.'

Eydie, Rufus en Pedro vermaken zich met Christina, die hen blijkbaar volledig op de hoogte brengt van alles wat met OLOF te maken heeft. 'Dit is mijn goede vriendin, Capri Mandelbaum,' zeg ik.

'Wat een mooie naam,' zegt Pedro, die opstaat om Capri een hand te geven. Hij neemt haar in zich op zoals nicht Marlene deed met mijn kerstboom.

'Ik ben naar het eiland vernoemd. Mijn ouders gingen daar op hun huwelijksreis naartoe, en toen kwam ik. Er is iets in de Blue Grotto gebeurd, en het was geen nachtelijke zwempartij.' Capri houdt Pedro's hand iets te lang vast en maakt dan kennis met Rufus en Eydie.

'Zal ik iets te drinken voor je halen?' vraagt Pedro aan Capri.

'Ik loop met je mee.' Capri glimlacht. Ik heb haar niet zo zien glimlachen sinds ze in Eddie Pinetti's speedboot klom in de Golf van Genua.

'Weet je waar de bar is?' hoor ik Pedro haar vragen.

'Ik weet de weg in de villa,' antwoordt ze. Hij legt zijn hand op haar rug en volgt haar door de menigte.

'Wat een druk feest.' Pastoor Porporino begroet me en geeft me een miskaart.

'Ik ben blij dat u kon komen.' Ik voel genegenheid voor de pastoor, maar toch ook nog steeds enig wantrouwen. Ik wil niet dat hij ooit denkt dat hij een loopje met me kan nemen. 'De vakmensen met wie ik aan de renovatie hoop te werken, zijn hier. Ik zou graag willen dat u kennis met hen maakt.'

'Natuurlijk, met plezier.'

'B, je hebt jezelf overtroffen!' zegt Zetta Montagna terwijl ze zich bij ons voegt. Ze draagt een witte blouse en een geruite rok, met als feestelijk tintje kerstboomoorbellen met bijpassende speld.

'Meneer pastoor?' Een van de Broadwaydansers komt naar ons toe. 'Ik ben Mark Aquilino.'

'Hij speelt in *Hello Dolly!*, meneer pastoor,' leg ik uit.

'Daar ben ik twee keer naartoe geweest!' De pastoor straalt, iets wat ik hem nooit eerder heb zien doen. 'Ik vind het zo zonde dat die musical aan de afscheidstournee toe is.'

'Wij ook,' zegt Mark. 'Maar zo gaat het in de showbizz. De jongens en ik hoopten dat u ons de zegen van St.-Blasius zou willen geven, u weet wel, speciaal voor zangers, dat u de kaarsen onder onze kelen met elkaar kruist?'

'Nu?' vraagt pastoor Porporino.

'We willen niet lastig zijn, maar we leven bij de gratie van onze stembanden, dus als u ons iets extra's zou willen geven om ons op de planken te houden, zou dat fantastisch zijn. Sam is joods, maar hij wil het ook graag.'

'Ik wil jullie graag zegenen,' zegt Porporino. 'Jullie allemaal.'

Mark draait zich om en heft zijn armen hoog in de lucht. 'Ruitenwissers aan!' De andere dansers volgen zijn voorbeeld.

Even voel ik me gegeneerd, maar pastoor Porp lijkt het niet te deren. Wie had trouwens ooit gedacht dat hij van Amerikaanse musicals hield? Ik hield hem voor een Agatha Christie-fan. 'Padre gaat een vlammensignaal aan St.-Blasius zenden!' roept Mark uit. 'Ik vind dat daar een led bij hoort.'

Ze zingen 'Hello Dolly!' a capella. Langs de muren in mijn woon- en eetkamer staan mijn familie en vrienden rijendik te genieten van het optreden. Als de jongens de laatste noot vasthouden, klinkt Toots stem schel door alles heen: 'Jemig, Sal. Als je een probleem hebt, doe er dan wat aan. Ik heb nog heel wat leven in me! Ga naar een dokter!' Het is even ongemakkelijk stil, tot ik roep: 'En nu iets in de kerstsfeer!' De jongens brengen meteen een vrolijke 'Jingle bells' ten gehore, en ik hoop dat het iedereen helpt vergeten dat Sal Concarni een probleempje in zijn onderlichaam heeft.

Een paar gasten blijven in de woonkamer rond de haard zitten kletsen. De laatste familieleden zijn vertrokken, en met hen de laatste koekjes. Mijn familie laat nooit een kruimel zoetigheid over. Inclusief de negerzoenen die als decoratie op de koekjesschalen liggen. Ze nemen elk een servet en proppen die vol met vijgenrepen, amandelbiscuits, chocoladecakejes met poedersuiker en kokosbolletjes, om op te snoepen tijdens de rit naar huis of om bij het ontbijt in de *gabbagule* (espresso met hete melk in een kom) te dopen. Elk familiefeest eindigt zo. Je krijgt nooit een afscheidsomhelzing, alleen een kus op de wang, omdat de gasten met hun buit van zoetigheden moeten goochelen. Mijn moeder nam ook overgebleven taart mee, wat inhield dat ze een schaal moest stelen. Toen ze was overleden, vonden we een hele stapel niet bij elkaar passende dessertborden in haar dressoir. In plaats van foto's in een plakboek, herinnerde mijn moeder zich mensen door het porselein dat ze van hen stal. Nu en dan hield ze een bord omhoog: 'Kijk, Zia Ola's Pfaltzgraff!'

Ik breng de enorme aardewerken schelp vol gesmolten ijs, waarin de garnalencocktail zat (alleen de rozetten van citroenschil zijn nog over), naar de keuken. Toot heeft rubberhandschoenen aan en staat af te wassen. 'Niet doen,' zeg ik. 'Dat doe ik morgen wel.'

'Het is niet fijn om wakker te worden tussen vuile partyschalen. Ik ben al bijna klaar.'

'Waar is Sal?'

'Ik heb hem weggestuurd om tante Edith en Marlene naar huis te rijden. Marlene heeft zichzelf voor gek gezet bij de showmensen.'

'Wat heeft ze dan gedaan?'

'Haar rok opgetild en hun haar benen laten zien. Ze vertelde over die keer dat oom Noog haar uit de bus naar New York haalde toen ze zeventien was en op auditie voor the Rockettes wilde.'

'Dat meen je niet.'

'Jawel, ze vertelde zelfs hoe hij haar in haar kamer opsloot en de priester ontbood. En dat niemand het vreemd vond toen de priester twaalf uur lang niet uit haar kamer tevoorschijn kwam. Ze hingen aan haar lippen.' Toot trekt de rubberhandschoenen uit. 'Ik ga.'

'Komt Sal je niet halen?'

'Ik zei dat hij beter naar huis kon gaan na zijn shuttledienst. Ik ben trouwens zelf hiernaartoe gereden.'

'Maar…'

'Nog wat kroelen, bedoel je? Weet ik, zie mij nou in mijn strapless jurkje. Zonde van de moeite. Ach, hij was moe. Dus het is beter dat hij niet bij mij komt slapen, want dan lig ik de hele nacht wakker van zijn gesnurk. Ik kreeg ineens een ingeving toen ik de dosering van zijn hogebloeddrukmedicatie voor hem las: misschien moet ik op zoek naar een jongere man. Dit is te zwaar.'

'Naar voor je, Toot.'

'Wanneer kom ik eens op de eerste plaats? Wanneer?'

'In het nieuwe jaar. Daar hopen we op.'

Toot kust me ten afscheid, trekt haar bontstola met een ruk

over haar schouders en gaat via de achterdeur naar buiten. Ik knip de verandaverlichting aan en loop met haar mee tot ze veilig in haar auto zit.

Rufus en Pedro hebben twee van mijn eetkamerstoelen naast het tweezitsbankje in de woonkamer geschoven waar Capri en Christina zitten. Ze lachen en praten onder een wolk sigarettenrook die als een parachutescherm om hen heen hangt. Ik blaas de kaarsen op de eettafel uit (twee kaarsen zijn weg uit de armkandelaar – pastoor Porp heeft kennelijk echt de kelen van de dansers gezegend) en ga bij hen zitten.

'Ik ben uitgehongerd,' beken ik. 'Ik eet nooit op mijn eigen feestjes. Heeft er iemand zin in pannenkoeken bij de Tic-Tock?'

Wat ik altijd het fijnst vind aan mijn festa di Crespi is wanneer het afgelopen is. Ik neem even de tijd om te ontspannen en terug te kijken op al het plezier. Terwijl ik Capri en Christina van hun pannenkoeken zie smullen, besef ik dat ik Capri nog nooit zo gelukkig heb gezien, noch Christina zo vrolijk sinds Charlies dood. Tjonge jonge, wat een paar toffe vrijgezellen uit de grote stad al niet teweegbrengen bij de plaatselijke vrouwtjes. Ben ik dan de man bij wie ze hun hart uitstorten, zodat ik hen nooit eens lekker ondeugend meemaak?

'Waar is Amalia?' vraag ik Christina.

'Ze is met nicht Cathy meegegaan. Haar kinderen vinden het enig als Amalia komt logeren. Mijn dochter zou er alles voor geven om in New York te wonen.'

'Geldt dat niet voor ons allemaal?' zeg ik weemoedig.

'Er is niks mis met jouw woonstede,' zegt Rufus.

'B is slim geweest,' zegt Christina. 'Hij heeft dat huis gekocht toen er nog niemand aan het water woonde. En moet je nu eens zien.'

'Nee, begrijp me niet verkeerd, ik hou van mijn huis. Maar toch steekt het een beetje als ik Eydie in haar Lincoln terug naar

Manhattan zie vertrekken om daar nog eens flink te gaan stappen.'

'Als ik naar New York zou verhuizen, zou mijn moeder het besterven.' Capri steekt een sigaret op en laat haar pakje rondgaan.

'Dan moet je het niet doen,' zegt Pedro plechtig.

'De druk om haar niet van streek te maken won het altijd van mijn verlangen naar persoonlijke vrijheid. Maar dat is nu voorbij. Ik moet verder. Ten minste naar West Long Branch. Ja toch, B?'

'Eén meubelstuk per keer. Tegen 1980 ben je waarschijnlijk helemaal verhuisd.'

'Ik heb jullie pastoor ontmoet,' zegt Rufus glimlachend.

'Wat vond je van hem?'

'Een echte geestelijke,' zegt Rufus schouderophalend.

'Hoe bedoel je dat in vredesnaam?' De manier waarop ik dat vraag maakt iedereen aan het lachen.

'Ik bedoel dat hij zich aan de bedrijfsregels houdt. Hij vroeg me wat mijn rol in de renovatie was. En ik zei dat ik jou nog maar net kende en de kerk nog niet gezien had. Toen keek hij me aan en zei: "Blijf af van de koortribune."'

'Zie je waar ik mee te maken heb? Bekrompen geesten!' Ik hef mijn handen in wanhoop.

'Ik hoopte een kijkje in de kerk te kunnen nemen. Als je ons de weg wijst, kunnen Pedro en ik er vanavond langsgaan en in elk geval de buitenkant zien.'

'Ik heb een sleutel. Kom mee.'

Ik voel me weer een middelbareschooljoch als ik Rufus, Pedro, Christina en Capri stiekem door de zijdeur van onze kerk binnenlaat en hem achter ons afsluit.

Ik knip de lichten aan. Rufus kijkt om zich heen. Pedro loopt over het zijpad en maakt een kniebuiging alvorens achter het altaar om te lopen om het fresco te bekijken. Ik was vergeten dat

Mexico voor negentig procent katholiek is. De vrouwen en ik voegen ons bij hem. 'Wat vind je?' vraag ik Pedro.

'Heel mooi,' zegt hij zacht.

'Het heeft potentie,' zegt Rufus achter ons. 'De hoogte, de zuilengangen en de ribgewelven, allemaal heel mooi.'

'En de muurschildering?' vraag ik wijzend.

'Die is gemaakt door mijn aangetrouwde achteroom, Michael Menecola,' laat Christina Rufus weten.

'Hij heeft alle borden in de stad geschilderd. En bedrijfslogo's op vrachtwagens en zo.' Ik wil Rufus niet de indruk geven dat we Michael Menecola als een Michelangelo beschouwen. Hij was een schilder die andere schilderijen kopieerde, geen echte kunstenaar. Rufus betast de muur. Pedro volgt zijn voorbeeld.

'Het vertelt niet het hele verhaal,' zegt Pedro, terwijl hij een schilfertje verf met zijn vingernagel loskrabt. 'Het verhaal van Fatima is veel uitgebreider dan dit.' Hij wijst naar de heilige Maria die in de lucht zweeft en de drie kinderen die naar haar opkijken.

'Wat is er dan precies gebeurd? Ik weet dat de kinderen visioenen hadden.' Rufus kijkt Pedro vragend aan.

'Kijk, Fatima was in feite een moslimprinses die in Portugal woonde toen dat door haar volk was bezet. Ze is jong gestorven, maar eerst had ze zich tot het katholicisme bekeerd.'

'Dat wist ik niet,' zeg ik. 'Twaalf jaar geïndoctrineerd door de nonnen met nutteloze informatie, en dat hebben ze me nooit verteld. Ga verder.'

'In 1917, tijdens de Eerste Wereldoorlog, waren drie kleine kinderen, Lucia, Francisco en Jacinta, schapen aan het hoeden toen ze in de lucht een verschijning zagen die ze "de vredesengel" noemden. Ze keerden vele malen terug naar die wei, en soms verscheen de engel aan hen. Maanden later zagen ze een verschijning die ze "de Vrouwe van de Rozenkrans" noemden. Ze gaf hun de communie. En zo vertelden de kinderen aan iedereen die ze kenden wie ze hadden gezien en wat ze had gedaan. Het verhaal ging als een lopend vuurtje rond, en op de dag dat Maria had beloofd opnieuw te verschijnen, kwamen duizenden mensen bijeen om haar te zien.'

'En,' vervolgt Christina, 'toen vond het wonder van de zon plaats. De mensen baden, en ineens werd de zon zwart en leek als een tol uit de lucht te draaien. Iedereen begon te gillen, en het begon te regenen. Het grasveld veranderde in een modder-poel volgens de berichten, en ze konden nergens heen. De zon keerde plotseling terug, in al zijn felle glorie, en de Vrouwe van de Rozenkrans verscheen. Alle mensen waren meteen droog, evenals de grond. Niemand kon het geloven. En toen sprak ze tot hen.'

'Ik vind dit ontzettend griezelig,' zegt Capri, terwijl ze de ceintuur van haar jas strakker trekt. 'Vergeet niet, mensen, dat ik half Joods ben. Wij doen niet aan wonderen.' Capri gaat op de pastoorszetel zitten. 'Als jullie enge verhalen gaan vertellen, wil ik een borrel. Blijkbaar staat er hier ergens wijn.'

'De Heilige Maagd had drie geheimen,' vervolgt Pedro.

'Ik waarschuw jullie,' klaagt Capri. 'Ik krijg de bibberaties.'

'Wat waren die?' vraagt Rufus terwijl hij de steunpilaren van het gewelfde plafond bekijkt.

'De Eerste Wereldoorlog zou eindigen, maar als de mensen geen berouw toonden, zou er een nog verschrikkelijker oorlog komen,' zegt Christina.

'Nou, dat is in elk geval waar gebleken,' zeg ik.

'Het tweede geheim was dat gelovigen moesten bidden om Rusland van het communisme af te brengen. En dan is er nog een derde geheim dat in het afgelopen decennium onthuld zou worden, maar de paus besloot te wachten tot het jaar 2000,' beëindigt Pedro met zachte stem het verhaal.

Er gaat een huivering door me heen. Pastoor Porp is altijd zuinig met de verwarming. We kijken zwijgend naar de muurschildering. Het gezicht van de Heilige Maagd, tot wie ik mijn hele leven altijd heb gebeden, lijkt ineens verveeld door het hele tafereel. Ik geloofde altijd dat haar gezicht een kalme intelligentie uitstraalde, maar nu lijkt het alsof ze wil zeggen: ach, schiet toch eens op. We horen voetstappen. We kijken elkaar aan en verstijven.

'Er is hier iemand,' fluistert Christina me toe.

Het geluid komt uit de sacristie. Pastoor Porporino verschijnt in de deuropening. 'Wat is hier gaande?'

'Meneer pastoor! Pff! Ik dacht dat er een geest binnen was.'

'Of dat Onze-Lieve-Vrouwe van Fatima in Jersey verscheen,' zegt Capri droogjes. Pastoor Porp vindt dat niet grappig.

Vanaf mijn plek, het dichtst bij de deur, zie ik een schaduwachtige gestalte de sacristie uit glippen, door de deur die via de hal naar het kerkhof voert. Meneer pastoor merkt niet dat ik iets zag. Hij trekt nonchalant de deur van de sacristie achter zich dicht en komt bij ons staan.

'Ik wilde meneer McSherry en meneer Alarcon de kerk laten zien, nu ze hier zijn.' Ik zeg het met een piepstem, net als toen ik als jongetje na de mis betrapt werd op het maken van beeldjes van kaarsvet.

'O.' Pastoor Porporino maakt een nerveuze indruk.

'Ik heb mijn ontwerp voor de renovatie af en ik wilde wat ideeën voorleggen aan meneer McSherry.'

'Het is een prachtige kerk.' Rufus' compliment lijkt pastoor Porp gunstig te stemmen.

'Dank u,' zegt hij met een glimlach. 'Ik zal u een rondleiding geven.' Capri kijkt me aan alsof ze alles liever wil dan nog een rondleiding, maar ik werp haar een bestraffende blik toe.

'Hebt u enig idee wat het derde geheim van Onze-Lieve-Vrouwe van Fatima was, meneer pastoor?' vraag ik terwijl hij na de rondleiding met ons naar de zijdeur loopt.

'Er gaan veel geruchten, maar niemand weet het zeker.'

'De katholieke Kerk kan geheimen bewaren als geen ander,' mompelt Capri.

We wensen pastoor Porporino goedenacht, en als we buiten staan, giebelen we als een stel pubers dat na schooltijd betrapt is met blikken bier en een *Playboy*. Capri en Christina zeggen welterusten en stappen in mijn auto. Ik loop met Rufus en Pedro naar die van hen.

'En, wat vind je?' vraag ik Rufus, terwijl ik naar de kerk wijs.

'Wat heb je in gedachten?' vraagt hij, en hij steekt een sigaret op.

'Er moet een frisse wind doorheen. Nieuw fresco, gebrandschilderde ramen, grot en grondplan.'

'Laten we een datum afspreken waarop je me je plannen kunt laten zien.'

'Prima. Dus je doet mee?' vraag ik hoopvol.

'Ik doe mee,' zegt hij glimlachend.

Wanneer ze wegrijden, kijk ik onwillekeurig naar de nachtelijke hemel en roep luid: 'Dank u, dank u dank u!' De Bernini van Bay Ridge, Brooklyn, maakt deel uit van ons team, dus nu zijn de mogelijkheden eindeloos.

De laatste wijze raad die mijn professor Maeve Schlondorf me meegaf voor ik afstudeerde aan Parsons was: 'Geef nooit, maar dan ook nooit iets gratis. Geen advies, geen sierkussen, geen asbak. Niets! We moeten het publiek leren om binnenhuisarchitecten in te huren.' Ik had haar advies ter harte moeten nemen. In plaats daarvan rij ik nu naar Manasquan om gratis een wandversiering voor Toots kamergenote uit haar studententijd, Booboo Miglio (een van die gezellige meisjes met enkelsokjes van het St. Elizabeth's College voor meisjes, Convent Station, New Jersey, klas van 1940), aan te brengen.

Ik parkeer voor haar victoriaanse huis in Hammer Avenue (victoriaanse huizen hebben gewoonlijk geen oprit of garage, wat meteen de eerste reden is om er niet in te wonen). Booboo's tuin staat vol kerstrommel, levensgrote plastic koorknapen en enorme snoepstengels die als gestreepte staken in de grond zijn ge-plant. Op het dak zijn de kerstman en zijn slee met rendieren in de goot verankerd. Kerstmis in Manasquan is altijd vol versierse-len. Ik haal de wandversiering uit mijn achterbak, met een pot behangsellijm en mijn gereedschap. Booboo begroet me op de veranda.

'Bartolomeo, scháttebout!' Booboo is nog altijd een meisje, ondanks vijf kinderen kort na elkaar en een echtgenoot die drinkt. Ze heeft de vlotte, brede glimlach en het slanke gespierde lichaam uit haar jeugd behouden. Ze is een schat van een brunet-te met een hoofd vol krullen en sprankelende bruine ogen, en houdt van mooie dingen, maar kan zich die niet veroorloven, wat me raakt. Mensen die van mooie dingen houden, horen die ook te hebben. Booboo houdt de deur open en ik wurm me naar bin-nen.

'Vrolijk kerstfeest! Doe die hordeur toch weg,' zeg ik berispend. 'Het is winter.'

'Weet ik. Maar tegen de tijd dat ik eindelijk zover ben, is het al-weer lente, dus laat ik hem maar zitten.'

'Onthou wat Aristoteles zei: "Goede stijl moet helder zijn, moet gepast zijn." 's Winters een hordeur in huis is als 's zomers een slee in het zwembad.'

Op mijn aanwijzingen heeft Booboo haar huis in zachtgeel en wit ingericht. Het meubilair is bekleed met een stevige, ruwka-toenen ruit – simpel, schoon en vrolijk. Met een troep kinderen in huis moet alles afwasbaar zijn, daarom heeft ze over de muur-verf een doorzichtige lak aangebracht, zodat ze de muren kan schrobben, net als de hond van het gezin.

Booboo heeft de muur in haar woonkamer vrijgemaakt en geprepareerd zoals ik had gevraagd, dus hoef ik alleen maar de wandversiering op te hangen. Ik smeer de behangsellijm over een kwart van de muur. Ze helpt me het eerste van vier delen uit te rollen en het op de lijm aan te brengen. 'Dit wordt fantastisch!' gilt ze enthousiast, en ze klapt in haar handen. 'Weet je, ik heb behoefte aan iets van Italië in mijn leven. Een Venetiaans carnaval. Een strandvakantie. Een beetje Rome, een beetje rococo.'

'Wat je krijgt, is de haven van Portofino.' Ze hoeft niet te weten dat ze een toonzaaluitverkoop hielden bij D&D en ik het voor een schijntje op de kop heb getikt.

'Ik ben nu al verkocht. Ik krijg een bestemming op mijn muur, en ik hoef er niet eens echt naartoe.'

'Daar gaat het om.' Ik stap achteruit nadat ik het eerste stuk heb gladgestreken, en zie een paar boten deinen in helderblauw water aan de voet van de rotsen aan de glinsterende Middellandse Zee.

'Het hele huis zal er vrolijk van worden,' zegt Booboo. 'Wist je trouwens dat je zus met haar ex-man slaapt?'

'Wát?'

'Toot doet het met Lonnie. Ze hebben elkaar de dinsdag na je feest ontmoet. Hij was wild geworden van dat strapless jurkje dat ze aanhad. Dus hebben ze een afspraak gemaakt. Ze gingen naar Voltaco's in Ocean City om *hoagies* te eten en toen hebben ze een hotelkamer genomen.'

'Dat wil ik niet weten.'

'Iemand moet met haar praten. Naar jou luistert ze wel.'

'Ik ben haar broer. Ik wil niets van al dat gedoe weten. Bovendien heeft ze verkering met Sal Concarni.'

'Die is impotent.'

'Lieve god. Heeft ze je dat verteld?'

'Je zus kreeg genoeg van Sals smoesjes, allemaal om niet te... je weet wel. Bovendien weigert hij naar de dokter te gaan. Wat denken mannen eigenlijk? Dat alles vanzelf overgaat? Dat hun pieterman altijd gaat staan zonder medische hulp? Hoe dan ook, Toot heeft haar behoeftes en Sal deed er niets mee. Hij zei altijd dat hij moe was. En hij drinkt.' Booboo gebaart naar de keuken.

'Is je man thuis?'

'Nee, hij is aan het werk. Ik wijs alleen maar naar de keuken omdat het bier daar staat.'

'O.'

'Als een man drinkt, tast de drank op een gegeven moment de werking van zijn apparaat aan.' Booboo maakt een weids gebaar in de richting van haar dijen.

'Ik snap 'm.'

'Ik heb hetzelfde probleem hier, maar het verschil is dat ik geen seks met mijn man wil. Als het mijn hele leven nooit meer gebeurt, vind ik het uitstekend.'

'Booboo, echt, dat gaat mij niets aan.'

'Ik zweer het je, als een man, laten we zeggen, tegen de zevenenvijftig loopt, mijn Vinnie is achtenvijftig, dan houdt het op.'

'Ik wil dit niet horen.'

'Het is moeilijk voor mannen. Weet je, het hele zaakje zit aan de buitenkant, en het moet werken om effectief te zijn. Vrouwen kunnen doen alsof ze ervan genieten, of er echt van genieten of helemaal niet, de partner weet van niets. Maar een man moet presteren. Dat moet een hele last zijn. Het is vast niet makkelijk.'

'Nee, inderdaad.'

'Het heeft ook met leeftijd te maken. Ik bedoel, in een volmaakte wereld zou ik het liefst een jongere man willen. Ik had er niet op gerekend hier met opa te eindigen. Maar wat kun je doen als vrouw?'

Ik begin claustrofobisch te worden, daarom breng ik het onderste deel van de muurschildering, waarop een stel in een roeiboot elkaar voorleest, zo snel mogelijk aan.

'O, kijk, jonge liefde.' Booboo zucht. 'Weet je wat ik altijd tegen mijn kinderen zeg?'

'Nou?' Eerlijk gezegd vrees ik het ergste.

'Vrij als je jong bent, als je nog strak en soepel bent en er zin in hebt. Want op een dag laat het je in de steek, net zoals het kwam, in een oogwenk.' Ze knipt met haar vingers.

Ik kijk haar recht aan. 'Is er eigenlijk íéts blijven hangen van wat de nonnen in Convent Station jullie meiden hebben ingeprent? Mijn zus is aan de boemel in louche hotelletjes met een man van wie ze vol wederzijdse verbittering is gescheiden. En jij adviseert je kinderen om zich aan te melden bij het kamp voor vrije liefde. Vertel me eens, is dat wat de heilige Roomse Kerk in de zin had toen die ons haar dogma inprentte? Wat is er in vredesnaam gaande?'

'Het leven.'

Ik presenteer mijn uiteindelijke plannen voor de kerkrenovatie op 13 december tijdens de laatste parochieraadsvergadering van het jaar, in aanwezigheid van Rufus en Pedro. Pastoor Porporino is heel nieuwsgierig, net als de parochieraad, waarvan de leden me stuk voor stuk thuis hebben gebeld. We komen samen in het souterrain van de kerk, omgeven door ontrolde vlaggen van de Knights of Columbus, die aan vlaggenstokken in het rond staan, als een United Nations Plaza, maar dan binnenshuis.

Ik heb veel steun aan Rufus en Pedro. Ze zijn hierheen gereden om iedereen te ontmoeten en mijn ideeën te horen. De raadsleden zitten aan een lange bingotafel met hun aantekeningen voor hun neus. Rufus en Pedro zitten met mij aan het hoofd van de tafel. Ik heb voor verse donuts en een kan koffie gezorgd, en Zetta heeft een schaal toffees gemaakt, die ze rond laat gaan.

De gehele leiding van onze kerk is aanwezig. Zuster Mary Michael, hoofd van onze katholieke basisschool; Zetta Montagna, voorzitter van de vrouwencongregatie; Aurelia Mandelbaum, voorzitter van het comité van traject en kapitaal; Zeke Nero, tuinen en fonteinen; Tulio Savastanno, kerkhofonderhoud; pastoor Porp, r.-k.business. En onlangs verkozen tot vierjarige periodes in de parochieraad: Artie Rego, Gus Lascola, Finola Franco en Palmie Barrone. Christina maakt aantekeningen. Kwieke Marie Cascario, toehorend secretaresse, notuleert.

Pastoor Porp opent de vergadering en geeft mij het woord.

'Dank u, meneer pastoor. Mijn hele leven droom ik er al van om onze kerk te renoveren. Ik zal er geen doekjes om winden: het is hoog tijd. Afgezien van esthetiek gaat het ook om structurele punten. Onze ingenieur, Norman Thresher, heeft het gebouw geïnspecteerd.' Ik geef Christina een stapel stencils, en ze staat op om ze uit te delen. 'De fundering moet hersteld worden, de muren moeten opnieuw gevoegd worden en het dak is niet helemaal in orde.'

'Niet zo snel, B, ik krijg schrijfkramp,' sputtert Marie tegen.

'Je moet niet zo hard op je pen drukken,' adviseert zuster Mary Michael, die iedereen onder de vijftig in OLOF heeft leren schrijven.

Ik heb werkelijk nooit kunnen begrijpen waarom de traagste vrouw in de parochie nou juist moet notuleren. Ik vervolg mijn betoog, langzaam maar duidelijk, zodat de arme Marie het kan bijhouden. 'En dan, als het gebouw eenmaal in orde is, beginnen we met de renovatie. Mijn plannen gaan naar de architect Severino Carosso, die ze voor de ingenieur zal bewerken. We zullen de kerk minstens tot de komende zomer moeten sluiten.'

'Waar kunnen we dan naar de mis?' vraagt Finola.

'In de sportzaal van de middelbare school,' antwoordt pastoor Porp.

'Daar kun je bijna niets verstaan,' werpt Finola tegen. 'Dan kun je net zo goed de mis op de snelweg houden.'

'Wat is het budget voor dit project?' vraagt Palmie terwijl hij een halve pot suiker in zijn zwarte koffie stort. Hij is nota bene diabetespatiënt.

'Aurelia Mandelbaum is zo royaal geweest om de renovatie te financieren. Op pagina 3 van het rapport staat het werkbudget beschreven. Neem er alsjeblieft nota van dat er geen cent van de kerkfondsen zal worden gebruikt. Afgezien daarvan heb ik het niet graag over geld.'

'Ik ook niet,' valt Aurelia me bij. 'Dat haalt de lol van het geven af, zei mijn Sy altijd.'

'Hoe gaat de kerk eruitzien, als je ermee klaar bent?' vraagt Tulio.

'Majestueus en inspirerend. Op pagina 8 tot en met 12 van het rapport staan enkele van mijn schetsen. Die zijn niet onaanvechtbaar. Ik zal eerst nog met Rufus McSherry overleggen voor we definitieve beslissingen nemen.' Ik snoer Tulio de mond, want hij is een chagrijn die nooit iets positiefs weet te zeggen over welk project dan ook. Hij wachtte zo lang met het nemen van een besluit om de goten van het kerkplein te laten repareren, dat we op eerste paasdag 1969 een overstroming hadden, waardoor de halve goegemeente de mis ter ere van de wederopstanding niet kon bijwonen vanwege het stromende water. Dan kom ik ter zake. 'Ik wil graag Rufus McSherry aan jullie voorstellen, de kunstenaar die het ontwerp zal verwezenlijken, het fresco zal schilderen, en, met behulp van Pedro Alarcon, zijn getalenteerde assistent, de gebrandschilderde ramen zal restaureren.' Rufus en Pedro staan op bij het rondje applaus, en gaan dan weer zitten. 'Zijn er vragen?'

'We moeten St.-Catharina in Spring Lake overtreffen,' zegt Finola, terwijl ze een felroze nagelvijl uit haar tas haalt en haar duimnagel begint te vijlen. 'Dat is een replica van Santa Maria del Popolo in Vaticaanstad.' Ze wijst met haar vijl naar mij. 'Drie nichten van me zijn daar getrouwd. Ik geloof niet dat we die kerk qua majestueuze grandeur kunnen overtreffen, als je snapt wat ik bedoel.'

'Ik denk van wel. Kijk eens naar mijn tekeningen,' zeg ik zonder omwegen. 'We willen Spring Lake niet overtreffen, mensen. We willen dat onze kerk zijn eigen identiteit krijgt en een afspiegeling is van de gelovigen van ónze gemeenschap.'

Gus Lacola zegt: 'Ja, oké, maar pas op. Ga niet overhaast te werk met alles veranderen. Wij belijden ons geloof in deze kerk, en we willen niet een of ander nieuwerwets geval zoals in Lambertville, waar de mensen op de grond zitten en meezingen met een hippie met een gitaar, en waar ze heupdansen tijdens de offerande, en de priester vaak niet eens een boordje draagt. Ik wil geen lieden in maillot de flikflak zien doen als ik de sacramenten ontvang. We willen houden waar we aan gewend zijn. Oud en vertrouwd katholicisme. Wierook en klokgebeier. Net zoals in Rome.'

'Aurelia?' Ik werp een vragende blik om steun naar onze weldoenster.

'Ik heb alle vertrouwen in Bartolomeo,' zegt ze eenvoudig.

Ik doe mijn best niet nors te klinken als ik me tot de sceptici van de raad richt. 'Gus, ik zal open kaart met je spelen. Vergeet Rome. De paus ligt echt niet wakker van Our Lady of Fatima. Aurelia financiert deze renovatie. Het diocees van Trenton kan het allemaal nog minder schelen; zij hebben ons gezegd dat we het financieel zelf maar moeten uitzoeken, want onze congregatie heeft altijd op eigen kracht gedreven.'

'De goede mensen die zich uitsloven worden altijd gestraft,' zegt Marie als een kip zonder kop terwijl ze haar pen neerlegt en haar middelvinger masseert.

Ik negeer haar. 'Bijvoorbeeld,' vervolg ik, 'we hebben onze eigen scholen gebouwd en we pompen er geld in. En gelukkig hebben we de zusters die zo goed zijn om gratis onderwijs te geven.' Zuster Mary Michael knikt en glimlacht en verplaatst het grote kruis aan haar halsketting naar het midden van haar habijt en klopt erop.

'Meneer pastoor?' Ik wil dat hij me steunt.

'Jij bent de expert.' Hij haalt zijn schouders op. Ik werp hem een blik toe die zegt: bedankt voor de steun, padre.

Aurelia steekt haar hand op. 'Ik heb het geld voor deze renovatie gedoneerd omdat de pastoor erom vroeg, en wanneer het voltallige koor op de koortribune staat, zijn we bang dat we door de vloer zakken en vertrapt worden in de paniek. De kerk moet zo snel mogelijk gerepareerd worden. Ik weet zeker dat Bartolomeo een zeer stijlvol heiligdom zal opleveren.'

'Dank je, Aurelia.'

'Ik vraag alleen één tegenprestatie: een kamer waar de kleintjes kunnen huilen en lawaai maken. Ik word gek van het gejengel tijdens de mis. Ouders hebben hun kinderen tegenwoordig totaal niet meer in bedwang.'

De raad knikt eensgezind en keurt Aurelia's voorstel unaniem goed.

Als ik de trap van het souterrain naar het schip van de kerk op loop, hoor ik Rufus met Pedro praten. Ze zitten op de trap voor het hoofdaltaar, omgeven door blauwdrukken van de kerkstructuur. Het interieur is helemaal leeggehaald; de beelden, kerkbanken en het altaar zijn opgeslagen. Er zijn donkere plekken op de muren waar de kruiswegstaties hingen. Ik huppel bijna door het middenpad naar hen toe. 'Sorry dat het zo lang duurde, mannen. Ik moest nog wat ego's masseren.'

Rufus bestudeert mijn schetsen. 'Dus dit moet het worden?'

'Dat is het, ja.'

'Er zit beslist iets in.'

'Iets?' Ik hoop dat ik niet beledigd klink.

'Het is een begin.' Hij houdt zijn ogen op de schetsen gericht.

'Ik hoopte dat je zou zeggen dat het nieuw en bijzonder was en dat je mijn schetsen verrassend vond.'

'Nou, ze zijn niets van dat alles,' zegt hij zonder omhaal.

Ik voel de zenuwen op mijn maag slaan. 'Hoe bedoel je?'

'Dit is een standaardopknapbeurt van hoe het was. Een gewone kerk, een van de vele. Met een paar nieuwe elementen, zoals de bidplaats voor Maria, maar afgezien daarvan is het bepaald saai.'

'Wat is je advies dan?' Mijn stem breekt.

'We hebben een blikvanger nodig. Iets bijzonders. Iets wat de Fatimakerk van de rest onderscheidt.'

'Oké.' Ik ben al mijn hele leven mijn eigen baas, dus ik ben gewend aan kritiek. Maar zijn geringschattende houding kwetst me. Per slot van rekening ben ik al maanden met deze renovatie bezig. Beseft hij dat niet?

Rufus strooit mijn schetsen over de grond als pagina's van een oude krant. 'Wat hebben we te verliezen? We hebben de poen en de pastoor in onze zak. Hij stemt met alles in, dus waarom begin je niet met íéts? Laten we eens ruim denken.' Hij staat op en kijkt om zich heen. 'Je wilt het plafond optillen met dakramen, maar waarvoor?'

'Licht!' Mijn stem weerkaatst in de grote leegte.

'Het zou licht moeten werpen op meer dan een traditioneel altaar. Ik wil een voorstel doen.'

'Laat horen.'

'Een waterval.'

'Waar?'

'Achter het altaar. Zie je, daar is een muur van vijftien meter hoog. Laten we die gebruiken. We maken van de hele muur een mozaïek van inheemse steensoorten. En dan laten we water langs de muur stromen, zodanig dat het eruitziet als glas. Je zou een bassin kunnen neerzetten, een trog in feite, die het water recyclet, maar die ook gebruikt kan worden om baby's te dopen. Water is het basiselement van je religie. Het is ook het basiselement van het leven. Je begrijpt me vast wel.'

'Ik dacht zelf aan water voor de grot.' Ik wijs naar de bidplaats voor Maria.

'Waarom zou je je blikvanger in een hoek plaatsen? Breng hem naar voren, als middelpunt,' zegt Rufus ongeduldig.

'Ik wil een fresco en ik wil gebrandschilderde ramen.'

'Die krijg je ook. Maar eerst moet je ons op papier laten zien hoe je droom er precies uitziet. Ik zie hier niets wat werkelijk met kop en schouders boven het voorspelbare en alledaagse uitsteekt, B. Ik geloof niet dat je hier al uit bent. Denk na over het wonder in Fatima. Dat verhaal heeft echte aanwijzingen die je zouden kunnen helpen deze kerk op zeer originele wijze opnieuw vorm te geven.'

'Ik wil geen muur waar water overheen stroomt,' zeg ik nukkig.

'Mij best.' Rufus haalt zijn schouders op. 'Waarom niet?'

'Omdat ik... ik vind het gewoon niks.'

'Je zei tijdens de vergadering tegen de mensen dat je geen behoefte had aan hun inbreng. Nu begrijp ik waarom. Je wilt geen nieuwe ideeën horen. Je overweegt ze niet eens. Je voelt je erdoor bedreigd.'

'Niet waar!' Ik lijk wel een kind, maar het kan me niet schelen. Dit is míjn kerk. Niemand gaat mij vertellen hoe ik mijn werk moet doen!

'Oké.' Rufus vist in zijn zakken naar zijn sigaretten.

'Kun jij goed omgaan met andermans instructies?' vraag ik venijnig.

Rufus leunt tegen het altaar, steekt de sigaret in zijn mond, maar steekt hem niet aan. 'Niet echt.'

'Dan hebben we een probleem.'

Rufus legt zijn handen op het altaar. 'Kijk, het zit zo: ik heb veel ideeën. Sommige gaan nogal ver en andere zijn vrij traditioneel. Ik heb niet altijd gelijk, maar ik denk dat ik je zover kan krijgen dat je wat risico's durft te nemen. Je hebt hier een wereldbeeld nodig. Jouw ontwerp is afgezaagd. Ik heb veel kerken gerenoveerd, en ik vind niet dat je steeds hetzelfde moet doen. Jij hebt het geld en de tijd en de steun van de pastoor. Daar zou je echt je voordeel mee moeten doen.'

'Dakramen en stof en een behandeling voor de marmeren vloer en een nieuw altaar en een nieuw fresco en ramen, dat is nodig, hier,' zeg ik gedecideerd.

'Waarom?'

'Omdat het een huis van God is en aan bepaalde voorwaarden moet voldoen.'

'Waarom?'

'Zo is het al sinds Jeruzalem gedaan.'

'Ik dacht dat deze klus erom ging regels aan je laars te lappen en het wiel opnieuw uit te vinden. De mensen in deze stad kunnen dat goed gebruiken. Ze moeten wakker worden geschud. Als die parochieraad een indicatie is, zijn ze totaal niet enthousiast.'

'We willen een kerk die er als een kerk uitziet,' antwoord ik. 'Het moet een gebedshuis zijn. Kijk.' Ik raap mijn schetsen op. 'Het schip, de doopvont, het altaar, de bidplaats voor Maria, het is er allemaal. Ik ben naar Italië geweest en heb daar een kerk gevonden die de bron van inspiratie voor mijn ontwerp is geworden. Ik heb vakmensen nodig die verstand hebben van geschiedenis en de expertise hebben om deze kerk te renoveren.'

'Nee, het klinkt alsof je op zoek bent naar een paar voetsoldaten die jouw bevelen opvolgen. Dat doen wij niet.'

'Wat doen jullie dan?' vraag ik ongeduldig.

Rufus haalt diep adem. 'Wij vinden de magie.' Hij kijkt naar Pedro. Die knikt.

'Dat is allemaal goed en wel, maar ik heb vakmensen nodig om mijn ontwerp uit te voeren. Je moet weten dat ik al mijn hele leven in deze kerk kom en ontelbare keren heb gefantaseerd hoe hij eruit zou kunnen zien. Ik weet waar ik het over heb.'

'Dat zeg je steeds tegen iedereen. Maar ik zie jouw verbeelding niet sprankelen B.'

'Het spijt me dat je er zo over denkt.'

'Je hoeft nergens spijt over te hebben. Ik heb een ander idee over wat voor soort huis God mooi zou vinden. Maar jij bent een man van het compromis. Jij wil iets leveren waar iedereen zich bij op zijn gemak voelt. Kijk eens naar je tekeningen. Met uitzondering van een paar nieuwe ramen en wat kleur, is het precies hetzelfde als het was. De mensen zullen het wel best vinden, maar je kunt mensen alles verkopen.'

'Wat bedoel je daar precies mee? Dat we een kudde schapen zijn? Je hebt Gus Lascola gehoord; hij wil helemaal niets nieuws.'

Rufus haalt zijn schouders op. 'Waarom zou je naar hem luisteren? Is hij kunstenaar?'

'Nee, maar...'

'B, waarom vertrouw je niet op je eigen innerlijke stem? Je laat die mensen voor jou uitmaken hoe je moet denken. Je dooft je creatieve vonk nog vóór hij heeft kunnen vlammen.'

'Dat vat ik op als een belediging.' Ik hoor hoe ik zeur, en haal diep adem. 'Ik hou mijn creatieve vonk wel degelijk in ere.'

'Nee, niet waar. Je speelt op safe. Je zegt dat je wilt vliegen, maar je valt terug op het oude bekende. Je hebt waarschijnlijk een briljant concept in je, maar het wordt volledig ondergesneeuwd door regels, dogma's en het verleden. Er bestaat geen goed of fout in de kunst. En als het op kerken aankomt, gaat het om het uitdrukken van een spirituele hunkering. Jij hoort het niet, man.'

'Ik ben totaal verbijsterd!' zeg ik met een donderstem.

'Goed zo! Dat is het eerste beetje lef wat je laat zien,' zegt Rufus zonder een spier te vertrekken. 'Je zit vast. Vast in de modder van middelmatigheid.' Hij kijkt naar Pedro, en dan weer naar mij. 'Jij wilt niet echt wat wij doen.'

'Als je er zo over denkt...' zeg ik met stemverheffing.

'Zo is het,' antwoordt Rufus.

Zonder afscheid te nemen lopen Rufus en Pedro door het middenpad en via de voordeur de kerk uit. Ik roep hen bijna terug als ik denk aan de prachtige wolken die Rufus schilderde, Pedro's glinsterende brokken gebrandschilderd glas, en wat voor bijzonder gezelschap ze op mijn feest waren. Maar mijn trots weerhoudt me ervan achter hen aan te rennen. Deze opdracht betekent te veel voor me. Hoe durft Rufus McSherry tegen me te zeggen dat ik niet de magie bezit om iets totaal nieuws te maken van de Fatimakerk? Hoe durft hij een oordeel te vellen over mijn talent en visie! Dan hoor ik zijn vrachtwagen wegrijden, en de wens om hem tegen te houden komt niet meer bij me op.

8

Mevrouw Mandelbaum heeft spijt

De hele eerste kerstdag valt er een ijzige regen. Mijn rode boom twinkelt en fonkelt als een grote robijnen ring aan de vinger van een oude dame, maar zelfs dat kan me niet opvrolijken. Ik heb het kerstdiner afgezegd. Ondine bood aan om eend te bereiden in Freehold, en Toot gaat erheen met de jongens. Ik ben nog nooit alleen geweest met Kerstmis, en hoewel het pijnlijk is, heb ik er behoefte aan om te zwelgen in mijn ellende. Ik ben gekwetst door Rufus' aanval, en ik weet niet hoe lang het zal duren voor ik daaroverheen zal zijn.

Ik stapel mijn lp's op de stereo, voorzichtig, om er geen krassen op te maken. Ik heb al de Firestone-kerstalbums, van Bing Crosby tot de Ray Coniff Singers. Ik zet de muziek af als ik de viool-prelude van 'Angels we have heard on high' hoor. Ik schop mijn instappers uit, ga op de bank liggen en kijk naar de boom, die me meezuigt met al dat rood.

De deurbel gaat, de zoveelste ergernis; tenslotte ben ik diep aan het wegzinken in mijn depressie, als een olijf in olie, maar toch spring ik vol verwachting overeind en doe open.

'Zalig Kerstmis!' zeggen Amalia en Christina tegelijk.

'We hoorden dat je thuis was.' Christina trekt haar handschoenen uit, terwijl Amalia uit haar laarzen stapt. 'Kookt Ondine zo slecht?'

'Die baby zal uitgehongerd raken, meer zeg ik niet.'

'Het kind kan elk moment komen, weet je. Maak alsjeblieft een drankje voor me.' Christina vlijt zich op de bank.

'Waarom ben je niet bij de Menecola's?'

'We zijn kerstavond al bij hen geweest. De avond van de zeven vissen en de zeventien ruzies.'

'Ze maken veel ruzie, oom B,' zegt Amalia.

'Ach, dat hoort gewoon bij een kerstvakantie. Herinner je je onze achternicht Renata nog?'

'De dochter van Iggy met astma?'

'Precies. Zij kwam altijd met kerst, er konden tweeëndertig mensen in het souterrain van ma's huis zitten. Binnen achtenveertig uur nadat ze gearriveerd was, stortte Renata volledig in en kreeg driftbuien omdat god weet wie god weet wat tegen haar gezegd had. Dan pakte ze haar koffer en stormde midden onder het eten woedend het huis uit. Vervolgens stond ze in tranen op Route 35 en probeerde ze een taxi aan te houden om haar naar Newark Airport te brengen.'

'Ze was een beetje gestoord,' stemt Christina in.

'Ze wilde nooit afwassen,' zeg ik. 'We stonden allemaal op, gingen achter haar aan, smeekten haar om vergeving, en dan kwam ze terug voor het dessert.'

'Nou, ze heeft dit jaar voor het gebruikelijke drama bij de Menecola's gezorgd. Ze vertrok tijdens de baccalà. Iggy organiseerde een zoektocht en bracht haar terug voor de tiramisu.'

'Geweldig. Ik ben blij dat háár kerst goed is verlopen.'

'Hoe is het met jou?' Christina legt haar voeten op het voetenbankje en kijkt me aan.

'Het gaat redelijk met me als je bedenkt dat ik persoonlijk ben aangevallen, dat mijn professionaliteit in twijfel is getrokken, mijn integriteit is aangetast en mijn visie getrivialiseerd is. Maar verder gaat het uitstekend.'

'Wat ben je van plan?'

'Ik heb met wat mensen gesproken. Ze noemen zich ambachts-lieden, maar in feite zijn het gewoon aannemers die stapelmuren voor kerken bouwen. De bisschop heeft een lijst. Ik was niet erg onder de indruk. Ik heb Eydie gebeld voor ze naar Frankrijk ver-trok – ze viert Kerstmis elk jaar in Parijs – en ze was heel meele-vend. Ze zei dat Rufus een genie is. Het probleem met genieën is echter dat ze vaak temperamentvol zijn.'

'Wat hij zei had daar niets mee te maken. Hij vond je ideeën ge-woon niks.'

'Net wat ik horen wilde.'

'Ga nou niet meteen in de verdediging. Hij vond dat je meer in je mars hebt.'

'Heeft hij dat tegen je gezegd?'

'Nee. Jijzelf.'

'Nou, dat was anders heel kwetsend!' Ik hoor hoe kinderachtig ik klink.

'Hij bedoelde het niet gemeen. Hij was alleen maar eerlijk. En niemand in OLOF is ooit eerlijk, dus als de waarheid eens gezegd wordt, steekt het.'

'Mijn god, Christina, was het je bedoeling om hier op eerste kerstdag te komen om alles nog een graadje erger te maken? Je weet hoe ik alles van mezelf heb gegeven in dat ontwerp. Ik heb niets meer in me. Aan wiens kant sta je eigenlijk?'

'Ik sta aan de kant van mensen die zeggen wat ze bedoelen. Ik weet niets van wat jij doet. Ik werk wel voor je, maar gewoonlijk vind ik het alleen maar prachtig hoe je op je ideeën komt, en het grote geheel begrijp ik niet. Ik weet wat ik mooi vind, maar ik zou niet weten hoe ik dat vorm zou moeten geven. Jij bent de kunste-naar. Dat is jouw vak.'

'Dat zou je anders niet denken als je met Rufus praat. Hij wil-de niets van mijn ontwerpen weten.'

'Volgens mij wilde hij je een zet geven om je ware talent te la-ten zien, en je niet omlaaghalen.'

'Dat is waarschijnlijk zíjn versie,' zeg ik bits.

'Je hebt maanden gewacht om hem hier te krijgen. Waarom pak je de telefoon niet? Geef hem een belletje.'

'En wat moet ik dan zeggen? "Je hebt gelijk, Rufus. Ik ben niks waard?"'

'Spreek iets af. Spreek het door.'

Amalia komt uit de keuken met een bord waarop ze kerstkoekjes heeft gelegd. 'Mag ik warme chocolademelk maken?'

'Nee!' roepen Christina en ik tegelijk.

'Waarom niet?'

'Omdat ik de beste warme chocolademelk van New Jersey maak,' antwoord ik, vriendelijk deze keer.

'Maak jij hem dan.' Amalia slaat haar ogen ten hemel. 'Ik hoop dat jullie beseffen dat jullie net tegen me schreeuwden, met Kerstmis. Dat wil ik niet graag als herinnering overhouden.'

'Kom met me mee,' zeg ik.

BARTOLOMEO'S WARME CHOCOLADEMELK

voor 4 bekers

½ kop cacao
1 eetlepel bloem
½ kop donkerbruine basterdsuiker
2 eetlepels glaceersuiker
1½ theelepel vanille-extract
1½ theelepel kokosessence
4 koppen volle melk
verse slagroom
1 kop volle room
¼ kop glaceersuiker
1 theelepel vanille-extract
4 kaneelstokjes

Meng cacao, bloem, bruine suiker, glaceersuiker, vanille-extract, kokosessence en melk in een steelpan. Verhit op een lage vlam tot alle droge ingrediënten zijn opgelost. Meng het geheel met een garde tot het dampt. Klop in een kom de volle room, glaceersuiker en vanille-extract tot een stijf mengsel. Giet de chocolademelk in 4 bekers en versier met een klodder slagroom.
Gebruik 1 kaneelstokje per beker om te roeren.

Amalia en Christina zitten aan de keukentafel terwijl ik de dampend hete chocolademelk in grote witte aardewerken bekers giet. Ik schep er een lading slagroom op en doe in mijn en Christina's beker ook nog een bourbonbal.

BOOBOO MIGLIO'S BOURBONBALLEN

voor 45 stuks

1 kop fijngehakte walnoten
1 kop glaceersuiker
2 eetlepels cacao
1 kop fijngestampte vanillewafels
1½ eetlepel maissiroop
¼ kop bourbon
glaceersuiker om te bestuiven

Meng in een kom de walnoten, glaceersuiker, cacao en vanillewafelkruimels. Voeg de maissiroop en bourbon toe en kneed tot een deegachtige substantie. Maak er 45 kleine bolletjes van met een parisiennelepel. Haal de bolletjes door de glaceersuiker. Bewaar tot het opdienen in luchtdichte verpakking in de koelkast.

'Ach, kom op,' zegt Amalia smekend. 'Ik word dertien in januari. Geef mij ook zo'n bourbonbal.' Ik kijk naar Christina, die toegeeflijk knikt. Het is tenslotte Kerstmis, en ik ken maar heel weinig doorgewinterde alcoholisten die het verkeerde pad op gingen omdat ze tijdens de kerst een bourbonbal opsnoepten. Ik laat er een in Amalia's beker glijden.

'Bedankt, oom B,' zegt ze glimlachend.

'Zalig Kerstmis,' zeg ik.

'Ik wil je eerlijke mening,' zeg ik tegen Two. 'Kijk naar deze tekeningen en zeg me of je ze… goed vindt.' Ik heb de kerstdagen gezwoegd op een nieuwe reeks schetsen voor de kerk.

Two bladert voorzichtig door mijn spiraalschetsboek, en stopt hier en daar om details te bestuderen. Uiteindelijk, na enkele minuten en een tochtje naar de keuken om koffie in te schenken, keer ik terug in mijn studeerkamer om zijn oordeel te horen. 'Niemand heeft een beter oog voor kleur en symmetrie dan u.'

'Dank je. Dus je vindt ze goed?'

'De kerk is in 1899 gebouwd. Dit is de eerste renovatie. Natuurlijk wordt er jaarlijks onderhoud gepleegd. Bijschilderen, dakvernieuwing, dat soort zaken. Dus is het onwaarschijnlijk dat er binnen de komende honderd jaar nog een renovatie zal plaatsvinden.'

'Ja, ja, klopt,' zeg ik ongeduldig.

'Dat zeg ik omdat ik u wil vragen hoe u zich de kerk over honderd jaar voorstelt.'

Two's woorden galmen in mijn oren, en plotseling transformeert hij van mijn favoriete neef in de reus Rufus McSherry. Beiden hebben nu mijn ontwerpen bekritiseerd.

'Oom, u bent bezig een gebedshuis te ontwerpen,' zegt Two zacht. 'Wat zou iemand moeten voelen als hij zo'n plek binnengaat? Dat is mijn enige vraag.'

Ik ijsbeer door de studeerkamer, dan pak ik mijn jas, hoed en handschoenen en loop naar de voordeur.

'Sorry!' roept Two me na.

'Ik kom zo terug,' snauw ik zonder om te kijken.

Ik sla de deur achter me dicht en loop door de tuin naar het strand. Mijn voetstappen knerpen in het zand, dat hier en daar bedekt is met ijs en rijp, terwijl ik kwaad naar de waterrand loop. In de winter is de zee een eindeloze grauwe gloed, een diepe bron van verdriet en wanhoop. Vandaag is er geen zon te bekennen, op deze kille laatste dag van het jaar 1970. Wat begon dit jaar veelbelovend, en wat is het misselijkmakend dat het zo zuur eindigt.

Ik ben niet graag zo, maar ik geloof dat een kunstenaar zijn visie moet beschermen. Alleen, God verhoede het, stel dat de criticasters gelijk hebben? Hoeveel meer mensen gaan me vertellen dat ik niet aan de verwachtingen heb voldaan? Misschien ben ik wel gewoon een kleinsteedse binnenhuisarchitect met oogkleppen op, die denkt dat hij de wijsheid in pacht heeft. Maar ik hou van mijn werk, en als ik aan mijn talent twijfelde, zou ik me terugtrekken en het werk aan een ander overlaten. Niemand werkt zo graag met verf, stof en papier als ik. Op de een of andere manier kan ik echter met de kerk niet uit de voeten. Dit is me nog nooit overkomen. Ik ben eraan gewend dat mijn cliënten me op handen dragen. Heb ik te veel hooi op mijn vork genomen met deze opdracht?

'Oom?' zegt Two zacht, kennelijk om me niet te laten schrikken. Ik wenk hem en hij loopt naar me toe.

'Ik ben nogal over mijn toeren,' beken ik, en dan voel ik me zowaar iets beter.

'Dat ken ik. Ik heb ook wel eens een dip.' Two lacht.

'Ik ben een wandelend ego. Een ego op twee benen. Dat ben ik.'

'U wilt alleen het beste doen.'

'Nee, ik wil mijn zin doordrijven en ik wil gelijk hebben en ik wil dat iedereen dat weet. Dat vervult me met trots. Ik moet je zeggen dat het beter is dan vervuld te zijn met uitgezaaide kanker, maar ik kom er langzaam achter dat het bijna net zo gevaarlijk is.' Two steekt zijn handen in zijn zakken. 'Ik begrijp hoe u zich voelt. Maar u moet het niet opgeven. U weet wat u doet. Ik zei dat ik een jaar pauze nam omdat ik me niet thuis voel op de academie, maar in werkelijkheid ben ik naar huis gekomen omdat ik bij u wilde werken. U bent de enige kunstenaar in onze familie. En dat wil ik ook zijn. En wie kan een betere mentor voor me zijn dan u?'

Ik ben diep ontroerd. 'Echt?'

'Ja. U hebt goede smaak en stijl in ons leven gebracht. Mam zou nu nog geruite cafégordijnen aan die veerroeden van Sears hebben als u er niet was geweest. En het altaar in de kerk zou er op zondag uitzien als een marktkraam vol rotzooi als u het niet zou aankleden; en onze nichten zouden luchters alleen van plaatjes kennen als u er niet op had gestaan dat ze ze voor hun eigen huizen kochten. U geeft klasse aan de di Crespi's.'

Ik slaak een diepe zucht en kijk over de zee, terwijl ik me tegelijkertijd klein en toch ineens belangrijk voel. 'Dat is eigenlijk wel zo, hè?'

'Zonder u waren we een stel *gavones*. U geeft ons richting. We hebben u nodig.'

'Ik wil alleen maar van alles iets moois maken.'

'Dat doet u ook.'

'Waarom heerst er dan zoveel onvrede over deze renovatie? Vertel me alsjeblieft wat ik fout doe.'

'Dat is makkelijk. De kerk betekent voor iedereen iets anders. Als u een huis inricht, ziet u hoe uw cliënten leven en dan kleurt u hun omgeving in met verf en behang. Maar met een kerk ligt het anders. Daarbij gaat het om de ziel van de mensen, wat dat ook mag betekenen. Voor sommigen is het een plek waar ze in afzondering hun zonden kunnen bekennen. Voor anderen is het een koortribune vol licht en muziek. Kinderen zien mannen in jurken en ruiken wierook, wat een beetje beangstigend is. Wat betekent hij voor u?'

Ik denk na over mijn kerk. Die heeft me op het rechte pad gehouden en een kader voor mijn overtuigingen geboden, wat ik heel hard nodig heb. Hij geeft me grenzen, regels en ruimte. Ik geloof in het hiernamaals, en ik wil daar een plek, ik wil precies ho-

ren wat ik moet doen om in de hemel te komen, en mijn kerk vervult die taak voor mij. Ik heb er eerbied voor, en probeer me ook
aan de regels te houden. Ik geloof niet dat mijn jonge neef dat kan
begrijpen. Tegenwoordig geloven jongeren dat iedereen zijn eigen kerk zou moeten hebben. Ik vind het een troostrijke gedachte dat duizenden zielen mij voor zijn gegaan, en dezelfde gebeden
op dezelfde manier hebben gezegd. 'Mijn kerk is een plek waar ik
wedergeboorte ervaar. Ik ga naar de mis, ik bid, ik biecht, en dan
kan ik weer met een schone lei verder.'

'Hmm.' Two laat dat even bezinken.

'Ik voel me er verbonden,' zeg ik simpelweg.

'Dat zie ik anders niet terug in uw schetsen. Die schetsen tonen
een plek die is opgeknapt met een mooie vloer, goede verf en wat
verguldsel. Het zou net zo goed een duur hotel kunnen zijn. Er
spreekt geen vernieuwing uit.'

'Ik weet niet hoe dat moet.' Dat heb ik mijn hele leven nog
nooit gezegd.

'Dan is het uw taak' – Two kijkt me aan – 'om iemand te vinden
die dat wel kan.'

Ik voel mijn voeten wegzinken in het zand, en ik besef dat het
water tot aan de enkels van mijn rubberlaarzen is gestroomd. Als
ik hier nog langer blijf staan, zal ik worden weggespoeld als de
helft van een oude mosselschelp. Hoe vind ik een manier om wedergeboorte tegen de achtergrond van eeuwigheid te plaatsen
voor de gelovigen van de Fatimakerk? Is dat mogelijk? De zon
breekt door deze grimmige dag, en hoewel ik iets van hoop zou
moeten voelen, ben ik in werkelijkheid depressief. Misschien ben
ik niet de juiste man voor de opdracht.

'Beeldschoon!' fluistert Toot terwijl ze me helpt Monica Vitti's
kroonluchter uit de verpakkingskist te tillen. Al het personeel van
het postkantoor in OLOF tintelde van opwinding toen de levensgrote houten kist met het stempel STAMPED BY AUTHORITY OF

THE QUEEN arriveerde. Misschien dachten ze dat ik een gardelid van Buckingham Palace naar huis had laten verschepen.

Dit moet mijn favoriete aankoop aller tijden zijn. Ik hou van aandenkens aan reizen. Ik heb een aardewerken vogelbad op een voetstuk uit Deruta in Italië hierheen verstuurd (het is nu een kitscherig stuk in mijn toiletruimte), een beeld uit Málaga in Spanje (staat in de tuin), en een tv-tafel uit de Provence (perfect voor mijn studeerkamer), en alles vond ik even mooi. Maar niets evenaart Monica Vitti's luchter.

'Wat ga je ermee doen?' vraagt Toot.

'Ik weet het niet. Ik hang hem tijdelijk op zolder zodat het geheel kan ademen. Het is niet goed om een luchter op te slaan.'

'Ga je hem schoonmaken?'

'Later. Met een spons met warm water en ammoniak, elke centimeter kristal. Je moet trouwens nooit water op het metaal gebruiken; daar wordt het zwak van, en dan krijg je problemen.' Toot helpt me mijn aanwinst over de trap naar de eerste verdieping te slepen.

'Stel je voor: Monica Vitti en haar aanbidders, klinkend met champagneglazen, terwijl ze haar het hof maken onder deze luchter.'

Dat geeft me de opening waarop ik zat te wachten. 'Wanneer was je van plan me te vertellen dat je met Lonnie naar bed gaat?'

Toot haalt diep adem. 'Het stelt niets voor,' zegt ze met een piepstemmetje.

'Je gaat met je ex-man naar bed achter de rug van zijn vrouw om! Mag ik je inpeperen dat je overspel pleegt?'

Toot overpeinst mijn opmerking terwijl we de luchter voorzichtig de zoldertrap op hijsen. Als we boven zijn, hang ik hem aan een haak die ik gewoonlijk gebruik voor de kerstkransen die momenteel mijn garagedeuren opfleuren. Ik laat alle versieringen intact tot na Driekoningen.

'Doris wil niet met hem naar bed. Daar is ze te gespannen voor.'

'Misschien wil ze wel een echtgenoot die niet vreemdgaat!'

'Ze weet het niet van ons.'

'Nou, dat zal niet lang duren. Ze hoeft maar één keer jullie auto's voor het Ashbury Park Motor Lodge te zien, en dan zijn de rapen gaar.'

'We zijn heus voorzichtig.'

'Wat is er toch met je?'

'Ik kan er niets aan doen. Ik ben net als pa. Ik hou er een geheim leven op na.'

'Toot! Gebruik alsjeblieft niet onze ouders als excuus voor je misdragingen. Neem verantwoordelijkheid voor je eigen daden!'

'Als je de waarheid wilt weten, na dertien jaar celibaat ben ik erachter gekomen hoe erg ik seks miste. Zo zit het, B. Ik miste het vrijen. En nu ben ik op die ellendige leeftijd waarop ik geen jongere man kan krijgen – omdat ze óf getrouwd zijn, óf er is iets aan los…'

'Mee loos,' verbeter ik.

'Mee loos, waardoor ze niet naar tevredenheid kunnen presteren. En oudere mannen, daar moet ik helemaal niet aan denken. Sal heeft me voor altijd genezen van zestigplussers. Het zijn net tweedehandsauto's: op het terrein zien ze er verdraaid goed uit, maar zodra je er een mee naar huis hebt genomen, vallen de banden eraf en kun je geen kant op. Door al die kwalen en pijntjes en pillen van Sal heb ik iets geleerd: ik kan er niet tegen om voor een man te moeten zorgen.'

'Maar dat is de kern van liefde!'

'Voor jou. Niet voor mij. Voor mij moet liefde leuk zijn. Leuk, sexy en een beetje schunnig. Oké? Ik vind het leuk om stiekem te doen. Ik hou van motels met een strook waspapier over de ladekast, van de hermetisch verzegelde plastic bekers op de wastafel, en van een nieuwe bh en een klein kanten onderbroekje dragen en als een sekspoes over een matras kronkelen die meer bobbels heeft dan de klonterige aardappelpuree in de Tic-Tock. Noem me maar een losgeslagen vrouw, want ik werd er doodongelukkig van om braaf te zijn. Braaf zijn heeft me alleen maar shit opgeleverd, snap je? Ik had er niets aan, behalve dat ik me altijd slecht voelde. Ik deed alles zoals het hoorde en toen alles de mist in ging, werd ik nog eenzamer van die volmaakte deugdzaamheid. Het was goed voor me om minnares te zijn. Ik sta op mijn eigen benen. Ik vrij weer. Ik ben begeerlijk. Ik ben een lekker ding. Ik heb eindelijk de ketens van mijn slechte huwelijk gebroken. Ik ben vrij!'

'Hoezo, gebroken ketens? Je gaat naar bed met dezelfde man van wie je bent gescheiden, wat betekent dat je weer in dezelfde ketens vastzit. Weet je niet meer dat Lonnie je verliet voor die snackbarkokkin? Maar toen hij zijn schouder ontwrichtte, kreeg je medelijden en nam je hem terug en stopte je hem elke avond in bad. Vervolgens ging hij op zakenreis en sprak onderweg af met een of andere *comare*, die hij een beurt gaf, genezen en wel, terwijl jij thuisbleef en je zorgen maakte hoe hij het op het vliegveld zou redden met zijn arm in een mitella. Wis je het verleden gewoon uit als een boze droom om er een leugen voor in de plaats te schilderen?'

'Nee.'

'Waar ben je dan mee bezig, Toot?'

'Ik trouw niet opnieuw met hem.'

'Dat maakt niet uit. Je gaat met hem naar bed.'

'Oké, oké. Op het eerste gezicht lijkt dat ziek. Maar... ik weet niet, nu práten we. Hij luistert. Hij raakt me aan! Hij masseert mijn rug, hij wil weten wat ik denk, hij zoent me alsof ik Ann-Margaret ben en hij Elvis Presley. Begrijp je het niet? Hij houdt van me alsof ik er echt toe doe!' Toot slaat haar vuisten op haar dijen. 'Ons voorspel bestond uit: zet de tv zachter. Nu staat de tv niet eens aan. Nu kijkt hij naar míj! Kanaal Toot! Ik zweer het je: Lonnie is veranderd. Hij kijkt naar me alsof ik iets weet, met respect, niet alsof ik een domme troela ben. Het is zo gek, B. We zijn bijna kapotgegaan aan ons huwelijk, maar deze nieuwe verhouding heeft ons doen opbloeden.'

'Doen opbloeien. Je bedoelt opbloeien.'

'Precies. Ik weet alleen dat we stapelgek op elkaar zijn.'

Ik leg mijn hoofd in mijn handen en voel letterlijk dat het netwerk van aders in mijn brein zich met vocht vult en mijn hoofd begint te bonzen. 'Goed, al goed. Doe wat je wilt met Lonnie, maar ik wil er niets over horen.'

'Prima.'

'Dank je.' Ik trek de kristallen bobèches van de luchter recht voor ik me omdraai om naar beneden te gaan.

'Eindelijk heb ik wat bevrediging in mijn leven en dan wil jij er niets over horen. Volgens mij ben je jaloers.'

'Och, kom nou.'

'Je gunt me mijn geluk niet.'

'Natuurlijk wel. Maar ik had liever dat het deugdelijk en legaal en misschien psychisch gezond was. Wat is er met je gebeurd? Hoe kun je jezelf dit aandoen? En Doris dan?'

'O, Doris, Doris. Zij is gewoon een fascist die Lonnies leven voor hem wil bepalen met regels en wetten. De man moet op een bepaalde tijd binnen zijn! Ze lijkt wel zijn verpleegster, of zijn moeder. 's Morgens zet ze zijn vruchtensap klaar, 's avonds zijn vezelrijke calciumsupplement, en daartussendoor sorteert ze de post. Lonnie mist mijn hartstocht. Hij waardeert me. Ik beteken alles voor hem.'

'Je praat over Lonnie Falcone alsof hij een prins is. Mag ik je geheugen opfrissen? Dat is hij níét! Hij was je ontrouw, hij sluisde geld weg toen je van hem ging scheiden, en hij probeerde je je auto af te pakken. Ben je dat allemaal vergeten?'

'Ik vergeef het hem.'

'Waarom?'

Toot verheft haar stem. 'Omdat dat liefde is, jongen. Wat hij ook gedaan heeft, of doet, of niet deed, ik ben in staat de pijn opzij te schuiven en te zeggen: hé, zal ik je eens iets vertellen? Misschien ben je niet mijn droomman, en misschien hebben we elkaar enorm teleurgesteld en misschien zijn we het nergens over eens, maar allemachtig, we hebben iets samen, een verstrengeling, een speciale klik die een man en een vrouw aan elkaar bindt als een bout en een moer. We zitten aan elkaar gelijmd! Dat vond ik vroeger vreselijk. Maar als ik nu aan hem denk, kan geen roedel wilde honden me bij hem vandaan houden! Ik hoef zijn naam maar uit te spreken, of ik wil in de auto springen en naar hem toe scheuren en hem tegen de steunmuur van het zwembad in zijn achtertuin drukken en met hem doen wat ik wil.' Toot veegt een druppel speeksel van haar wang. 'Weet je wat ik voor je wens?'

'Toot,' zeg ik waarschuwend.

'Ik wil dat jij het leven proeft zoals ik het met Lonnie proef. Ik wil dat je de slagroom helemaal van het ijs likt en proeft wat eronder zit.'

'Je bent gek geworden.'

Toot haalt haar schouders op. 'Misschien. Of misschien heb ik eindelijk gevonden wat me echt gelukkig maakt. En dat past niet in een hokje, maar dat kan me niet schelen. Mama, God hebbe haar ziel, kan mijn achterwerk kussen. Papa, wie kan het schelen? En de katholieke Kerk kan het heen en weer krijgen. Ik heb volgens de regels geleefd en ik heb er niets aan gehad. Ik was een braaf katholiek meisje dat haar maagdelijkheid bewaarde alsof het een spaarobligatie was, en toen ik die inleverde kwam ik erachter dat ik geen rente kreeg. Wat was er met me aan de hand? Wie moest ik zo nodig behagen? En waarvoor? B, ik leef weer, zoals ik dat zelf wil. Jij was degene die dat altijd voor me wilde, vergeet dat niet. En nu ben ik zover, en ik ga me niet tegenover jou of de Kerk of mijn kinderen, of wie dan ook verontschuldigen. Ik heb eindelijk gevonden wat ik fijn vind. En daar kom ik niet op terug.'

Ik had kunnen raden dat het nieuws dat Rufus McSherry zich heeft teruggetrokken van het renovatieproject als een voetzoeker bij de voordeur van pastoor Porp zou belanden. Ik parkeer voor de pastorie en voel me als een dertienjarig jongetje dat per ongeluk tijdens de mis een brandende doopkaars heeft laten vallen, waardoor het gewaad van de pastoor vlam vatte. Mij staat een straf te wachten.

Marie Cascario biedt me een kop koffie aan terwijl ik in zijn kantoor op de pastoor wacht. Het lijkt wel een tandartspraktijk. Er staat geen enkele persoonlijke foto, alleen een bureau, een stoel, een telefoon en twee stoelen voor bezoek dat raad nodig heeft. Terwijl ik zit te wachten richt ik de kale ruimte in mijn verbeelding opnieuw in met een bank van chocoladebruine tweed, lage lampen, mahoniehouten boekenplanken en een spiegel aan de muur tegenover de ramen voor meer licht.

'Bartolomeo?' Pastoor Porp beent langs me heen en gaat achter zijn bureau zitten. Ik ga staan, zoals me geleerd is, wanneer een pastoor of non een kamer binnenkomt. Hij gebaart me te gaan zitten.

'Meneer pastoor. Ik wil graag uitleggen…'

'Luister, B. Ik heb hier allemaal geen tijd voor. Ik heb hier een omhulsel dat een kerk moet voorstellen. Ik draag de mis op in een sportzaal, en geloof me, de parochianen klagen nu al. Ze laten hun ongenoegen blijken tijdens de offerande. Om eerlijk te zijn kost je me niet alleen tijd, je kost me geld. Ik wil je ontslaan…' Mijn maag draait om en ik bal mijn vuisten. '… maar dat kan ik niet. Patton en Persky zijn niet beschikbaar, dus hen kan ik niet inschakelen. Bovendien heeft Aurelia Mandelbaum me laten weten dat ze wil dat je afmaakt wat je bent begonnen. Dus ik zit vast.'

'Als u me niet ontslaat, waarom hebben we deze afspraak dan? Wilt u me alleen maar bang maken?'

'Ja!'

'Nou, meneer pastoor, daar is het te laat voor. Ik bén al bang.

Heel erg. Ik ben zo bang dat ik geen tijd heb gehad erover te bidden. Dus wil ik u het volgende zeggen. Ik zal zorgen dat de klus geklaard wordt, en als u zich zoveel zorgen maakt, waarom bidt u dan niet voor me?'

Meneer pastoor leunt achterover in zijn stoel, zijn ogen groot van verbazing. 'Dat zal ik doen. Maar maak er geen zootje van, Bartolomeo. Deze kerk is niet jouw speeltuin. En ik wil dat de opdracht voltooid wordt.'

Nu de morele principes van mijn familie net zo weinig houvast bieden als een onderbroek waarvan het elastiek is uitgerekt, en pastoor Porp dreigt me van het hele project af te halen, besluit ik dat verandering van omgeving me misschien kan helpen om eens goed na te denken.

Het D&D-gebouw in Manhattan is praktisch leeg. Januari is een slappe maand voor binnenhuisarchitecten, waarschijnlijk omdat cliënten met geld naar het zuiden zijn, waar het warm is. Ik slenter in stilte van toonkamer naar toonkamer en met uitzondering van de veiligheidsbel wanneer ik binnenkom, is het er als een graftombe. Ik blik terug op mijn negentienjarige carrière terwijl ik de voorraad bekijk: een bergère hier en een reftertafel daar. Ik denk aan alle huizen die ik heb ingericht.

Ik heb geen zin om even bij Mary Kate Fitzsimmons langs te gaan (ze zou een verlaat kerstcadeau willen en dat is het laatste waarin ik vandaag interesse heb), of Eydie te bellen, die in Parijs is en hard aan het werk aan een retrospectief voor Dorothy Draper aan de Sorbonne. Ook wil ik mijn zakenvrienden Helen en Norbert niet lastigvallen: de schamele januariopbrengst zal ze toch al in een slechte stemming gebracht hebben. Ik heb geen zin om de bus naar the Village te nemen voor een manicure en een cocktail. Als New York me niet kan opvrolijken, kan ik net zo goed naar huis gaan.

Tijdens de terugrit naar Jersey begint het te sneeuwen, van die grappige dronken sneeuwvlokken die in grillige vlagen vallen en rondwervelen voor ze de grond raken. Ik rij rustig over de snelweg, denkend aan mijn neef Bongie Vietro die met zijn Le Mans-coupé door een sneeuwstorm scheurde, onder een kleine vrachtwagen gleed en twee kilometer lang eronder werd meegesleurd. Hij kroop ongedeerd uit zijn auto toen de vrachtwagen bij een wegrestaurant stopte. Mijn tante zei dat zijn christoffelmedaillon hem had gered. Anderen geloven dat het door de roes kwam van al het bier dat hij had gedronken op het Cotton Bowl-feest in de American Legion Hall in Allenhurst.

In plaats van naar huis ga ik naar Toot. Ik zie haar door het raam een bak lasagne met plastic afdekken. Als we geen voedsel aan het koken zijn, eten we het, en als we het niet eten, vriezen we het in. Ik klop op de deur. Toot draait zich om en lijkt verbaasd me te zien. 'Kom binnen,' zegt ze als ze de deur opent. 'Ik wilde juist wat lasagne invriezen.'

'Dat zag ik.'

'Ik maak een hele voorraad maaltijden voor Nicky en Ondine voor als de baby komt. Heb je al gegeten?'

'Ik heb geen honger.' Toot maakt even zo vrolijk een broodje salami, provolone en kalkoen voor me. 'Hoe gaat het met Ondine?' vraag ik.

'Ze is een vallon.'

'Wat is dat?'

'Een combinatie van een vat en een ballon. Arm kind. Ik ben vandaag naar haar toe gegaan om een babyuitzet met haar te kopen.'

'Zou de baby niet rond Kerstmis komen?'

'O, alsjeblieft! De uitgerekende datum van deze baby is een groter mysterie dan Maria Boodschap. Ondine was slordig met data. Zou ze in moeilijkheden zijn geraakt als ze haar persoonlijke kalender had bijgehouden?'

'Waarschijnlijk niet.'

'Maar weet je, ze is zo slecht nog niet. Ze is doodsbang, wat heel ontwapenend is voor een vrouw die met alle jongens van het hele district uit is geweest.'

Ik hoor voetstappen op de veranda. 'Verwacht je iemand?' vraag ik, terwijl ik opsta en door een kier in de achterdeur kijk. Lonnie, in ski-jack en jagerspet, komt met twee kartonnen bekers koffie aanlopen. 'Het is je vriend.'

Lonnie draait zich bijna weer om naar zijn auto als hij me ziet. Ik zwaai naar hem en open de deur.

'Hallo, B,' zegt hij, terwijl hij de sneeuw van zijn laarzen schudt. 'Ik wilde even Toots boiler nakijken, vanwege die sneeuwstorm, je weet maar nooit.'

'Juist,' zeg ik.

'Ik heb koffie voor je meegenomen,' zegt Lonnie tegen Toot. 'Ik kijk even naar de boiler en dan ben ik weer weg.'

'Hij is op de hoogte, Lon,' zegt Toot zacht.

'Waarvan?' vraagt Lonnie onschuldig.

'Je weet wel, dat we… vrienden zijn.'

'O.' Lonnie gaat zitten en haalt het dekseltje van zijn beker. Hij ontdoet zich van zijn jas en pet en legt ze op een stoel.

'Lonnie, wat is hier in vredesnaam gaande?' Elf jaar zwager-schap geeft me het recht om het op de man af te vragen.

'Wat bedoel je?' Lonnies borstelige wenkbrauwen schieten als rolgordijnen omhoog.

'Waar ben je mee bezig?' Ik hoop dat hij niet antwoordt 'je zus', maar met deze twee weet je het nooit.

'Begin nou niet tegen hem, B.' Het is net als vroeger, wanneer we een onderbroekje in Lonnies nieuwe Lincoln vonden en Toot voor hem in de bres sprong en zei dat het daar was terechtgeko-men toen de auto bij de Chryslerfabriek in Detroit op de lopende band stond. O, wat houden we onszelf voor de gek.

'Nee, nee, ik zoek geen ruzie. Ik wil alleen weten wat je bedoe-lingen zijn.'

'Bedoelingen?' Lonnie trekt het plastic deksel van Toots koffiebeker en geeft hem haar voorzichtig.

'Waarom kom je bij mijn zus terwijl je derde vrouw thuiszit?'

Toot giet de helft van de meegebrachte koffie in een beker en geeft die aan mij. Lonnie leunt achterover op zijn stoel en omvat zijn beker met beide handen, als een kelk. 'Daar denk ik veel over na.'

'En?'

'En ik weet het niet zeker.'

'Ik weet niet of dat antwoord me bevalt,' zegt Toot licht verontwaardigd.

'Nee, nee, maak je niet druk. Ik ben niet onzeker over jou, schatje.' Toot glimlacht om dat kooswoord. Lonnie kijkt me aan. 'Als ik heb wat ik wil, maak ik er een puinhoop van. Dus maak ik alles zo ingewikkeld mogelijk, zodat het geluk blijft.' Lonnie neemt een slok koffie. 'Snap je daar iets van?'

'Het is ziek.'

Lonnie schudt glimlachend zijn hoofd. 'Jij zou het ook niet begrijpen, B. Je bent nooit getrouwd geweest. Als je getrouwd bent, sta je onder contract. En ik ben een type man dat niet graag onder contract staat. Het brengt het slechtste in me naar boven.'

'Voor mij was het ook niks,' zegt Toot, terwijl ze Lonnie op zijn hand klopt.

'Dus jullie houden het gewoon bij een tijdelijke relatie?'

Ze kijken elkaar aan en knikken. 'We kwetsen er niemand mee.' Lonnie haalt zijn schouders op. 'Zolang niemand erachter komt.'

'Dan moeten jullie heel discreet te werk gaan,' zeg ik met klem, terwijl ik besef dat niets van wat ik zeg de geluksbubbel van hun overspel zal doorprikken.

'O, hij weet heus wel hoe dat moet,' zegt Toot glimlachend. 'Hij heeft mij jarenlang verhaaltjes op de mouw gespeld. Ik denk dat dit ons wel zal lukken.'

Eydie en ik houden een taxi aan op Fifty-seven en Third, waar de sneeuw in zwarte hopen tot ons middel reikt. Ik kon nauwelijks wachten tot Eydie terug was uit Parijs. Ik beschouw haar als mijn goeroe, professioneel en spiritueel. Sinds Rufus het kerkproject de rug heeft toegekeerd, heb ik met zowat elke ambachtsman in New York, New Jersey en Pennsylvania de renovatie van de kerk besproken, maar niemand maakte echt indruk op me. In paniek belde ik Eydie, en ze vroeg me naar de stad te komen.

'Je gaat het volgende doen.' Eydie sluit haar ogen en concentreert zich terwijl de taxi in volle vaart naar Bay Ridge rijdt. Ze draagt een knielange zwarte minkjas met brede kraag en roze fluwelen handschoenen, en ze ruikt naar pepermunt en cacao, waardoor ik in de verleiding kom bij haar op schoot te kruipen. 'Je zegt tegen hem dat je wilt meewerken. Dat je een fase in je leven hebt bereikt waarin dat belangrijker is dan jouw hoogstpersoonlijke versie.'

'Denk je dat ik hem kan overhalen?'

'Ik ken zijn agenda niet. Pedro was kortaf tegen me toen ik belde, daarom vind ik dat we er zelf heen moeten om te smeken.'

Brooklyn ziet er grauw uit, als een staalindustriestad midden in de winter; door de smerige platgetrapte sneeuw en de grijze gebouwen lijkt het wel een gevangenis omgeven door een zwarte gracht, de East River. Alleen wat felgekleurde jassen en hoeden te midden van de kudden voetgangers geven hier en daar wat kleur. Ondanks de omgeving van roestig staal is een achtergrond van grijs met vlekken in primaire kleuren opwindend. Ik zal hieraan terugdenken wanneer ik de nieuwe recreatieruimte voor de Cartegna's in Wall Township inricht.

We rijden door de slingerende straten van Bay Ridge, en de chauffeur zet ons midden op straat voor Rufus' bedrijf af, aangezien de sneeuw hoog langs de stoepranden ligt. Ik til Eydie over de opgewaaide hopen heen, en ze schatert als ik haar op het trottoir neerzet. Op de deur is een handgeschreven briefje geprikt:

Bel kapot. Kom boven. Boven aan de trap duw ik de deur open en laat Eydie voorgaan. Mijn hart bonst in mijn keel. Ik ben bepaald geen held in verontschuldigingen en nog slechter in door het stof gaan, daarom ben ik bang dat dit bezoek geen succes zal worden.

'Hallo!' roept Eydie; haar stem galmt door het enorme pakhuis. Aan de andere kant van de ruimte zie ik een vrouw met haar rug naar ons toe zitten. Als ze zich iets omdraait om Eydie te antwoorden, slaat mijn hart over van schrik. Ik ken dat profiel.

Capri Mandelbaum zit in kleermakerszit in een kapotte fauteuil bij de steigers, gekleed in een flanellen mannenpyjamabroek en een sweatshirt. Haar haren zitten door de war en ze ziet er heel jong uit. Als ze ons ziet, slaat ze verbijsterd haar hand voor haar mond, dan trekt ze verlegen de mouwen van het sweatshirt over haar handen en vouwt haar armen over elkaar. 'Capri, wat doe jíj hier?' vraag ik.

Voor ze kan antwoorden, komt Pedro uit de keuken met twee bekers koffie. Hij blijft staan en kijkt ons aan. 'O,' zegt hij.

Er tikken een paar uiterst gênante seconden voorbij tot Eydie, de reddende engel, iets zegt. 'Is er nog meer koffie?'

'In de keuken,' mompelt Pedro. Ik volg Eydie naar de keuken zonder Capri aan te kijken.

'Wat is hier aan de hand?' fluistert ze terwijl ik inschenk.

'Ongelooflijk.'

'We kunnen ons hier niet verstoppen.' Eydie reikt me een beker koffie aan. 'Dat zou een rare indruk maken.'

'Is het soms niet raar dat mijn ex-verloofde hier zit in de pyjama van een andere man?'

'Hallo,' zegt een mannenstem achter ons.

Rufus McSherry staat in de deuropening en lijkt wel een halve meter langer dan de laatste keer dat ik hem zag. 'Hoe is het, Eydie?' Hij kust haar op de wang, en steekt dan zijn hand naar me uit. 'Bartolomeo?' We schudden elkaar de hand. De warmte van zijn enorme knuist raakt iets in me en ik merk dat ik hem niet los wil laten.

Ik laat het verhaal dat ik in mijn hoofd had varen en flap eruit: 'Rufus, het spijt me van vorige keer en ik zou niets liever willen dan dat je nog eens overweegt toch de renovatie van de kerk te doen. Ik heb veel nagedacht. Ik ben er klaar voor om mijn ego opzij te schuiven en met jou samen te werken.'

Rufus kijkt naar mijn gezicht alsof hij een kaart bestudeert. 'Er mankeert niets aan je ego.'

'O, nee?'

'Nee. Het gaat om je angst.'

Ik heb geen idee wat hij bedoelt. Ik ben nergens bang voor. Ik ben de man die een indoorvijver in een Stanford White-kopie in Deal heeft aangelegd en een fleur-de-lisontwerp in keisteen voor de oprit van het klooster van de salesianer nonnen in North Haledon heeft verzorgd. Ik ben niet bang om over de lijnen heen te kleuren.

Pedro komt bij ons in de keuken en kijkt me aan. 'Capri wil je graag spreken.'

'Oké.' Ik geef Eydie mijn koffiekop en loop de keuken uit. Capri heeft zich omgekleed en haar haren gekamd.

'Sorry, B,' zegt ze zacht.

'Waarvoor?'

'Dat ik je niets verteld heb. Na Kerstmis reed ik met Christina naar de Martinelli's om Amalia bij hen af te zetten, en toen reden we hierlangs, en Pedro en ik raakten aan de praat.'

'Goed.' Ik heb met Capri te doen, ze is zo kwetsbaar. Ik neem haar in mijn armen en druk haar tegen me aan. Het is vreemd wanneer je een vrouw in je armen neemt omwille van de vroegere liefde en beseft dat er tussen jullie nooit sprake was van vroegere liefde.

'We kunnen het heel goed met elkaar vinden. Daarom ben ik teruggekomen. De afgelopen drie weekenden. Pedro is een heel bijzondere man.'

'De verloofde is altijd de laatste die het te weten komt,' grap ik.

'Nee, nietwaar. Ik heb het nog aan niemand verteld.'

'Je geheim is veilig bij me.'

'Ik denk dat dit het wel eens voor mij zou kunnen zijn. Ik geloof dat het echte liefde is.'

'Doe in elk geval niets overhaast.'

'Ik wist het al toen ik hem voor het eerst bij jou thuis ontmoette,' legt ze uit. 'Toen voelde ik het al.'

Capri heeft het kalme uiterlijk van een vrouw die zeker is van haar hartenwens. Verdwenen is het nerveuze knipperen met de ogen en de zelftwijfel. In plaats daarvan is hier een nieuwe Capri, kalm en tevreden.

'Als je maar gelukkig bent, Capri,' zeg ik oprecht. 'Dat is het enige wat ik belangrijk vind.'

Ze pakt mijn hand en geeft hem een kneepje. 'Ik hoop dat jij ook iemand vindt.'

'Laten we niet op de dingen vooruitlopen. Ik moet een kerk renoveren, pas daarna kan ik over mijn liefdesleven gaan denken.'

Capri lacht. Ik werp een blik in Pedro's kamer. Die ziet eruit als een monnikencel, met een bed, een stoel, een tafel en een lamp. Strak, maar kaal.

'Ik weet het. Het is rustiek,' zegt Capri.

'Daar kunnen we iets aan doen,' beloof ik haar.

Tot mijn opluchting ben ik niet langer 'de enige vrijgezel van een bepaalde leeftijd' in OLOF. Rufus en Pedro hebben elk een studio-appartement in de Windsor Arms gehuurd, een van Aurelia's investeringsprojecten. 21 februari is de dag waarop we officieel aan het werk gaan met de kerk. Rufus en ik hebben veel gesproken over onze ideeën voor de vernieuwing van de kerk en vervolgens die ideeën uitgewerkt in een ontwerp. Gedurende de afgelopen maand hebben we met de architect overlegd en een stappenplan gemaakt. Mijn team, Christina en Two, en de ploeg van Rufus, onder leiding van Pedro, onder wie een groep plaatselijke bouwvakkers die hij via de parochieraad heeft gevonden, hebben kennis met elkaar gemaakt en het werkschema opgesteld. Nu en dan komt pastoor Porp langs in de lege kerk en werpt me boze blikken toe. Het is duidelijk dat het hem lang niet snel genoeg gaat. Ik wijs hem erop dat Aurelia en níét de Kerk het project financiert, en dat zet hem op zijn plaats.

'Ik heb de aantekeningen van de laatste vergadering,' zegt Christina terwijl ze een stapel papier uit haar tas haalt.

'Ik zal de schetsen opstellen.' Ik plaats een groot schetsblok op de ezel.

'Ik zal koffie inschenken,' biedt Two aan.

Rufus en Pedro komen door de achterdeur van de kerk. Ze worden gevolgd door een ploeg mannen met een kruiwagen vol gereedschap, dat ze keurig naast het zijaltaar neerleggen.

'De laatste lading spullen komt vandaag,' zegt Pedro. Ik vraag iedereen om te gaan zitten. De werkploeg gaat op de grond en de altaartrap zitten, dicht bij elkaar.

'Rufus, ik geef jou het woord om onze werkmethode voor de komende weken en maanden uit te leggen.'

'We hebben veel werk voor de boeg,' zegt Rufus. 'De ingenieur heeft gewezen op een aantal structurele reparaties die moeten worden uitgevoerd, voornamelijk aan de muren, omdat we ook de elektriciteitsbedrading gaan vernieuwen. Als jullie omhoogkijken, zien jullie het gewelfde plafond en het triforium eronder. We gaan het oude dak eraf halen en vervangen door een reeks brede dakramen die vanaf het triforium geopend kunnen worden. Laten we even rondlopen, dan zal ik jullie de rest laten zien.'

Rufus leidt ons door de kerk en laat ons zien hoe hij onze ontwerpen voor een meer open zitruimte wil uitvoeren en de gebrandschilderde ramen met scènes van heiligenlevens laat vervangen door afbeeldingen van onze plaatselijke handel en beroepen: scharen van de naaiateliers, hamer met spijkers van de bouw, boeken als symbool voor onderwijs, de Griekse symbolen van de geneeskunde, en vissersboten.

We zullen een grot van inheemse veldstenen maken waarin het altaar voor Onze-Lieve-Vrouwe van Fatima komt te staan, zoals de grot die ik in de kathedraal van Santa Margherita in Italië heb gezien. Ik heb Asher Anderson geschreven met de vraag of hij de beelden van de kinderen van Fatima wil opsturen.

Rufus vindt dat het altaar ovaal moet zijn, en dat het tabernakel een doorzichtige glazen deur moet hebben in plaats van een bronzen, zodat de mensen het heilig sacrament kunnen zien. Rufus' welbespraakte uitleg kreeg pastoor Porp om.

Als achtergrond hebben we toch voor Rufus' briljante watermuur gekozen. Hij verzekerde ons dat we de muur droog kunnen krijgen, mochten we dat wensen, maar dat het stromende water over de stenen dynamisch en fris zal zijn. Die muur alleen al zal twee maanden werk in beslag nemen.

Christina is verantwoordelijk voor de bestelling en aflevering van de benodigde spullen. Verder houdt ze het budget, betalingen en salarissen bij. Als hij niet voor mijn cliënten in de weer is, zal Two Pedro assisteren bij het ontwerpen van de gebrandschilderde ramen en de installatie van de dakramen. Rufus zal zelf de fresco's schilderen en toezicht houden op de constructie van de watermuur. Ik zal elk detail van het project in het oog houden en helpen waar ik kan.

Pastoor Porporino komt via de sacristie binnen, en duwt het canvas kleed opzij dat er hangt omdat de deur eruit is. Hij draagt een gouden kelk met wijwater en de wijwaterkwast die er als een lepel in staat.

'Hebt u iets nodig, meneer pastoor?' vraag ik.

'Het is gebruikelijk dat op de dag waarop een project van start gaat, de pastoor komt om de zegen te geven. Willen jullie dat allemaal?'

'Zeker wel, meneer pastoor,' zegt Rufus met een glimlach. 'Het kan in elk geval geen kwaad, wel?'

Pastoor Porp vraagt ons het hoofd te buigen. Pedro knielt. De pastoor besprenkelt ons met de wijwaterkwast. Rufus krijgt een paar druppels in zijn oog en grijnst naar me. Ondanks pastoor Porps norse houding en chronische ongeduld is dit alles bij elkaar een uitstekend begin van de meest ambitieuze onderneming in mijn carrière.

Ik heb altijd genoten van de afzondering waarin ik mijn werk doe. Als binnenhuisarchitect heb ik genoeg menselijk contact met de vaklieden die ik inhuur om meubels te stofferen, kasten te bouwen en gordijnen te maken. Ik ben vaak in New York bij D&D om met cliënten opties en mogelijkheden te bespreken. Maar ik heb nooit zo van een project genoten als dat van de Fatimakerk. Ik verheug me op elke ochtend, wanneer ik een kop koffie drink met Rufus terwijl we de plannen voor de dag doornemen. Hij heeft zich zelfs in het sociale leven van OLOF gemengd en gaat samen met mij bij Aurelia eten. Toen ik Aurelia vroeg of Pedro ook mee kon komen, zei ze: 'Oké, als je erop staat.' Blijkbaar heeft Capri haar moeder nog niet op de hoogte gebracht van haar nieuwe *inamorata*. Misschien zal ze vanavond tijdens het eten met haar nieuws komen.

Rufus wordt sinds hij hier is minstens drie keer per week te eten gevraagd, en alles wordt met liefdevolle zorg bereid door de vrouwen van OLOF. Hij is gefêteerd door de oversten van de congregatie en verschillende parochianen die hem na de mis over de renovatie hebben horen spreken. Wanneer ze hem niet te eten hebben, concurreren de dames met elkaar door plastic bakjes met hun beste gerechten voor zijn deur neer te zetten. De cultus van Rufus McSherry heeft in ons stadje het katholieke geloof vervangen als inspiratiebron voor naastenliefde.

'Heb je een vriendin, Rufus?' vraag ik als hij hoog op een stei-

ger staat om lagen verf van een gedeelte van het ribgewelf te verwijderen.

'Jij?' vraagt hij.

'Ik vroeg het jou eerst.'

Hij klimt van de steiger, wat me doet denken aan King Kong,
slingerend aan het Empire State Building. Alles wat deze man
aanraakt, lijkt nietig vergeleken bij hemzelf.

'Niemand in het bijzonder.' Hij trekt een bandana uit de achterzak van zijn spijkerbroek.

'Je weet natuurlijk dat de vrouwen hier en bloc voor je zijn gevallen.'

Hij gooit zijn hoofd achterover en schatert. 'En het bewijs is
natuurlijk de overvloed aan zelfgebakken pasteien die voor mijn
deur verschijnt, toch?'

'Ik zal je iets vertellen. De vrouwen uit deze omgeving houden
van lang en ze houden van Iers. En in OLOF zijn lange mannen op
één hand te tellen, en Ieren zijn er helemaal niet, dus je bent officieel gebombardeerd tot onweerstaanbare man.'

'Sympathiek van je dat je mijn goede eigenschappen samenvat
in twee toevalligheden. Maar wat is jouw verhaal, B? Een knappe
Italiaan als jij. Waarom heb je niemand?'

'Wie zegt dat?'

'Touché. Misschien ben je gewoon discreet. Ik weet natuurlijk
wel dat je verloofd bent geweest. Hoe lang ook alweer, twintig
jaar?' Hij grinnikt.

'Nou, dát zou ik geen ware liefde noemen, Rufus. Het was
voorgekookt zonder mijn toestemming toen ik nog in de luiers
lag.'

'Aha. Net als bij koningshuizen. Je was aan iemand gekoppeld.'

'Precies!'

Rufus doet de deksels op allerlei blikken droog pigment waarmee hij verf maakt als hij aan zijn fresco begint. Vandaag heeft hij
met kleuren op de muur geëxperimenteerd, strepen blauw, van

het lichtste aqua tot het diepste azuur. 'Ik heb het ooit gehad, B.'

'Ben je getrouwd geweest?'

'Nee, wel smoorverliefd.'

'Hoe wist je dat?'

'Makkelijk. Ik zou voor haar de sterren van de hemel hebben geplukt.' Hij haalt zijn sigaretten uit zijn zak en biedt me er een aan. Hij steekt er zelf een op en werpt me de lucifers toe terwijl hij achteruitstapt en naar de kleurstrepen op de muur tuurt.

'Wat is er dan gebeurd?' vraag ik voorzichtig.

'Ze ging dood.'

Mijn adem stokt. 'Hoe?'

'Ze werd ziek. En ze was niet te genezen.'

'Hoe heette ze?'

Het duurt even voor hij antwoordt. 'Ann.'

'Wat was ze voor iemand?'

'Weet je wat raar is? Ik denk niet aan haar gezicht. Ik denk aan hoe ik me bij haar voelde. Maar ze was wel knap. Een brunette. Lang.'

'Lange mensen horen bij elkaar. Net als kleine. Ik hou niet van die stellen waarvan de man ruim een meter tachtig is en zijn vrouw een klein opdondertje van een meter twintig. Dat staat belachelijk.'

Rufus lacht. 'Tjonge, jij hebt principes, zeg!'

'Iemand moet die hebben. De wereld gaat naar de kloten. En als je dat niet in de gaten hebt, is dat stom van je.'

Rufus gaat op de altaartrap zitten.

'Hoe lang is het geleden?'

'Drie jaar.'

'Heb je sindsdien iemand anders gehad?' vraag ik.

'Nou, B, je vraagt nogal door.'

'Sorry.'

'Ik hou van vrouwen. Ja, dus.'

'Maar niemand die aan Ann kon tippen?'

'Nee.' Hij glimlacht. 'Maar vrouwelijk gezelschap helpt wel.'

'Vind je? Ik zou juist het tegendeel denken. Dat je telkens aan Ann moet denken en anderen met haar vergelijkt.' Het is niet mijn gewoonte om amateurpsycholoog te spelen, maar Rufus heeft iets waardoor ik hem die vragen wil stellen en zijn antwoorden wil horen.

'Zo gaat het niet. Misschien wel voor vrouwen. Maar voor een man is het gezelschap van een vrouw zo prettig, dat ik me daar nooit afzijdig van zou kunnen houden. Ik heb het nodig. Het is niet zo dat iemand Ann ooit zou kunnen vervangen, maar ik moet leven, aanwezig zijn in het hier en nu. Begrijp je wat ik bedoel?'

'Voel jij dat je leeft als je met een vrouw bent?'

'Nee, voor mij ís dat leven. Dat bedoel ik niet luchthartig. Ik vind het bijzonder, hoe makkelijk alles lijkt met een goede vrouw.'

'Hoe ver zijn we?' roept Christina achter in de kerk.

'Wil je voortaan eerst op een bel drukken of kloppen? Ik zit midden in een privégesprek.'

'Sorry, oom B.' Amalia loopt achter Christina aan met een plastic koekdoosje vol chocoladecakejes.

'Ha, meneer McSherry,' zegt Amalia, terwijl ze hem het doosje overhandigt. 'Deze heb ik voor u gemaakt. Ik heb chocoladesnippers in het beslag gedaan, dus ze zijn verrukkelijk.'

'Dat is lief van je. Bedankt.'

'Zelfs meisjes van dertien zijn dol op je, Rufus. Waar zijn die voor mij?'

'U bent altijd op dieet.' Ze haalt haar schouders op.

'Dan waren een paar selderijstengels ook leuk geweest.'

'Goed, ik zal er volgende keer aan denken.' Amalia slaat haar ogen ten hemel.

Ik kijk naar Christina. 'We gaan vanavond bij Aurelia eten. Ga je ook mee? Ze heeft een van haar enorme pannen saus gemaakt met genoeg gehaktballen voor een leger.'

'We kunnen niet. We hebben met de Menecola's afgesproken.'

'Het is een ramp, oom B,' klaagt Amalia. 'Ze zetten de tv keihard en ze doen ansjovis in de sla. Ik háát het.'

'Maar het is familie,' zegt Christina lief. 'Kom, we gaan.'

Ze schenkt Rufus een glimlach en hij kijkt haar met een soort flirterige genegenheid aan. Ik zou niet kunnen zeggen wat er speelt. Uiteindelijk waren Lonnie en Toot onder mijn neus aan het vozen en het ontging me volledig. Dus misschien zie ik wel spoken. Amalia en Christina trekken de kerkdeur achter zich dicht. 'Chris is een fantastische meid,' zeg ik.

'Klopt.'

'En?' hou ik vol.

'En wat?'

'Hebben jullie iets?'

'B toch! Zie ik eruit als iemand die over dat soort dingen praat?'

'Nee.'

'Laten we het daar dan bij laten,' zegt Rufus, tactvol van onderwerp veranderend. 'Weet je, die schildering van Onze-Lieve-Vrouwe van Fatima hier op de muur is geen fresco.'

'O, nee? Wat is het dan?'

'Een doek. De schilder heeft een doek op de muur geplakt en het een bepaalde behandeling gegeven.'

'Waarom zou hij dat gedaan hebben?'

'Dat weet ik niet. Ik heb het er nog niet af gehaald. Ik heb alleen een hoekje van de bovenkant losgetrokken. Die techniek werd gebruikt toen kerken steeds van kunststijlen wisselden.'

'Het is de enige kunst die ooit in deze kerk heeft gehangen,' zeg ik, me afvragend wat Michael Menecola in de zin had.

Die avond rijden Rufus en Pedro samen naar Aurelia en ik rij achter hen aan in mijn stationwagen. Ik geniet van het mannengezelschap. Ik besef ineens dat ik al mijn hele leven omgeven ben door vrouwen. Thuis waren het ma en Toot, op school Capri, in de weekenden Christina, en nu ik binnenhuisarchitect ben, bestaat mijn clientèle voornamelijk uit vrouwen. Het is heel prettig om samen te werken met Rufus en Pedro. Het verbaast me dat Rufus en ik zo goed bevriend zijn geraakt, en ik ben opgelucht dat er eindelijk nog een man in de stad is die net zo door kunst wordt bezield als ik. Ik praat graag met hem en probeer er maar niet aan te denken hoe erg ik hem zal missen als hij weer vertrekt.

Ik parkeer achter Rufus op Aurelia's oprit. Rufus en Pedro lopen achter me de trap op en door de voordeur, die Aurelia altijd voor me open heeft staan.

'Dit is een palazzo,' zegt Rufus terwijl hij om zich heen kijkt.

'Frans-Normandisch. En let vooral op de Monet in de woonkamer. Alle kunst is echt. Er hangen hier meer schilderijen dan in het Met.' De mannen volgen me naar de hal, waar ze hun ogen goed de kost geven. We horen luide stemmen vanuit de keuken.

'Ma, ik snap het niet!' hoor ik Capri gillen.

'Ik sta het niet toe!' roept Aurelia terug. 'Ik sta het stomweg niet toe!'

'Wacht even hier,' zeg ik tegen Rufus en Pedro. Pedro staat er verloren bij met een fles wijn voor de gastvrouw in zijn armen. Ik loop langs de eetkamer, waar de tafel is gedekt met tafellaken, bloemen, porselein en kristal, naar de keuken, waar de ruzie tussen Capri en Aurelia is geëscaleerd.

'Hoe kun je me dit aandoen!' Aurelia zit aan de keukentafel met haar gezicht in haar handen. Capri staat achter een stoel, die ze vasthoudt als steun.

'Ik heb niets verkeerds gedaan,' zegt Capri met klem.

'Wat is er aan de hand, dames?' vraag ik vanuit de deuropening.

'Ga weg, B!' roept Capri.

Ik draai me om. 'Nee, blijf,' beveelt Aurelia.

'Wat is hier gaande?' wil ik weten terwijl ik me op mijn hielen omdraai en hen aankijk.

Aurelia wijst naar Capri. 'Ze heeft het aangelegd met de latino!'

'Heb je het over onze vriend Pedro?' vraag ik ijzig. Ik gebaar Aurelia om haar stem te dempen, zodat Pedro de belediging niet hoort. Ze negeert me.

'En het is allemaal jouw schuld!' Aurelia richt haar woede nu op mij. 'Jij hebt deze… deze mensen hier laten komen.'

'Hij is een goed mens en een getalenteerd kunstenaar, Aurelia. Pedro is een expert in gebrandschilderd glas, een ware vakman. Hij is briljant.'

'Begin niet tegen mij, B. Ik wil niet dat mijn dochter met een Mexicaan omgaat.'

Ik open mijn mond om te antwoorden, als Pedro in de deuropening verschijnt. 'Mevrouw Mandelbaum?' zegt hij.

'Pedro,' zegt Capri zacht, 'ga alsjeblieft.'

'Ik wil met je praten, Pedro Alarcon!' Aurelia loopt naar hem toe.

'Moeder!' Capri probeert haar tegen te houden.

'Dit is mijn huis en ik zeg wat ik wil.' Aurelia richt het woord tot Pedro. 'Ik wil dat je niet langer met mijn dochter omgaat.'

'Het spijt me dat u er zo over denkt,' zegt Pedro kalm.

'Zo heb ik haar niet opgevoed.'

'Hoe niet, mevrouw?' vraagt Pedro respectvol.

'Je weet precies wat ik bedoel, jongeman!' zegt ze met donderende stem.

'Je hebt me opgevoed om eenzaam te blijven,' zegt Capri. 'Het lijkt wel of ik gepekeld ben! Ik heb veertig jaar gewacht tot er iemand kwam om de pot te openen en me eruit te laten! Jij probeerde me mijn hele leven lang aan Bartolomeo te koppelen, godallemachtig. Over eenzame opsluiting gesproken!'

Zoals zij het zegt, klinkt een verloving met mij als een doodvonnis, maar dit is niet het moment om mijn ego te laten masseren. 'Ik weet zeker dat we hieruit kunnen komen,' zeg ik diplomatiek.

'Het is al te laat.' Aurelia draait zich om naar Pedro. 'Jullie gaan met elkaar naar bed! Schaam je!' Ze priemt haar vinger naar Capri. 'Je vader zou zich dood schamen om je. Mijn huis uit! Allebei! Nu!'

Ineens vult Capri's hele wezen zich met kracht. Ze lijkt wel een kwart meter groter wanneer ze haar hoofd opheft. Haar ruggengraat, die meestal als een accordeon in elkaar is gezakt, rekt zich in volle lengte uit, en ze ziet er vurig en vastberaden uit. Ze pakt Pedro bij de hand en neemt hem mee de keuken uit. Ze kijkt niet achterom, maar roept: 'Hier zul je spijt van krijgen!' Dan slaat ze de deur achter hen dicht.

Aurelia barst in tranen uit als Rufus de keuken in loopt. Ik wenk dat hij beter kan gaan.

'Aurelia?'

'Dit is allemaal jouw schuld, B. Jij wilde niet met mijn dochter trouwen, en dit is ervan gekomen. Jij hebt dit op je geweten!'

'Hé, wacht eens even. Ik heb de beste kunstenaars van het land hierheen gehaald om aan onze kerk te werken. Dit was niet een of ander slinks plannetje om Capri aan de man te helpen. Dit is haar eigen keuze. Waarom gun je haar dat niet?'

'Jij hebt haar in de steek gelaten,' zegt ze huilend.

'Aurelia, je overdrijft. Ze doet niets verkeerds.'

Voor een deel kan ik bijna niet geloven dat Aurelia haar volwassen dochter behandelt alsof ze vijftien is en achter in een auto met een jongen betrapt is. Capri had gelijk. Aurelia had haar net zo goed op zolder kunnen opsluiten, net als Rapunzel. Ik voel me ook schuldig dat ik me al die jaren heb laten gebruiken om Capri's leven te beknotten. 'Je zult je dochter kwijtraken,' waarschuw ik.

'Ik ben haar al kwijt,' zegt Aurelia met een woedende blik op mij. 'Ik ben haar kwijt vanaf de avond dat ze met hem meeging.

Laat me met rust.' Ik probeer haar te kalmeren, maar ze duwt me weg. Ik ga naar buiten. Rufus staat bij mijn auto. 'Pedro heeft de vrachtwagen meegenomen,' zegt hij.

'Kom mee. Ik neem je mee uit eten,' zeg ik.

In de zomer toen ik veertien was, werd ik ontboden in de pastorie. Pastoor Dragonetto had me uitgenodigd om mijn mogelijke toekomst als priester te bespreken. Hij vroeg me of ik 'geroepen' was. Dat was niet het geval, maar dat was niet het antwoord dat hij wilde horen. Ik weet nog dat het verstikkend warm was in zijn kantoor. Uiteindelijk, om uit dat kantoor weg te kunnen, zei ik tegen hem dat ik nooit priester zou kunnen worden omdat er krankzinnigheid voorkwam in mijn familie, en de Kerk van Rome niet opgezadeld moest worden met een gek. Hij heeft me nooit meer lastiggevallen.

'Bartolomeo, we hebben een groot probleem,' zegt pastoor Porp nu vanachter zijn bureau. Het valt me op dat het kantoor nooit veranderd is sinds Dragonetto de touwtjes in handen had, behalve dat het minder rommelig is.

'Wat is dat dan, meneer pastoor?'

'Aurelia Mandelbaum haalt haar geld uit de renovatie.'

'Wát zegt u?'

Het is alsof ik een stomp in mijn maag heb gekregen. Mijn aanvankelijke shock slaat om in woede.

'Ze zei dat de Kerk de eerste donatie van honderdduizend dollar kon houden, maar verder geeft ze geen cent meer. Weet jij hier iets van?' Hij kijkt me beschuldigend aan.

'Capri gaat om met Pedro. Blijkbaar wil Aurelia – die nota bene met een Joodse man trouwde – geen Mexicaanse katholiek in haar familie.' Ik hef mijn handen in wanhoop. 'Kunt u haar niet tot rede brengen?'

'Dat heb ik geprobeerd. En vervolgens werd ik gebeld door haar advocaat.'

'Wat moeten we nu?' Ik krijg hartkloppingen als ik me voorstel hoe Rufus, Pedro, de parochieraad, de congregatie, allemaal diep teleurgesteld in het lege omhulsel van de Fatimakerk zullen staan.

'Hoeveel tijd hebben we voor het geld op is?'

Ik maak wat snelle berekeningen in mijn hoofd. 'Nog drie weken,' antwoord ik.

'Blijf werken. Ik ga een paar mensen bellen.' Pastoor Porporino kijkt me aan. 'Nu begrijp je wel waarom ik Patton en Persky wilde. Dit is een ramp.'

Ik negeer zijn steek onder water en sta op om te vertrekken. 'Het bisdom heeft diepe zakken, meneer pastoor. Als er geld is voor een nieuw voetbalstadion in Onze-Lieve-Vrouwe ter Sneeuw in Piscataway, kunnen ze toch zeker de rest van het geld ophoesten dat we nodig hebben voor de renovatie.'

'Ging het maar zo, B. Maar zo gaat het niet.'

De moed zinkt me in de schoenen. Mijn jarenlange vriendschap met onze weldoenster is kennelijk van geen enkel belang. Ik ben zo laaiend dat ik nauwelijks een woord kan uitbrengen.

Ik steek de straat over naar de kerk, waar iedereen hard aan het werk is. Two helpt Pedro met het verwijderen van de oude gebrandschilderde ramen, om ze tijdelijk te vervangen met doorzichtig plastic, terwijl de gietvormen worden bewaard voor de nieuwe ramen. Ik loop de sacristie in, waar Christina een bestelling uitschrijft.

'Christina, we hebben grote moeilijkheden.'

'Hoe bedoel je?'

Ik ijsbeer door de kamer. 'Aurelia heeft haar geld uit het project getrokken. Het is nu wat laat voor bingo, autowasbeurten en loterijen. We kunnen een beroep doen op de parochianen, maar daarmee dekken we slechts een fractie van het kostenplaatje. Kun jij het budget opnieuw bekijken om te zien of we nog ergens op kunnen bezuinigen?'

'Alles is tot op de cent uitgerekend.' Christina kijkt me aan. 'Wat is er gebeurd?'

'Ze is kwaad om Pedro en Capri.'

'Ze moest zich schamen!' zegt Christina met stemverheffing. 'Ze zijn verliefd. Aurelia is weduwe. Ze wéét hoe het is om alleen te zijn. Het is wreed van haar om dat haar eigen dochter toe te wensen.'

'Ik heb een kant van Aurelia gezien die ik liever niet had leren kennen.'

'Kom op, B. Die was er altijd al. Aan alles wat ze doet uit de goedheid van haar hart – sorry, van haar bankrekening haalt – zijn voorwaarden verbonden. Ze trekt al jaren aan de touwtjes in deze parochie. Alles, van de groeninrichting van het kerkhof tot en met de voetpedalen van de orgels, heeft zij gekocht en betaald en is uitgevoerd zoals zij het wilde. Ze bezit geen greintje gulheid.'

'Voor mij is ze altijd aardig geweest.'

'O, B. Jij doet dingen uit plichtsgevoel, niet omdat je het wilt. Je hebt haar al die jaren naar de mond gepraat, en diep in je hart vind je het grote geld ook aantrekkelijk omdat je weet wat je ermee kunt doen. Ik betwijfel ten zeerste of Aurelia's palazzo er zo geweldig uit zou zien zonder jouw inbreng. Jij zegt altijd tegen me dat de mensen met geld nooit weten hoe ze het moeten uitgeven.'

'Ik heb een rotdag achter de rug, Chris, ik wil nu liever niet geconfronteerd worden met mijn gebreken.'

'Ik wil je absoluut niet beledigen, ik probeer juist om je te laten inzien wat er hier speelt. Ze gaf je het geld om de kerk te renoveren, maar dat had consequenties voor je integriteit. Als je ook maar een moment gelooft dat jij de vrije hand had bij deze renovatie, ben je niet goed wijs! Tijdens de vergadering van de parochieraad zei ze dat ze je vertrouwde, maar wie zet pastoor Porp onder druk om je te ontbieden en je de stuipen op het lijf te jagen, denk je? Zij. Het gaat altijd om haar. Capri moet vluchten nu het nog kan. Ze zal er alleen maar onder lijden als ze naar de pijpen van haar moeder blijft dansen.'

Two staat in de deuropening. 'Ik heb alles gehoord. Ik vind dat we met pa moeten praten.'

'Je vader heeft geen voet meer in een katholieke kerk gezet sinds de dag dat hij voor de eerste keer trouwde,' zeg ik.

'Hij heeft geld.'

'Niet als hij zich nog een dure scheiding op de hals haalt,' zeg ik hardop, en ik heb er meteen spijt van. 'Niet dat hij gaat scheiden, maar je weet wat ik bedoel.'

'Ik vraag ma of ze met hem wil praten. Ze zijn de laatste tijd echt heel aardig tegen elkaar.'

'Goed idee,' zeg ik tegen mijn neef als hij weggaat. En tegen Christina: 'Een nieuwe babydoll en een setje sexy lingerie in de Freehold Inn kan ons misschien wel wat meer tijd opleveren. Ik zal Mata Hari een belletje geven en vragen om haar magische verleidingskunsten toe te passen.'

Christina werpt me een verbaasde blik toe.

'Ik leg het je later wel uit.'

New York is altijd mijn toevluchtsoord geweest, dus nadat ik het slechte nieuws had vernomen was ik al onderweg. Ik belde meteen Eydie om haar te vertellen dat we geen geld meer kregen. Rufus en Pedro kan ik nog niet onder ogen komen. Bovendien heb ik drie weken de tijd om het benodigde geld los te peuteren. Als katholiek geloof ik in wonderen, en dat is precies wat we nodig hebben om de Fatimakerk af te kunnen maken.

De bar in Gino's is leeg, Eydie en ik zijn de enige gasten. We eten samen van een bord meloen met prosciutto bij onze cocktails.

'En het is zo triest. Capri en Pedro zien er zo gelukkig uit samen.' Ik probeer mijn marasquinkers met een plastic prikker van de bodem van mijn manhattan op te vissen, alsof ik een vis in de Stille Zuidzee doorklief.

'Ze zijn voor elkaar gemaakt,' zegt Eydie, terwijl ze op de barkruk haar benen over elkaar slaat. 'Mexicaans, Italiaans en Joods. Noem één groente die in die keuken niet gebruikt zal worden.'

'Capri is in alle staten. Pedro voelt zich vreselijk schuldig en heeft aangeboden om met haar te breken. Er bestaat een Mexicaans geloof dat een man die tussen een moeder en haar dochter komt, een long kwijtraakt of zoiets. Het is bizar.'

'Denk je dat je ex-zwager de rest van het geld voor de kerk zal doneren?'

'Ik heb mijn zus de loopgraven in gestuurd om hem zover te krijgen. Ik hoop dat ze met meer dan schaafwondjes tevoorschijn komt.'

'Hoe is het met Rufus?'

'Die werkt zich te pletter. Het is niet gewoon een klus voor hem, het is een missie. Hij is geniaal.'

'Dat weet ik,' zegt Eydie blozend.

'Vertel me niet dat jij voor hem gevallen bent?' Ik hef mijn handen. 'Wie niet?'

'Er is een reden voor. Rufus is een schitterend mens. Het probleem is echter dat zijn hart maar voor de helft beschikbaar is. De andere helft zal altijd toebehoren aan de vrouw die hij is kwijtgeraakt.'

'Tragisch.'

'Voor elke vrouw die hij ontmoet.'

'Hadden jullie een serieuze relatie?'

'We hadden een stormachtige romance. Toen de storm eenmaal geluwd was… tja.'

'Laat me niet in het onzekere! Wat is er werkelijk gebeurd? Begin bij het begin. Hoe hebben jullie elkaar ontmoet?'

Eydie gaat er eens goed voor zitten, duidelijk erop gebrand om elk detail op te halen. 'Het ging als volgt: ik zag hem voor het eerst in Queens in de Scalamandré-fabriek. Hij was daar om wat stof op te halen voor een theatergordijn dat hij had ontworpen voor een experimenteel theater. We raakten aan de praat over ons vak en hij nodigde me uit om een kop koffie met hem te gaan drinken. Van het een kwam het ander. Gaat dat met jou ook niet zo? Zó.' Ze knipt met haar vingers.

Als ik denk aan de vrouwen met wie ik iets gehad heb, besef ik dat ik vooral veel alleen doe, daarom is het onwaarschijnlijk dat zij of ik naar iets blijvends op zoek zijn. 'Ik denk dat we veel op elkaar lijken, Eydie. Het lijkt in een oogwenk te gebeuren. Eerst weet ik niet eens of een vrouw in me geïnteresseerd is, en dan ben ik ineens mijn broek kwijt. Ik weet nooit hoe ik op dat punt terechtkom. Het gebeurt gewoon.'

Eydie lacht. 'Ik wist al toen ik je leerde kennen dat we veel met elkaar gemeen hadden.'

'En het loopt nooit slecht af,' vervolg ik. 'Ze willen altijd vrienden blijven. Gaat dat bij jou ook zo?'

'Altijd. En zo ging het ook met Rufus. We hadden een heerlijke, kortstondige affaire, we genoten van elkaar, en toen was het voorbij. Maar ik beklaag de vrouw die echt verliefd op hem wordt. Ik zou niet in haar schoenen willen staan.'

'Bent u Barty Crispy?' vraagt de barkeeper me.

'Het zit in de buurt,' antwoord ik. Ik kijk Eydie aan. 'Zie je wat ik voor mijn kiezen krijg?'

'Uw zus heeft gebeld. Ze zei dat u meteen naar het St.-Ambrosiusziekenhuis in Freehold moet gaan. De vrouw van uw neef is aan het bevallen.'

9

Brainwave in Brielle

Het St.-Ambrosiusziekenhuis staat als een boek op een bibliotheekplank verstopt midden in Freeholds hoofdstraat. Ik ken het omdat mijn vader daar een herniaoperatie heeft ondergaan. Ik parkeer langs het trottoir en ren door de voordeur.

Ik heb drie bevallingen van mijn zus meegemaakt, daarom weet ik dat ze een ramp is wanneer ze in paniek raakt (of wanneer ze uitgehongerd is, maar dat is een ander verhaal). Ik hoor haar luidkeels commanderen waneer ik uit de lift naar de wachtruimte loop. 'Nicky, Ondine heeft je nodig. Je moet naar binnen!' Toot staat over haar zoon gebogen en probeert hem aan zijn kraag van zijn stoel te trekken.

Nicky zit in elkaar gedoken op een kleine groene plastic stoel. 'Ik kan het niet, ma. Ik kan het niet.' Toot neemt het gezicht van haar zoon tussen beide handen. Het is net zo groen als de stoel.

'Je moet. Je moet sterk zijn, een man zijn, wees er voor je vrouw!'

Ze hijst hem onder zijn oksels omhoog en duwt hem door de gang naar de verloskamer.

'O, B, goddank dat je er bent,' zegt Toot terwijl ze haar zoon meesleurt.

Ik loop achter hen aan.

'Hoe gaat het met Ondine?'

'Ze is nog niet aan het persen. Ze krijst als een *banshee*, trouwens. Zo erg dat de andere meiden er bang van werden.' Toot duwt Nicky door de deuren.

Even later komt er een verpleegkundige met een klein metalen brilletje naar buiten. Ze is piepjong en lijkt op die meisjes die in Woodstock rond het kampvuur dansten. Ik maak me zorgen. 'Komt u ook binnen, mevrouw Falcone?'

'Dat was ik niet van plan,' antwoordt Toot.

'Misschien moet u het toch maar doen. Uw zoon is op van de zenuwen.'

'Dit is mijn broer. Mag hij ook meekomen?'

'Dat moet ik aan de patiënt vragen.' Ze gaat terug naar binnen.

'Ik wil niet naar binnen,' zeg ik tegen Toot.

De verpleegkudige komt terug. 'Het is goed. Zolang hij niet in de weg loopt.'

Natuurlijk, denk ik. Dit is een hippieziekenhuis waar alles kan. Ondine heeft waarschijnlijk allerlei vreemden om zich heen die een joint doorgeven terwijl ze naar de bevalling kijken.

'Ik ga niet,' protesteer ik.

'Jawel!' Toot klemt haar hand zo strak om mijn bovenarm dat ze een zenuw beknelt en mijn elleboog slap wordt. Ik volg haar naar binnen in een verloskamer, waar Nicky de metalen bedstangen bij Ondines hoofd heeft vastgegrepen. Zodra hij Toot en mij ziet, zakt hij in een groengele hoop op de grond. Een verpleegster tilt hem op, trekt hem opzij alsof ze hem van een strijdveld haalt en zet hem op een stoel in de hoek. Toot begeeft zich naar Ondines zijde. 'Je moeder is onderweg, maar het zal nog wel even duren. Doe maar net of ik haar ben.'

Ondine pakt Toots hand en gilt zo hard dat zelfs de verpleegkundige achteruitstapt.

Ik vond het veel prettiger toen Toot beviel. Ze verdoofden haar en ik bleef buiten wachten, behalve toen Two werd geboren. Toot was van arts veranderd en had een man uit Hawaï, die me in de verloskamer binnenliet en me de navelstreng liet doorknippen. Ik geloof niet dat hij daarna nog in New Jersey heeft gewerkt.

Arme Ondine. Ze is zo opgeblazen van het vocht dat de hele botstructuur van haar gezicht onzichtbaar is geworden. Haar hoofd is een strandbal. Haar neus lijkt verzonken, en haar ogen zijn twee blauwe stippen. Het enige waaraan ik haar zou herkennen tussen een stel verdachten in een confrontatie is haar haar, dat in zachte blonde krullen op haar schouders ligt.

De arts – een man van middelbare leeftijd met een haarnet over zijn krullenkop – geeft Ondine opdracht om te persen. Toot kijkt niet, en ik doe mijn best niet te kijken, maar als de arts zegt 'Nog een keer', kijk ik toch, en daar is de baby, vuistjes in de lucht, alsof hij door de verdediging van de Baltimore Colts is gebroken en een touchdown heeft gemaakt. Als de verpleegster uitroept 'Het is een jongen!', komt Nicky plotseling tot leven en schiet naar Ondines bed. Blijkbaar was dat wat hij wilde horen.

De arts vraagt Nicky of hij de navelstreng wil doorknippen. Hij schudt heftig nee, maar Toot geeft hem een zachte mep en zegt: 'Knip de navelstreng door, dat is het minste wat je kunt doen.' De arts geeft hem een enorme schaar (van het soort waarmee tapijt wordt gelegd) en wijst Nicky waar hij moet knippen; Nicky knipt de navelstreng door en de baby begint te huilen.

Ondine glimlacht naar Nicky en hij kust haar teder. Ik had niet gedacht dat mijn neef de moed bezat. Ondine blijkbaar ook niet. Terwijl ze koergeluidjes maken en kroelen met hun pasgeboren zoon, dansen Toot en ik zowat de verloskamer uit wanneer ons wordt gevraagd weg te gaan.

'Mijn eerste kleinzoon!' huilt Toot. Ik sla mijn arm om haar heen en trek haar mee door de deur naar de wachtruimte. Anthony en Two, de kersverse ooms, en Lonnie en Doris wachten op het nieuws. Toot kijkt me aan.

'Ik hoop dat het oom-zijn jou net zoveel vreugde brengt als mij,' zeg ik tegen Two terwijl ik hem omhels. 'En Anthony', – ik omhels hem ook – 'je moet dit jongetje nooit op je motor zetten. Oké?'

'Oké, oom,' zegt hij.

'Lonnie, gefeliciteerd!' Ik geef mijn ex-zwager een kus op de wang. 'En Doris, jij ook!'

'Wat ontzettend spannend,' zegt lady Sylvia. Arme vrouw. Ze heeft klasse, maar ze zal nooit bij onze clan horen. Het is als een schaal gekookte aardappelen bij spaghetti.

Ik kijk naar Lonnie en Toot, die er net zo gelukkig uitzien als op hun trouwdag. Lonnie buigt zich naar Toot om haar te kussen en ik leid Doris af wanneer hij zijn tong in de mond van mijn zus laat glijden. Wat een familie.

Nicky komt naar buiten en voegt zich bij ons. Zijn huidskleur is van groen weer terug naar zijn gebruikelijke papbleke kleur, en hij straalt van trots.

'Hoe heet hij?' vraagt Toot.

'Moonstone.'

Niemand reageert. Ten slotte zeg ik: 'Weet je dat zeker, Nicky?'

'Zeg die naam nog eens,' gromt Toot.

'Moonstone,' herhaalt Nicky.

'Moonstone Falcone. Samen met Nellie Fanelli vormt dat de ideale combinatie voor liedjesschrijvers,' opper ik.

'Wat betekent het?' Lonnie lijkt perplex. Volgens de traditie zou de jongen Alonzo Vincent moeten heten, naar hem, de grootvader van vaders kant.

'Ondine vindt het mooi,' zegt Nicky schouderophalend.

'Heb je haar verteld dat we in Italiaanse families baby's naar mensen vernoemen, niet naar stenen?'

'Begin nou niet, ma. Heb je hem gezien? Ik hou van hem. Al wilde ze hem Rex Rover noemen, ik zou het prima vinden.'

Toot opent haar mond om hem van repliek te dienen, maar bedenkt zich en omhelst hem. 'Och, wat maakt het uit? Hij is volmaakt. En ik ben zo trots op je.'

'Maar ik heb niets gedaan,' fluistert Nicky.

'Weet ik.' Toot glimlacht. 'Maar je hebt me mijn eerste klein-kind geschonken. Je vader en ik houden heel veel van je.' Dan kijkt ze grootmoedig naar Doris. 'En jij bent nu stiefoma.'

Lonnie drukt Nicky aan zijn borst, als een echte man, waarbij de lichamen elkaar niet raken, maar ze zich naar elkaar toe bui-gen en elkaar op de rug slaan. Dan omhelzen Two en Anthony hun broer. Alleen Doris en ik worden overgeslagen. We kijken el-kaar glimlachend aan. We zijn tenslotte aangetrouwde familie.

Moonstone zal thuiskomen in de mooiste kinderkamer van Free-hold. Terwijl Ondine een paar dagen in het ziekenhuis blijft, rep ik me naar hun huis en fleur de babykamer op met behang met een circusthema in primaire kleuren, een appelgroene commode, een wit babyledikant met donkerblauwe lakentjes met witte stip-pen, en gordijntjes halverwege het raam met paraderende olifan-ten aan de onderkant. (Erachter heb ik verduisteringsschermen opgehangen voor de ouders, die me dankbaar zullen zijn tot Moonstone het huis uit is. Ik weet dat kinderen in een oogwenk slapen met die wonderschermen.)

Het is al laat en ik heb honger, maar ik ga nog langs de kerk. Ik vind het boeiend hoe het leven voor één avond de overhand op het werk nam door de geboorte van de baby. Maar nu Moonsto-ne er is, gezond en wel, wil ik mijn aandacht weer op de kerk rich-ten. Ik ben zo woedend op Aurelia omdat ze haar financiering heeft ingetrokken, dat ik niet helder kan denken. Hoe moet ik Rufus en de rest vertellen dat we geen geld hebben om verder te gaan? En hoe zal Pedro zich voelen als hij erachter komt dat hij de reden is?

Als ik de hal binnenga, zie ik dat het voor het grootste deel donker is in de kerk, behalve bij de schildering achter het zijaltaar, waar Rufus aan het werk is. Ik hoor stemmen, en in plaats van mijn aanwezigheid kenbaar te maken, blijf ik achter een pilaar staan en luister.

'Je bent mooi,' hoor ik Rufus zeggen.

Ik kijk om en zie mijn nicht Christina, die met bungelende benen op het uiteinde van de steiger zit, naar hem opkijken. Hij buigt zich naar haar toe en kust haar teder. Ik wend mijn blik af. Ik wil een privémoment niet verstoren. Ik heb het erg druk gehad, maar het is me wel opgevallen dat Christina er beter uitziet, en opgewekter is. Misschien nog wel wat depressief, maar niet meer bevangen door die zwarte, hopeloze misère die haar in zijn greep hield sinds Charlies dood. Ik was zo egocentrisch om te denken dat het misschien kwam doordat ze voor mij werkte, maar nu zie ik dat het niet haar werk voor the House of B is waardoor ze zich beter voelt, maar de tijd die ze doorbrengt met Rufus uit Brooklyn. Rufus gaat weer aan het werk en Chris kijkt toe, en ik besef dat ik zojuist een klein wonder heb aanschouwd. Christina is al zo lang zo verdrietig dat ik dacht dat ze nooit meer iets voor iemand zou kunnen voelen. Misschien maken kleine wonderen het verschil uit. Misschien is een zoen een stap op weg naar redding als het een rouwende vrouw vol wanhoop tot rust brengt. Misschien is begrip wat een weduwe nodig heeft als haar man er niet meer is. Misschien moet er gewoon iemand naar haar luisteren.

Ik sluip naar buiten en ga weer naar binnen, deze keer Rufus' naam roepend. Als Christina me wilde vertellen dat ze iets met Rufus heeft, zou ze dat hebben gedaan. Evenals hijzelf. Maar dat deden ze niet, dus dat zal ik respecteren.

'Er is hier iets heel interessants,' zegt Rufus terwijl hij me zijn grote hand toesteekt om me de steiger op te helpen. Ik moet denken aan rampscènes op tv, waarin een man in uniform een ander uit een kolkende watervloed trekt. Ik kon me nooit voorstellen hoe dat in zijn werk ging. De redder heeft brute kracht en vastberadenheid nodig, en de ander compleet vertrouwen. Als Rufus me praktisch van de grond de steiger op tilt, begrijp ik hoe iemand gered kan worden.

'Oké, wat hebben we?' zeg ik energiek.

Rufus buigt zich naar het gezicht van Maria op de schildering en trekt aan het oppervlak eromheen. Hij trekt de rand van de schildering naar zich toe, waarbij pleisterkalk loskomt.

'Het is precies zoals je dacht. Een doek op de muur gelijmd.'

'Ja, maar dat is niet zo interessant.'

We kijken toe wanneer hij het bladderende doek helemaal wegtrekt, waardoor de muur eronder zichtbaar wordt. Ik geloof mijn ogen niet.

Op een ander doek is een naakt geschilderd, een weelderig Italiaans meisje met ravenzwart haar en diepbruine, onweerstaanbare ogen. Ze ligt rubensiaans achterover op een roodfluwelen deken. Haar gezicht straalt pure tevredenheid uit. Ze is in de verste verte niet ordinair of smakeloos, maar haar gezicht en lichaam zijn zeer uitnodigend. Onder haar rustende lichaam is het woord CREDO in goud geschilderd.

'Ik geloof,' vertaal ik hardop. 'Wie zou ze zijn?'

'In geen geval Nonna Menecola,' zegt Christina zacht.

'Ik vind het prachtig.' Rufus stapt achteruit. 'Dit is mijn idee van geloof.'

'Nu wel, ja,' wijs ik hem terecht. 'Maar als je oud en ziek bent en je libido een herinnering uit een ver verleden is, garandeer ik je dat je tot alle heiligen en God zelve bidt om je van je ellende te verlossen. Dan denk je niet aan haar.'

'Volgens mij heb je het mis, B. Volgens mij is God juist in de details aanwezig, op plekken waarvan je het nooit zou vermoeden.'

'In de armen van een sexy vrouw?' vraag ik ongelovig.

'Vooral daar.'

Rufus trekt het doek over de donkerharige schoonheid, en ik sla een zucht van verlichting. Als pastoor Porporino dit zag, zou hij onze hele ploeg de kerk uit gooien omdat we deze gewijde plek in een naaktclub hadden veranderd.

'Ondine is bevallen van een zoon,' zeg ik, en tot mijn eigen verbazing komen de tranen. Christina slaat haar armen om me heen, en Rufus klimt van de steiger af en gaat naast me zitten.

'Ik weet het,' zegt Christina. 'Een geboorte is echt overweldigend. Je was in alle staten toen ik Amalia kreeg, weet je nog?'

'Ja, dat weet ik nog. Maar deze keer heb ik het gezien. Alles. En ze noemen hem… Moonstone,' zeg ik snikkend.

'Ik zou je graag helpen, B, maar goud staat op een laag pitje,' zegt Lonnie treurig. Hij zit tegenover me aan een tafeltje in de Tic-Tock, en roert in zijn cafeïnevrije koffie.

'Lonnie, ik ben de wanhoop nabij. Vrijdag moet ik de hele werkploeg wegsturen als we niet aan vijfentwintigduizend dollar kunnen komen.'

'En de kerkgangers? Heb je het hun al gevraagd?'

'Het grootste bedrag dat ik ooit in recordtempo in onze parochie heb ingezameld was vijftienhonderd dollar tijdens een bingoavond, en dat was alleen omdat de Knights of Columbus en de congregatie het entreegeld dat we ontvingen verdubbelden. Ik heb een forse cheque nodig, liever vandaag dan morgen!'

'Ik wou dat ik je kon helpen.'

'Ik ook.' Ik begin me verslagen te voelen.

'Luister eens, ik moet iets met je bespreken,' fluistert Lonnie. Hij is moeilijk te verstaan in het geroezemoes van het wegrestaurant. 'Ik hou van je zus. En ik wil scheiden.'

'Lonnie, ik wil er niets mee te maken hebben. Mag ik misschien vierentwintig uur verschoond blijven van de details van Toots libido en jouw seksleven?'

'Het is echt bijzonder, wat we hebben. Daarom denk ik erover om te hertrouwen.' Hij glimlacht.

'Doe dat alsjeblieft niet. Ik smeek het je. Snap je het dan niet? Voor jou gaat het om de opwinding van de jacht. Als jij en Toot hertrouwden, zouden jullie elkaar vermoorden.'

'Ik heb het haar nog niet gevraagd. Maar als ik afscheid neem van Doris, moet ik haar het huis geven.'

'Waarom koop je niet gewoon huizen voor al je vrouwen, in plaats van met ze te trouwen?' zeg ik venijnig.

'Die gedachte is bij me opgekomen. Ik weet het niet, B, ik ben een man van traditie. Ik geloof in wetten en de hele mikmak. Ik geloof dat als je met elkaar naar bed gaat, je ook met elkaar moet trouwen.'

'En al die vrouwen dan die je versierde toen je met Toot was getrouwd?'

'Dat is anders.'

'O, ja? Leg eens uit.'

'Dat ging alleen om seks. Meestal niet eens op een matras, god-nog-an-toe. Geloof me. Die vrouwtjes wilden helemaal niet trouwen. Ze wilden alleen wat van de kleine Lonnie.'

Dat deze man gelooft dat hij de vrouwen van New Jersey een dienst heeft bewezen door ze een beurt te geven toen ze het moeilijk hadden, vind ik om te kotsen. En dan zeggen ze dat ík een groot ego heb. De wereld van de binnenhuisarchitectuur is niets vergeleken bij die van Lonnie Falcone. 'Goed, goed, maakt niet uit, Lonnie. Ik vraag me alleen af waarom je iets zou veranderen zolang Toot en jij tevreden zijn met de huidige stand van zaken.'

Lonnie wendt zijn blik af. Vanuit bepaalde hoeken gezien lijkt hij op Robert Taylor toen hij jong was en getrouwd met Barbara Stanwyck; en soms lijkt hij op een harige baviaan. 'Je hebt gelijk. De status-quo is perfect.'

'Ik wil niet weer over geld beginnen, maar kun jij iemand anders bedenken die ik om geld kan vragen voor de renovatie?'

'Weet je, B, als ik heel eerlijk ben, is een kerk niet meer het instituut waar mensen hun geld in investeren. Ze doneren rechtstreeks aan verpleeghuizen, invaliden en zo. De Kerk heeft kennelijk genoeg geld, denk je zelf ook niet?'

Ik bel aan bij Aurelia, wat een unicum is, gewoonlijk verwacht ze me en loop ik recht naar binnen. Ik zag haar auto in de garage staan, dus ik weet dat ze thuis is. Na enkele ogenblikken opent ze de voordeur. 'Kunnen we even praten?' vraag ik beleefd.

'Ik geef je het geld niet, B.'

'Wat zit jou dwars?' wil ik weten. Ik voel me daartoe in staat zodra ik besef dat ze me geen geld wil geven, en er geen enkele reden is om niet volkomen eerlijk tegen haar te zijn. 'Je bent in 1929 met een Jood getrouwd. Wat is er dan mis aan dat je dochter in 1970 van een Mexicaan houdt?'

'Ik wil het niet met jou over mijn dochter hebben. Voor mij bestaat ze niet meer.'

'Je bent zo stom als het achtereind van een varken!' Aurelia stapt verbijsterd achteruit. 'Ja! Een groot vet varken! Ik zal je eens iets vertellen over Pedro Alarcon, want jij ziet alleen een arme man uit een vreemd land. Ik zou over onze voorouders uit de Golf van Genua kunnen beginnen, maar dat is te voor de hand liggend. Pedro is een van de vroomste mensen die ik ooit heb ontmoet, en, vergeet niet, ik ben misdienaar geweest voor kardinaal Cushing toen hij in 1954 OLOF bezocht, dus ik weet wat vroom is. Pedro is bescheiden en rustig en getalenteerd. En hij houdt van je dochter. Dat is iets wat ze altijd gewenst en gehoopt heeft. Capri heeft veertig jaar in jouw schaduw geleefd.'

'Mijn schaduw? Ik wist dat ze geen uitgaanstype was, daarom probeerde ik haar juist onder mijn schaduw weg te duwen. Ik heb haar daar niet gehouden!'

'Je hebt je best gedaan om haar aan mij uit te huwelijken, terwijl je wist dat het nooit zover zou komen.' Aurelia wil protesteren. Ik snoer haar de mond. 'Zeker wel! Jawel! Ook al deed je alsof je wilde dat we zouden trouwen, je was maar al te blij toen het niet gebeurde, omdat ze bij jou zou blijven om voor je te zorgen. Dat is beslist niet wat Sy voor jou of haar in gedachten had. In werkelijkheid wilde Sy dat je hertrouwde…'

'Nooit! Eén god, één man, één leven!'

'Dat is een leuke regel voor een munt, maar ellendig om mee te leven.'

'Het is mijn waarheid!' Aurelia slaat zich op de borst.

'Je hebt je dochter praktisch gevangengehouden in dit huis. Ik geloof nu echt, nu ik op alles terugkijk, dat je mij zo vaak liet opdraven om de boel voor de zoveelste keer opnieuw in te richten om Capri de illusie te geven dat ze verhuisd was. Je wilde dat ze het gevoel had dat er iets gebeurde, terwijl het in feite jouw manier was om haar in jouw wereld op te sluiten. Misschien veranderde het behang, maar het bleven dezelfde vier muren, met dezelfde moeder ertussen die alle aandacht opeiste.'

'Dat is niet waar!' buldert Aurelia.

'En laten we het dan nu over al je miljoenen hebben. Waar gaan die heen als je je dochter onterft?'

'Ik heb plannen voor mijn geld.'

'Sy was een man van zijn woord. Ik denk dat hij laaiend zou zijn als hij wist dat je geld voor de kerk had beloofd en vervolgens de stekker eruit hebt getrokken. Per slot van rekening heb jij de Beth-Eltempel in Oakhurst laten herbouwen. Hij zou gewild hebben dat je hetzelfde deed voor je eigen gebedshuis.'

'Er veranderde iets.'

'Ten goede! Jij hield van je man, en hij van jou, en het is verbijsterend voor degenen onder ons die getuige waren van die liefde, om te zien hoe je je eigen dochter de liefde ontzegt.'

'Hij is geen geschikte man voor haar.'

'Je hebt hem niet eens een kans gegeven.'

'Hij verdient geen kans. Ze gaan met elkaar naar bed terwijl ze niet getrouwd zijn!'

'Is dat wat je dwarszit?'

'Nee, ik vind het nog erger dat hij een Mexicaan is!'

'Oké, nu komen we bij de waarheid.' Ik haal diep adem.

'Nee, helemaal niet. Ik ben thuis, ma.' We kijken allebei op en zien Capri in de deuropening. 'Pedro heeft het met me uitgemaakt.' De stralende vrouw met de zachte contactlenzen is verdwenen en het tuttige type met de jampotglazen is terug.

Aurelia slaakt een diepe zucht. Ze beziet haar dochter eerst met opluchting, maar binnen enkele seconden worden de muren weer opgetrokken. 'Ik wist wel dat je tot bezinning zou komen,' zegt ze kil.

'Ik vind het echt eng om u deze klus te laten zien,' zegt Two als we naar Lina Aldo's huis in Brielle rijden.

'Maak je niet druk. Ze heeft me gebeld om te zeggen dat ze dolblij was.'

'Ik kan u niet genoeg bedanken dat u me de kans hebt gegeven om een kamer voor een van uw cliënten in te richten. En dan nog wel een slaapkamer. Ik ben heel blij met uw vertrouwen in me.'

Two heeft gelijk. Het was een kwestie van vertrouwen om de teugels uit handen te geven terwijl het om een favoriete cliënt ging. Maar als ik eerlijk ben, heb ik me zo druk gemaakt om het geldgebrek voor de kerkrenovatie, dat ik Lina nooit de aandacht had kunnen geven die ze verdiende.

Het aantrekkelijke huis in koloniale stijl staat als een grijze vogel op een rustige plek in Windsor Avenue. Geïnspireerd door de zwart-witte berken in de achtertuin, heb ik een palet van lavendelblauw, zilvertinten en warm kastanjebruin voor het interieur gebruikt. De enige aanpassing die ik haar vroeg aan de buitenkant aan te brengen, was de vensters van de ramen bordeauxrood te verven in plaats van zwart, evenals de voordeur, in plaats van wit, om een hint te geven van hoe het eruitziet als je over de drempel stapt.

'Kom binnen, kom binnen!' Lina verwelkomt ons bij de voordeur. 'Jemig, zo naast elkaar lijken jullie net vader en zoon!'

'Hoe kan dat nou?' antwoord ik. 'Mijn haar is gitzwart en dat van hem is bruin.'

'Het gaat om jullie gezichten,' houdt Lina vol.

'Iedereen zegt dat ik sprekend op u lijk.' Two stompt me vriendschappelijk tegen de arm.

Lina draagt een bordeauxrode zijden blouse met een donker-marineblauwe rok. Haar grijze haar is in een eenvoudige pagecoupe geknipt. Een goede binnenhuisarchitect schenkt aandacht aan de persoonlijke smaak en verschijning van de cliënt. In één oogopslag zie je wat haar lievelingskleur is. Haar specifieke stijl dicteert hoe ze haar omgeving wenst. Als ze zich kleurrijk kleedt en veel sieraden draagt, is dat voorraadje fluweelbehang dat je voor een habbekrats in de uitverkoop bij Pierre Frey hebt gekocht, precies iets voor haar. Als ze een eenvoudig type is, zal ze dol zijn op vroeg-Amerikaans of shaker en knusse katoenen en linnen stoffen, dus geen damast en tafzijde. In zekere zin is een huis het landschap van iemands persoonlijkheid. Hun omgeving zou hun eigen stijl moeten benadrukken. Toen ik Lina voor het eerst ontmoette, was ze gekleed in een pracht van een boucléjas in bordeauxrood en zacht blauwpaars. Die stof, samen met wat ik in haar tuin oppikte in de vorm van berken, inspireerde me tot het kleurenpalet dat ik in haar huis gebruikte.

Ik deed haar woonkamer, studeerkamer en hal in duifgrijs met witte afwerking en liet kamerbreed tapijt in een iets donkerder grijs leggen om de vrij kleine kamers ruimer te maken. Lina heeft een klassieke smaak, daarom voerde ik het (Brunschwig & Fils nr. 54) meubilair uit in ton sur ton paarse matelassé, met hier en daar wat strepen op de sierkussens, nergens drukke patronen. Ik hield alles strak en klassiek: geen geplooide randen, ruches, kralen of franje – alleen heldere, duidelijke lijnen.

Ik haalde Lina over om de muur tussen haar slaap- en badkamer weg te breken om een royale suite te creëren, met een rij ramen aan de achterkant van het huis; ik liet het aan Two over om toezicht te houden op de aannemer, en gaf hem opdracht de slaapkamer in te richten.

Ik volg mijn neef naar de slaapkamer. Het eerste wat me opvalt zijn de ramen. Two heeft gekozen voor gordijnen tot op de grond in witte dupionizijde, wat de kamer helemaal licht maakt. Het bed staat tegenover de toegangsdeur, met aan weerszijden nachtkastjes. Voor de ramen staat een secretaire, en ik zie een chaise longue in de nis tussen de slaapkamer en de inloopkast.

'Dit is magnifiek. Vertel eens hoe je op dit ontwerp bent gekomen?'

'Kijk, nu Lina alleen is, brengt ze veel tijd in haar slaapkamer door, daarom hebben we er een klein bureau voor correspondentie neergezet, en een chaise longue.' Two wijst naar een open plankenunit langs de muur tegenover het bed, waarin boeken, foto's in zilveren lijsten en een kleine art-decokapspiegel zijn geschikt. Two praat snel, duidelijk trots op zijn werk. 'Ik zal de schemerlampen eens aandoen.' Hij drukt op de schakelaar van de twee bij elkaar passende tinnen lampen op de nachtkastjes. Het op bestelling gemaakte dekbed van lavendelblauw satijn, afgezet met wit, is in de stijl van het vroegere Hollywood. De chaise longue is bekleed met auberginekleurig fluweel. Het is een fantasie in paars.

'O, Bartolomeo, Two heeft een kamer ontworpen die Gloria Swanson waardig zou zijn. Ik vlij me echt als een filmster uit vervlogen tijden neer op die chaise longue,' zegt Lina overgelukkig.

'Het heeft net genoeg art deco, vind je niet?' zeg ik instemmend.

'Dit is mijn favoriete vondst.' Two klinkt professioneel. 'Ik moest iets bedenken om de tv weg te werken.'

'Ik heb een hekel aan tv's in het zicht,' zegt Lina.

'Waar is hij nu dan?' vraag ik om me heen kijkend.

Two gaat naar de open plankenunit en wijst naar een groot olieverfschilderij dat ermiddenin hangt. Het is een landelijk tafereel van groene velden en een boerderij, heel rustgevend. 'Kijk,' zegt Two. 'Het gaat open als een boek.' Hij trekt het schilderij naar zich toe, waardoor het openzwaait. Achter het schilderij staat een tv.

'Is dat niet briljant?' zegt Lina verrukt. 'Overdag sluit ik het schilderij, en 's avonds, als ik tv wil kijken, open ik het.'

'Geweldig idee!' Ik druk mijn neef even tegen me aan. 'Hartstikke goed!' Ik zou niet trotser kunnen zijn als Two en ik vader en zoon geweest waren.

Tijdens de terugrit zegt Two: 'Oom, ik zou heel graag fulltime voor u willen werken.'

'Dat zou ik fantastisch vinden,' antwoord ik. Ik had mezelf nooit als mentor voorgesteld, ik dacht dat ik het lastig zou vinden om met anderen samen te werken, maar door Christina en Two ben ik helemaal van gedachten veranderd.

'Echt?'

'Nadat je bent afgestudeerd aan Parsons, of welke academie je maar wilt. Eerst je graad halen, en dan de certificaten voor de ASID.'

'Als u me belooft dat ik voor u mag werken, beloof ik dat ik mijn studie afmaak,' zegt hij.

'Bij The House of B zal er altijd een plek voor je zijn.'

Hoewel ik misschien een onverstoorbare indruk maak, ben ik in werkelijkheid totaal van de kaart omdat het uit is tussen Capri en Pedro en door wat eraan voorafging. Het is niet makkelijk om snel aan geld te komen, maar ik doe mijn uiterste best.

Nadat ik Lonnie had gesproken, belde ik Zetta Montagna om fondsenwervers te ronselen bij de Knights of Columbus. Ik verdroeg zelfs de vernedering om terug te gaan naar pastoor Porp en me aan zijn genade over te leveren. Na veel bidden en smeken stemde hij toe om naar de bisschop te gaan, hoewel hij zo laaiend op me is, dat hij eigenlijk geen woord met me wil wisselen. Ik zei dat hij zijn persoonlijke afkeer jegens mij opzij moest zetten en zich om zijn parochie moest bekommeren.

Zelf ben ik ook bereid om alles in te zetten om aan geld te komen. Ik ken veel rijke mensen, maar die zijn voor het merendeel anglicaans en doneren aan hun eigen kerk. Op korte termijn heb ik vijfentwintigduizend dollar nodig om Rufus, Pedro en de rest van de ploeg aan het werk te houden. Op lange termijn hebben we nog eens honderdduizend dollar nodig om het project af te ronden. De ambitieuze watermuur kost daarbovenop nog eens bijna evenveel. Het zou net zo goed over een miljoen kunnen gaan. Ik ben erin geslaagd mijn smeekbeden om geld uit de openbaarheid te houden, in de hoop dat ik Rufus niet hoef te vertellen dat we binnenkort blut zijn.

Pedro, arme, sympathieke Pedro, zwerft triest door de kerk, als de gebochelde van de Notre Dame die treurt om zijn geliefde Esmeralda. Wie bewijs wil dat zijn liefde voor Capri oprecht was, hoeft alleen maar naar hem te kijken. Ik ben bang dat hij straks nog uitschiet met zijn lemmet tijdens zijn werk aan de ramen, om een eind aan zijn ellende te maken. Rufus belooft hem in de gaten te houden.

Als ik thuiskom, wacht Toot op me bij de garage. Ze heeft Anthony's pick-up geleend.

'Is er iets, Toot? Lieve god, wat ben je mager.'

'Weet ik. De eerste keer in mijn leven dat ik ben afgevallen zonder dieet. Het komt door al dat heen en weer rennen. Nu weet ik waarom de minnares altijd slanker is dan de echtgenote. Een comare is altijd in de weer: haasten om hem hier of daar te ontmoeten, terwijl de echtgenote thuis zit te wachten en zich volpropt met cannoli.' Ze wijst naar een grote kist achter in het vrachtwagentje, met het stempel BY ORDER OF THE QUEEN. 'Mijn vriendin Dahlia in het postkantoor belde. Ik zei dat je aan het werk was, en heb dit voor je opgehaald. Wat is het?'

'De kinderen van Fatima.' Toot helpt me de kist uit de pick-up te tillen. 'Ik ben zo down, Toot. Hoe kon het toch zo fout gaan?'

'Kom op. Het gaat alleen om geld. Je bent al zo'n eind. Zorg dat die bisschoppen en kardinalen je het geld geven.'

'Pastoor Porp zei dat hij met hen zou praten, maar hij gelooft niet dat ze zullen helpen. Hij wil me zien falen.'

'Wat een idioot. Het is zíjn parochie. Hij kan aan geld komen. Hij is de loopjongen van de bisschop. Dat weet iedereen.'

'Hoe dan ook, hij zal de rekening voor mijn project niet presenteren.'

'Walgelijk. Het geld is er! Kijk maar naar het Vaticaan! Kunst tot in de kelders! Overal goud! Als ik lang genoeg in de Sint-Pieter zou staan, zouden ze mijn achterwerk vergulden. Bovendien is Fatima financieel gezien het onderdeurtje. We krijgen nog niet de helft van wat andere parochies krijgen toegeschoven. Waarom gedraagt Porp zich niet eens als een vent en gaat hij naar de bisschop om te zeggen: luister eens, waarom krijgt elke katholieke kerk in Jersey allerlei gebouwen en sportzalen terwijl wij moeten smeken om een wijwatervont? Wat is daar rechtvaardig aan?'

Ik zal de financiële politiek van de r.-k. business nooit begrijpen.'

Toot en ik zetten de kist voorzichtig in mijn keuken. Ik pak een hamer en trek de krammen uit de planken. De vier kanten van de kist vallen uiteen als ik het deksel optil. De beelden zijn verpakt in jute en watten. Toot en ik pakken Lucia uit, dan Jacinta, en ten slotte Francisco. De beelden zijn hoger dan ik me herinner, ongeveer een meter vijftig. Toot en ik zetten ze naast elkaar op de keukenvloer.

'Wat een triest stel,' kwettert ze. 'Die kleren zijn pure armoe.'

'Het waren arme herderskinderen in Portugal. Je verwachtte toch geen Bob Mackie, mag ik hopen?'

'Ze hebben een goede poetsbeurt nodig en nieuwe lompen.'

'Ik zal tante Edith vragen of ze nieuwe kleren voor ze wil maken. Laten we ze zolang op zolder zetten.'

Toot pakt Francisco, en ik Jacinta. We lopen de trap op naar de zolder en zetten ze vlak bij Monica Vitti's luchter. Ik loop terug naar de keuken, waar Lucia is omgevallen, hoewel we haar recht-op hadden achtergelaten. Als ik haar optil, merk ik dat ze zwaar-der is dan de andere twee beelden. Ze zijn gemaakt van Parijse kalk, dus sterk, maar niet zo zwaar als marmeren beelden. Ik pak Lucia op als een baby en loop de trap op.

'Weet je, die glazen ogen bezorgen me de griezels,' zegt Toot. 'Het zijn net vluchtelingen uit het wassenbeeldenmuseum.'

'In Italië houden ze van authentiek, dat weet je toch?'

'Ja, en ze maken ook foto's van hun dierbare overledenen in de kist, maar daarom is het nog niet beschaafd. Ik hou niet van zul-ke levensechte beelden, die ogen volgen je door de kamer. Er zit allerlei engs in onze godsdienst waar ik bang van word.'

'Dat is ook de bedoeling,' zeg ik. 'Zo blijven we in het gareel.'

Als ik Lucia neerzet, valt haar voet eraf.

'Ze is kapot!' roept Toot uit.

Ik leg het beeld op de rug en bekijk de voet. De suède laars die ze droeg is gevallen en het lijkt alsof haar voet, in een lange kous gehuld, beschadigd is. Voorzichtig pel ik de kous af. Rondom de enkel loopt een naad, alsof de voet al eerder is gerepareerd.

'Ze hebben je beschadigde goederen verkocht,' zegt Toot.

'Wacht eens even. Er zit iets in het been.' Ik schud het beeld voorzichtig heen en weer en hoor iets rammelen. Ik zet Lucia rechtop en hoor een doffe plof op de vloer. Voorzichtig til ik haar weer op en dan glijdt er een dun, witmarmeren beeldje naar bui-ten.

'Wat is dat in vredesnaam?' Toot komt dichterbij staan om het te bekijken.

Ik draai het beeldje om in mijn handen. Het is een langwerpig exemplaar van gepolijst marmer met vage gouden aderen en een bolling in het midden. Het is niet geëtst of gekerfd. Het is glad en modern. 'Het is Moeder Maria,' zeg ik tegen Toot. 'Zie je?' Ik wijs naar de sluier, het lange gewaad en de bolling, die de baby moet zijn.

'In mijn huis zal het niets doen,' zegt Toot gedecideerd. 'Ik heb een echte rozenkrans om mijn Heilige Theresia hangen. Hou jij het maar.'

Niemand heeft Capri gezien sinds ze weer thuis is. Aurelia zal me niet willen ontvangen, daarom heb ik Christina, een neutrale partij, gevraagd om erheen te gaan om te zien hoe het met haar gaat. Rufus, Pedro en ik lunchen in de Tic-Tock en wachten op Chris. Ze is laat, wat geen goed teken is.

'Pedro, kwel jezelf niet zo,' zeg ik tegen hem. 'Je bent verliefd geworden. Dat is geen misdaad.'

'Het was verkeerd. Toen Capri en ik net samen waren, waren we zielsgelukkig. Maar toen de realiteit van haar moeders haatgevoelens tot haar doordrong, trok ze zich terug. Het werd te moeilijk. Ze begon aan haar gevoelens te twijfelen. Toen was het voorbij.'

'Het is gestoord.' Rufus schudt zijn hoofd. 'Provinciestadje. Italiaanse controledrang.'

Ik zet mijn stekels op. 'O, aan Ieren mankeert zeker niets?'

'We hebben zeker ruwe kanten, ja. Maar geen algemene vooroordelen tegenover anderen.'

'Je moet begrijpen dat Aurelia niets weet van Mexico en Mexicanen, met uitzondering van een korte tussenstop in Cabo San Lucas tijdens een dagtrip toen ze met Sy op vakantie was in het zuiden van Californië. Ik denk dat ze tot inzicht was gekomen als ze de tijd had gekregen.'

'Je droomt,' zegt Pedro met een afgewende blik.

'Het ergste wat Capri kon doen is terug naar haar moeder gaan. Daardoor leek het alsof ze het met haar eens was. Ze had voet bij stuk moeten houden.' Ik sla op tafel om mijn woorden kracht bij te zetten.

'Was ze ook zo toen ze met jou was?'

'Pedro, ik ben nooit mét Capri geweest. We zijn goede vrienden die deden alsof ze een relatie hadden. Een beetje zoals Judy Garland en Mickey Rooney.'

'Diep in haar hart wist Aurelia dat je niet voor het huwelijk in de wieg bent gelegd.' Rufus roert in zijn koffie en kijkt me aan.

'Juist.' Ik spreek hem niet tegen, maar ben wel beledigd. 'Het is niet zo dat ik niet tot liefde in staat ben, alleen beschouw ik Capri meer als een zus.' Ik klink behoorlijk defensief, daarom haal ik diep adem.

'Niemand heeft gezegd dat je niet tot liefde in staat bent. We weten allemaal dat je passie in je donder hebt. Ik heb je verf zien mengen.'

Christina zet haar auto voor de Tic-Tock. Rufus kijkt naar haar terwijl ze uitstapt; hij tilt een wenkbrauw haast onmerkbaar op en houdt zijn ogen op haar gericht tot ze binnen is. Ik vraag me af of hij haar over Ann heeft verteld. Misschien moet ik later iets tegen Christina zeggen. Ze schuift naast me op het bankje. 'Hoe ging het?' vraag ik haar.

'We hebben een kop koffie gedronken en ze heeft me dit gegeven.' Christina overhandigt Pedro een envelop. Zijn ogen lichten op. Hij is werkelijk heel aantrekkelijk als hij niet somber is.

'Excuseer me.' Pedro pakt de brief op en loopt naar buiten. Door het raam zien we dat hij een sigaret opsteekt, en dan de brief opent en leest.

'Hoe gaat het echt met Capri?' vraag ik Christina.

'Aurelia geeft geen krimp. En Capri denkt dat het haar moeders dood wordt als ze haar hart volgt.'

Rufus geeft Christina's hand een klopje en gaat naar buiten om met Pedro te praten.

'Heb je het al met Rufus over het geld gehad?'

'Nee. Ik kan het nog niet aan. Ik blijf hopen dat er iemand over de brug komt.'

'Hij heeft waarschijnlijk wel eerder met dat bijltje gehakt.'

De serveerster schenkt me verse koffie in. Ik giet er room bij. 'Je mag hem heel graag, hè?'

'Wie?'

'Meneer McSherry.'

Ze glimlacht. 'Hij is boeiend.'

'Wees voorzichtig.'

Christina kijkt even naar buiten, waar Rufus en Pedro staan. Dan geeft ze antwoord. 'Goed.'

'OLOF is veranderd in de club van gebroken harten van Centraal-New Jersey. Wat mij betreft, hebben ze al twee leden te veel.'

Christina schudt haar hoofd en bestudeert het menu alsof het een complexe theorie bevat. Ik ken haar goed genoeg om mijn mond te houden.

Het ochtendlicht stroomt binnen door de toegangsdeuren van de kerk, die opengehouden worden wanneer we binnen werken. Door de steigers heeft de lege kerk iets weg van een groot treinstation; en zonder het komen en gaan van mensen lijkt het een doelloos gebouw.

Rufus heeft de muren van de kerk geprepareerd om de fresco's te schilderen. Eén muur zit vol vegen op de plek waar hij zijn verf heeft uitgeprobeerd – een regenboog van zacht goud, robijnrood, magenta en mosgroen, en een kleine witte wolk. Die ziet er eenzaam uit op het grote oppervlak van de groezelige muur. Ik sluit mijn ogen en stel me voor hoe groots zijn fresco had kunnen worden.

Rufus is aan een schets begonnen op de gladgepleisterde muren. Ik zie de contouren van een Portugees landschap, en volgens mij engelen in de hemel.

Pedro is terug naar het pakhuis in Brooklyn om het glas voor de nieuwe ramen te gieten. Hij gebruikt echt zilver in het vloeibare glas om een regenboogkleurig rimpeleffect te creëren. Voor hij vertrok vroeg ik hem bijna de ramen op een minder kostbare manier te maken, maar ik bedacht me. Wat zou ik doen als een cliënt me liet weten dat ik geen stof van Scalamandré kon gebruiken?

We hebben nog twee dagen tot er uitbetaald moet worden en we officieel blut zijn. Ik heb gebeden tot St.-Antonius, St.-Theresia, en St.-Judas, voor hopeloze gevallen. Tot nu toe is er niet op wonderlijke wijze geld verschenen. Ik heb een paar afspraken later op de dag om te proberen geld los te krijgen, maar ik verwacht er niet veel van.

Om niet steeds aan het onvermijdelijke te hoeven denken, bekleed ik de altaarstoelen zelf opnieuw. Ik heb een schitterend stuk fluweel gevonden, dat ik voer met mousseline. Rufus is naar zijn vrachtwagen gelopen om meer specie voor de grotmuur te halen.

'Bartolomeo?' Aurelia staat achter in de kerk. Als ze me ziet, beent ze boos door het middenpad. Ze gooit een brief naar mijn gezicht. 'Ze is vertrokken met die Mexicaan.'

'Waar heb je het over? Pedro is in Brooklyn, om aan de ramen te werken.'

'Nee, helemaal niet. Hij is met mijn dochter ergens naartoe vertrokken om te trouwen. Lees maar.' Ik neem de brief, geschreven door Pedro, snel door. In voorzichtige, bondige en respectvolle bewoordingen vertelt hij Aurelia dat hij niet zonder Capri kan leven.

'Het spijt me, Aurelia.'

'Niet half zoveel als het mij spijt.'

'Nee, het spijt me dat je erop staat om Capri's leven te ruïneren. Ik wou dat je een paar minuten de tijd nam om in de spiegel te kijken. Dan zou je zien hoe belachelijk je bent.'

'Hoe durf je!' Aurelia zet haar handen in haar zij. Toen ik een jongen was, was ze zo groot dat ik bang voor haar was. Nu is ze slechts een kleine oude Italiaanse in pumps met lage hakken.

Ik sla mijn armen over elkaar en kijk haar recht aan. 'Ik ken je al heel mijn leven, en ik had geen idee hoe je werkelijk in elkaar zat. Ik dacht dat je een bescheiden katholiek meisje was dat uit liefde trouwde en geluk had wat geld betrof. Maar je bent een dominerende vrouw, die niets voor niets geeft. Je kunt niet zien hoe goed en fatsoenlijk Pedro is, want als je naar hem kijkt, zie je alleen een bruine huid. Hij zal een betere echtgenoot zijn dan ik ooit geweest zou zijn, dan de meeste mannen ooit zouden zijn, maar dat zul jij nooit opmerken.'

'Dit is niet wat ik wilde voor mijn dochter.'

'Kan zijn, maar het is wel wat zíj wil.' Ik geef haar de brief terug. 'Sy zou zich voor je schamen.'

'Hij vertrouwde altijd op mijn oordeel,' zegt ze met luide stem.

'Nou, dan zou hij nu bijzonder teleurgesteld zijn. Jij wilt dat Capri een kans op geluk opgeeft en thuisblijft om met jou naar *Bonanza* te kijken terwijl jullie pastei eten en jij klaagt dat de Kerk je financieel leegzuigt. Raad eens? Capri wil meer in haar leven, en wat deze kerk betreft, we hebben jouw geld niet nodig. Voor het eerst in de geschiedenis van Our Lady of Fatima zijn we niet afhankelijk van het Castone Mandelbaum-fortuin om ons uit de brand te helpen. We slaan ons er wel doorheen zonder "onze weldoenster".' Aurelia heft haar handen en vertrekt.

Na een lange dag soebatten om geld, draai ik mijn parkeerplaats voor de kerk op. Het zachte licht waarbij gewerkt wordt, schijnt door de voordeur van de kerk en werpt een baan over de trap naar het trottoir. Ik blijf er lang naar zitten kijken. Overal om me heen verzwelgt de donkere lucht ons stadje bijna. In de verte werpen de straatlantaarns kleine maantjes van wit licht omlaag, maar voor het merendeel maakt alles een naargeestige indruk. Ik ben naar vier van mijn beste cliënten geweest en kwam terug met het kolossale bedrag van twintigduizend dollar, wat genoeg is voor de doopvont aan de voet van de watermuur, en niet veel meer. Het is bijna middernacht als ik met een bezwaard gemoed de trap naar de kerk op loop. Ik heb dit pijnlijke gesprek met Rufus schaamteloos vermeden, in de hoop dat hij zo in zijn werk opgaat dat hij niet heeft gemerkt hoe radeloos ik was. Ik had half verwacht dat Pedro erachter zou komen wat Aurelia heeft gedaan, maar de weldoenster wist waarschijnlijk dat haar dochter zich niet terug zou spoeden om de kerk te redden. Capri is gul, maar niet diepgelovig. Er is in elk geval iets moois uit deze renovatie voortgekomen. Capri heeft in Pedro haar grote liefde gevonden. Daardoor is al deze ellende bijna de moeite waard.

Ik sta in het middenschip en zie dat Rufus op de steiger zit, en de muur schuurt waar de kruiswegstaties komen te hangen. Ik weet met hoeveel toewijding hij werkt, en het is hartverscheurend dat hij zijn meesterwerk niet zal kunnen afmaken. Ik kijk om me heen in de lege kerk en stel me voor hoe het had kunnen worden. Het pleisterstof bezorgt me een niesbui.

'Gezondheid.' Rufus kijkt omlaag.

'Rufus, we moeten even praten.'

Hij klimt via de ladder naar beneden en loopt naar me toe. 'Dat klinkt ernstig.'

'We zitten in de problemen.'

'Vertel.' Hij veegt met een bandana het zweet van zijn gezicht.

'De geldkraan is dichtgedraaid.'

'Hoe bedoel je?'

'Aurelia heeft de financiering stopgezet omdat ze laaiend is vanwege Capri en Pedro. Ik ben naar de pastoor geweest, en hij is naar het diocees gegaan. De bisschop wil niet dokken. Hij vond de renovatie te ambitieus. Hij zei tegen Porp dat we de kerk maar een lik verf moesten geven, en dan de kerkbanken terugzetten en verder niet moesten zeuren.' Ik krijg de woorden bijna niet over mijn lippen.

'Nou, dat is mooi. Stel dat de pausen zich zo hadden opgesteld tijdens de renaissance?'

'Ik ben bij vier van mijn belangrijkste cliënten geweest en heb twintigduizend dollar losgekregen, genoeg voor de doopvont. De ramen zijn gedekt omdat we de materialen vooraf betaald hebben. Ik wil niets liever dan dat je het afmaakt, maar we moeten de watermuur laten schieten. Rampzalig, maar we kunnen het ons niet permitteren. Voor die muur hebben we een grote ploeg mensen nodig, en daar hebben we nu domweg niet de middelen voor. Het is het kostbaarste onderdeel van het ontwerp.'

Rufus graait in zijn zak en vist zijn pakje sigaretten op. Hij biedt mij er een aan en steekt eerst zijn sigaret aan en dan de mijne. Hij blaast een wolk rook uit, die in de duisternis oplost.

Ik kijk om me heen naar mijn kerk, die me zo lief is: het is een puinhoop. De openingen waar de gebrandschilderde ramen waren, zijn met doorschijnend plastic bedekt. Op de plek van het altaar ligt een berg puin. De sacristie staat vol plaatsteen, pleistermateriaal en blikken verf. 'Het spijt me, Rufus.'

'Het zou iets moois geworden zijn. Maar ach, dit is niet voor het eerst dat kunst het aflegt tegen commercie, en het zal ook niet de laatste keer zijn.'

Eydies Lincoln stopt om zeven uur precies voor de Villa di Crespi. Ik heb een verrukkelijke maaltijd bereid: tortellini gevuld met paddenstoelen in een kruidige arrabiatasaus, gevolgd door gebraden kip met rozemarijn en een verse salade van krulandijvie. Ik heb veel aan Eydie gedacht. De enorme teleurstelling over de renovatie is hard aangekomen, en ik wil mezelf iets proberen op te vrolijken met een heerlijk maal, goede wijn en het gezelschap van een schitterende vrouw.

Ik begroet Eydie bij de deur. Ze kust me op beide wangen en geeft me haar minkjas aan. Ze heeft een sneeuwwitte wollen broek aan, met een roze kasjmieren trui. Haar lange zwarte haar zit in twee staarten, losjes gevlochten aan de uiteinden. 'Wauw, dat is wel heel bijzonder!' zeg ik als ik een vleugje van haar parfum opsnuif.

'Ja, ik ruik naar koekjes, vind je ook niet?' zegt ze lachend. 'Ik maak namelijk zelf mijn parfum. Gewoon thuis. Ik koop verfijnde etherische oliën in Chinatown bij iemand die ik ken. Dan meng ik een druppeltje van dit en een druppeltje van dat op basis van pure alcohol. Toen probeerde ik op een keer een kruidige oriëntaalse geur, en daaraan heb ik een paar druppeltjes crème de cacao toegevoegd. Dat is wat je nu ruikt,' legt ze uit.

'Ik wíst het!'

'En de mannen zijn niet van me af te slaan!' zegt ze grinnikend.

Ik neem haar mee naar de woonkamer, waar ik een kleine eettafel heb klaargezet. 'Wat leuk,' zegt ze, naar de tafel wijzend. Ik schenk een glas wijn voor haar in.

'Waar heb je dat vandaan?' Ze wijst naar het marmeren Mariabeeldje op de schoorsteenmantel.'

'Weet je nog, die beelden die ik in Engeland bij Asher had besteld? Hij heeft ze opgestuurd en een ervan was kapot, en daar bleek dit beeldje in te zitten.

Eydie pakt het voorzichtig op en draait het om. 'Dit is een Modigliani.'

'Wát zeg je?'

'Ja. Hier is zijn signatuur.' Ze wijst.

'Hoe is dat mogelijk?'

'De Tweede Wereldoorlog, de bombardementen. Asher zei dat er van alles werd verstopt…'

'Maar ook ín beelden?'

'Blijkbaar.' Eydie is verrukt, ze zet het beeldje terug op de schoorsteenmantel en bestudeert het nauwkeurig. 'Er gaat een verhaal dat Modigliani ooit zo kwaad werd in Venetië dat hij een lading beelden in het kanaal smeet. Ze zoeken nog steeds de kanalen af. Dit beeldje zou uit die periode kunnen zijn.'

'Ik moet het terugsturen naar Asher.'

'Helemaal niet. Jij hebt het gevonden.'

'Bij toeval. Ik heb voor Lucia dos Santos betaald. Niet hiervoor.'

'Wees niet zo mal. Het zou een royaal gebaar van je zijn als je hem een soort vergoeding gaf, iets van vijftien procent van het bedrag waarvoor je het verkoopt.'

'Ik wil het niet verkopen. Ik vind het mooi.'

'Daar kan ik in komen. Veel mensen hebben graag bijzondere kunst in hun woonomgeving, maar om dit beeldje zouden de musea vechten.'

'Echt? Denk je werkelijk dat het zo waardevol is?'

'Het is een van zijn weinige overgebleven beelden. Hij was voornamelijk bekend als groot schilder.'

'Hoeveel denk je dat het waard is?'

'Tweehonderdduizend dollar, minstens,' zegt Eydie. 'Waarschijnlijk meer.'

'Dat meen je niet! Ik heb nog nooit geluk gehad in geldzaken. Ik heb nooit met bingo gewonnen, of het juiste aantal gomsnoepjes in de stopfles geraden, en ik ben nooit de honderdste klant geweest die gratis mocht winkelen bij Ben Franklin's. Dit is niet te geloven!'

'Je wordt een rijk man, mijn vriend,' zegt Eydie glimlachend.

Ik krijg nauwelijks een hap door mijn keel. Eydie vertelt me van alles over Modigliani's leven – wat een knappe, temperamentvolle deugniet hij was, hoe hij een legende in de Parijse kunstwereld werd, niet weg te denken uit het wilde nachtleven van die stad. Ik staar alleen maar dromerig naar het Mariabeeldje.

Hoe is het mogelijk dat ik zomaar ineens door het geluk getroffen ben? Ik heb me altijd afgevraagd hoe het zou zijn om rijk te zijn, wat voor gevoel het zou geven om zo veel geld te hebben dat je voor je plezier kon werken, en nooit omdat het moest. Het duizelt me van de mogelijkheden. Er is zo veel wat ik dolgraag met dit geld zou willen doen. Een huis aan de Golf van Genua, om te beginnen, of een jaar in Hong Kong verblijven en zien hoe de plaatselijke ambachtslieden zijde maken. Of studeren aan de kunstacademie in Londen om te leren behang voor de groothandel te ontwerpen. De lijst is eindeloos!

'Ik moet terug naar New York,' zegt Eydie nadat we tot middernacht hebben zitten praten.

'Blijf alsjeblieft.'

'Ik kan niet,' zegt ze. 'Wanneer wil je daarmee' – ze wijst naar het beeldje – 'naar New York?'

'Maandagochtend?'

'Kom naar mijn appartement, dan ga ik met je naar de beste taxateur die ik ken, bij Sotheby's.'

Het lijkt of we minutenlang bij de deur blijven staan, maar het zijn maar een paar seconden. Ik neem Eydie in mijn armen en zoen haar. Ze zoent me terug, waardoor er allerlei emoties in me opborrelen. Ik verlang naar haar. Dit is totaal anders dan met Mary Kate, die me verslond als een graankoekje. Dit is een volwassen gevoel, vol onaangeboorde verlangens en emoties.

Ze duwt me zacht van zich af. 'Bartolomeo, dit is geen goed idee.' Toch glimlacht ze.

'Waarom niet?'

'Ik ben niet de juiste vrouw voor je.'

'Hoe weet je dat als je het geen kans geeft?' Ik zoen haar opnieuw, en nu zoent ze me terug met de hartstocht waarop ik had gehoopt. Haar lippen en huid zijn zachter dan de charmeusezijde die ik als voering voor Toots dekbed gebruikt heb.

'Geloof me,' zegt ze, zich van me losmakend. 'Dit moeten we niet doen.' Ze opent de deur en keert zich naar me om. 'Maar ik ben wel dol op je,' zegt ze met een grijns. Ik kijk haar na, wensend dat ze was gebleven, maar toch ook met iets van opluchting dat ze weg is. Ik hou van happy endings. Op het hoogtepunt stoppen. Hoe hadden we die zoen kunnen overtreffen?

Ik zet de laatste schone borden terug in de kast. Ik ga naar de woonkamer en zet de stapeltafels terug in de hoek. Ik leeg de asbakken en breng ze naar de keuken. Wanneer ik de lichten uitdoe en naar bed ga, denk ik aan Eydie en mij. Waarschijnlijk heeft ze gelijk. We passen niet bij elkaar. Twee kunstenaars in een liefdesrelatie is er één te veel. Als we samen zijn, kan ik niet genoeg van haar krijgen. Ik zou haar steeds meer opeisen, en dat zou haar benauwen.

Ik open mijn slaapkamerraam om de frisse nachtbries binnen te laten. Ik haal mijn pyjama uit de ladekast en leg hem op bed. Ik was mijn gezicht, poets mijn tanden en knip het nachtlichtje in de badkamer aan (een gewoonte uit mijn kindertijd). Terwijl ik me uitkleed, vouw ik mijn kleren op en berg ze weg. Ik trek mijn pyjama aan en stap in bed. Zodra ik mijn hoofd op de kussens leg, denk ik weer aan Eydie. Ik vraag me af of ze ook aan mij denkt. De telefoon gaat luid over, ik spring bijna uit mijn vel van schrik. Ik neem op.

'Ik móést je bellen,' zegt Eydie buiten adem aan de andere kant van de lijn.

'Er is toch niets met je?'

'Nee hoor, alles kits. Alleen wat verdoofd.'

'Wat is er dan?'

'Ik heb je Mariabeeldje opgezocht. O, B.'

'Zeg maar niets, het is veel minder waard dan je dacht.'

'Meer! Wat dacht je van driehonderdduizend dollar?'

Ik ben met stomheid geslagen.

'B, ben je er nog?'

'Ik ben sprakeloos.'

'Ja. Wat een nieuws, hè?'

Toen Aurelia naar de plaatselijke politie stapte om Capri als vermist op te geven, maakten ze haar beleefd duidelijk dat een veertigjarige vrouw die een briefje achterlaat om te melden dat ze ervandoor is om te trouwen, niet onder de categorie 'vermist' valt. Ik spoorde pastoor Porp aan om naar haar toe te gaan en met haar te praten, maar Aurelia zette hem buiten, net als iedereen die probeerde haar tot rede te brengen.

Met het nieuws van Eydie snel ik de trap van de kerk op. 'Rufus! Rufus?' roep ik luidkeels.

'Ik ben hier!' roept hij terug. Ik ren naar hem toe.

'Weet je, het is echt heel jammer,' zegt hij terwijl hij om zich heen kijkt naar al het werk in uitvoering. 'Pedro is bijna klaar met de ramen.'

'Hoe weet je dat? Heb je hem gesproken?'

'Ze zijn in het pakhuis in Brooklyn.' Rufus' ogen twinkelen. 'Ze zijn gisteren getrouwd. In het stadhuis in Manhattan.'

'Geweldig nieuws!'

'En, wat wil je dat we hier doen? De boel afronden?'

'Niet echt. Ik heb een plan.'

'Een plan? Heb je iets bedacht waardoor we verder kunnen?'

'Rufus, laten we het erop houden dat ik financiële mazzel heb gehad.'

'Legaal?'

'Helemaal.'

Hij raapt een beiteltje op en begint de muur af te bikken, maar dan stopt hij. 'Daar ben ik blij om. Ik wilde dit project echt afmaken. Ik heb op veel plaatsen gewerkt, maar hier… Laten we zeggen dat ik verslingerd ben geraakt aan Fatima.'

'Je wilt toch niet zeggen dat de r.-k. business onder je huid is gekropen?

'Nee. Je hoeft me nog niet aan te melden.'

'Hoe komt het dan?'

'Door haar.' Rufus wijst naar het oude doek van Michael Menecola. Het lijkt wel of de Heilige Maagd naar Rufus knipoogt.

'Dat meen je niet.'

'Jawel.' Hij gaat naar zijn verfblik en roert erin. Ik blijf even naar hem staan kijken.

'Waarom werk je zo graag in kerken?'

Hij lacht. 'Ik lijk wel gek. Er is niets erger dan voor overtuigd gelovigen te werken. Ze zijn allemaal net als Aurelia. Ze willen iets majestueus, maar op hún voorwaarden.'

'Heel frustrerend.'

'Ja, maar in deze oude schuren huist een rijke geschiedenis.'

'Maar je gelooft niet in het uiteindelijke doel: verlossing.'

Rufus glimlacht. 'O, daar geloof ik wel in.'

'Ik heb je niet één keer over geloof gehoord. Je zei tegen me dat dogma's voor bekrompen geesten waren. Dus, wat drijft je?'

'Vrouwen.'

'Ach, kom.' Ik gooi mijn hoofd achterover en schater.

'Wat drijft jou?'

'Weet ik niet. Schoonheid, volgens mij.'

'Misschien hebben we het dan over hetzelfde. Elke man die zegt dat hij iets voor zijn eigen plezier of zijn eigen ego maakt, liegt. Hij bouwt en creëert en worstelt om maar één reden: om indruk op een vrouw te maken.'

'Zou jij ruim tweeduizend jaar joods-christelijke religie en de kunst die erop is geïnspireerd samenvatten als een poging om indruk op een vrouw te maken? Je bent écht gek.'

'Wat heeft meer eeuwigheidswaarde dan de liefde tussen twee mensen? In mijn ervaring is ware liefde onsterfelijk. Hoe denk jij daarover?'

Ik kuch om niet te hoeven antwoorden.

Rufus pakt zijn thermoskan van de communiebank en vraagt of ik koffie wil. Hij schenkt een kop voor me in. 'Heb je ooit van een vrouw gehouden?'

'Ik geloof dat ik verliefd ben op Eydie!' Het vloeit van mijn lippen als de hete koffie uit de thermos. De bekentenis is er nog niet uit, of ik wil hem intrekken.

Rufus glimlacht. 'Dat zijn we allemaal. Elke man met wie ze in contact komt, wordt een beetje verliefd op haar.'

'Wat is dat toch met haar?'

'Eydie draagt het beste parfum ter wereld. Het heet "ik heb je niet nodig". Dat is onweerstaanbaar, vriend.'

'Ik ben blij dat ik niet de enige ben.' Ik zucht diep. 'Ze heeft me helemaal ingepakt.'

'Nee, nee, je bent in goed gezelschap,' verzekert Rufus me.

'En Christina heeft jou ingepakt. Klopt dat?'

Hij zet zijn koffie neer en wacht even voor hij antwoordt. 'Ze is een engel.'

'Dat vind ik ook... Je zult haar toch niet kwetsen?'

'Nee,' belooft hij.

'Goed. Want ze heeft veel meegemaakt.'

'Ik zou me geen zorgen over Christina maken,' zegt hij.

'Ze is sterk.'

'Ik zou me zorgen maken over míj.' Grinnikend pakt hij zijn verfkwast, steekt hem in zijn achterzak, en klimt op de steiger, wat me doet denken aan Clark Gable, toen hij langs de touwen van de *Bounty* klom alvorens tot muiterij op te roepen. Wat zal ik mijn vriend missen als hij weer weg is.

Henry Baxter bij Sotheby's adviseerde Eydie en mij om een kenner bij Spolti Ltd. in Park Avenue te raadplegen. Grayson Asquith is een Modigliani-expert en zou ons een taxatie en een lijst kunnen geven van verzamelaars, inclusief musea, die het beeldje zouden willen kopen. Eydie was zo wijs om me aan te raden te doen alsof ik de kleine Maria niet weg wil doen, om er het hoogste bedrag voor te krijgen. We zitten in het kantoor van Asquith, een drukke professioneel uitziende lounge op de hoek van East Seventy-third Street. Vanuit zijn raam op de eerste verdieping zien we de welgestelde bewoners van Upper East Side in de weer met hun dagelijkse beslommeringen.

Vannacht heb ik nauwelijks een oog dichtgedaan. Nadat ik de commissie voor Asher Anderson eraf heb gehaald, zal ik de rest van het geld in de renovatie van de kerk steken.

Eydie is verbijsterd als ik haar mijn besluit vertel. Zij vindt dat ik een deel aan de kerk moet besteden en de rest voor mezelf moet houden. Maar de kleine Lucia dos Santos is niet van zover gekomen zodat ik een tweede huis aan de Golf van Genua zou kunnen kopen. Ze verwacht iets meer van me dan dat. Ik wil haar niet teleurstellen. Pastoor Porp is dolgelukkig. Hij kan niet geloven dat iemand die niet in het geld zwemt (zoals Aurelia) zoveel geld aan onze kerk wil uitgeven.

Ik ken nogal wat mensen met veel geld, en ik zie hoe het corrumpeert. Rijke mensen gaan denken dat ze onoverwinnelijk zijn, maar niemand van ons ontkomt aan de pijn en het lijden van het leven. Een rijk iemand denkt: als ik een nier nodig heb, koop ik er een; als mijn carrière mislukt, ga ik genieten van mijn vrije tijd; en als ik oud ben, ben ik niet afhankelijk van de goedheid van anderen, ik kan iemand betalen om voor me te zorgen. In plaats van relaties op te bouwen die ertoe doen, bekommert de rijke zich vooral om zijn relatie met zijn accountant.

Natuurlijk zou ik met dit geld heel ver kunnen komen in Scalamandré, en niemand houdt meer van goudlamé dan ik. Werkelijk. Af en toe fantaseer ik dat ik in het vliegtuig naar Italië zit om de beste zijden stoffen bij Fortuny te kopen. Maar ik haal diep adem en hou me voor dat ik schitterende kamers heb ontworpen, ongeacht het budget. Bovendien resulteert een gigantische uitgave niet altijd in goede smaak. Een goedkope pot verf kan de sfeer van iemands kamer veranderen en daardoor ook hoe zo iemand tegen het leven aan kijkt. Ik heb katoenfluweel voor drie dollar per meter weten te vinden dat net zo mooi was als stof die voor vijfenzeventig dollar over de toonbank gaat. Mijn lievelingsbank, Georgian, met poten van houtsnijwerk, opgevist uit een container, kostte niets. En toch is het mijn favoriete meubelstuk. Er zijn echter mensen die geloven dat de waarde van iets alleen door geld wordt bepaald.

Wanneer ik langs de rand van de zee achter mijn huis loop, ben ik de rijkste man ter wereld. Ik hoef geen vette bankrekening om die kennis te bezitten. Ik ben veertig en kan goed leven van wat ik heb. Ik wil niet meer verzamelen dan ik kan gebruiken. Ik wil niet dat mijn neven bij me op bezoek komen wanneer ik oud ben omdat ze bang zijn dat ik ze anders onterf. Ik wil dat ze naar me toe komen uit liefde, niet uit plicht, en niet omdat ze op mijn geld azen.

Te veel mensen in mijn familie zijn gebrouilleerd geraakt vanwege geld. Dat vind ik onbeschrijflijk triest. Hebzucht is verraderlijk en nestelt zich in de aderen van goede mensen als ze niet opletten. Je zou kunnen denken dat geld niet belangrijk is, tot iemand je uit zijn testament heeft geschrapt. Ik heb takken van mijn familie zien instorten toen dat gebeurde. Ik heb gezien dat aan geld gerelateerde verbittering en woede de gezondheid tot op het bot aantasten. Nee, bedankt. Ik geniet liever van een goede nachtrust dan dat ik me druk maak om geld.

'Bartolomeo?' Eydie stoot me aan en fluistert: 'Luister je wel? Ik hoorde Asquith net telefoneren. Ze willen je driehonderdvijftigduizend dollar geven voor je Mariabeeldje.'

Mijn hoofd tolt. 'Zal ik dan vijfendertigduizend aan Asher geven?'

'Hij zal huilen van blijdschap!' zegt Eydie. 'Hij zal niet weten hoe hij je moet bedanken.'

'En de rest gaat naar Rufus om onze kerk af te maken.'

'Het is jouw geld, schat.' Eydie legt haar hoofd in haar handen. 'Maar gek ben je wel.'

Het ware wonder van Fatima

Eydie en ik vieren de verkoop van de kleine Maria van Modigliani in Valdino in Hudson Street in Greenwich Village met de beste wijn die ze hebben. Met regelmatige tussenpozen haal ik de cheque uit mijn zak om ernaar te kijken. Ik zwaai naar Capri en Pedro, die net binnen zijn gekomen. Toen ik wist dat ik naar New York ging, belde ik om hen op een etentje te trakteren ter ere van hun burgerlijk huwelijk.

'Daar hebben we de vluchtelingen!' zeg ik vrolijk.

'Maak daar alsjeblieft geen grappen over. Ma heeft een privédetective op ons af gestuurd om met ons te praten,' zegt Capri.

Ze kust mij en Eydie, Pedro schudt ons de hand, ze gaan zitten en ik schenk hun elk een glas wijn in.

'Dus die speurneus hoort het hele verhaal en krijgt zo'n medelijden met ons, dat hij ons belooft om moeder te bellen met de mededeling dat hij ons niet heeft kunnen vinden. Kun je 't je voorstellen?'

'Iedereen met gezond verstand kiest de zijde van de ware liefde,' zeg ik.

'Bedankt dat je me van de huwelijksmarkt vandaan hebt weten te houden, B. Je hebt me voor Pedro bewaard.'

Ik doe mijn best me niet beledigd te voelen. 'Ik ben blij voor je.'

'Wacht tot je Pedro's ramen ziet,' zegt Capri trots.

'Ik ben bijna klaar. Je neef heeft enorm geholpen,' zegt Pedro tegen me.

'Ik was blij dat hij je aan het werk kon zien. Hij heeft talent, vind je niet?'

'Hij heeft oog voor klasse.' Pedro glimlacht. 'Net als jij.'

'Ik hoop dat hij zakelijker is ingesteld. B wil al het geld dat hij voor de kleine Maria heeft gekregen aan de renovatie van de kerk besteden. Ik zei dat hij gek was!' Eydie klopt me op de rug.

'B zou nog zijn overhemd uittrekken om het weg te geven. En als dat niet genoeg is, ook zijn broek,' zegt Capri grinnikend.

'Genoeg over mij en mijn broek,' zeg ik ongeduldig. 'Hoe bevalt het huwelijksleven?'

Pedro en Capri kijken elkaar aan. 'Ik ben geboren om bij Pedro te kunnen zijn,' zegt ze.

'Kun jij dat nog overtreffen, Pedro?'

'Ik denk van niet. Ik hou heel veel van haar.' Hij pakt haar hand en drukt er een kus op. 'Maar ik wil dat het goed komt met mevrouw Mandelbaum. Ik heb er moeite mee dat ik tussen moeder en dochter ben gekomen. Dat is fout.'

'Ze gaf je geen kans om geluk te vinden. Aurelia is degene met het probleem, en zij is degene die het goed moet maken.' Ik tik op tafel met mijn lepel om mijn woorden kracht bij te zetten.

'Het is moeilijk voor haar, B. We zijn altijd met zijn tweetjes geweest sinds pa stierf.'

'O, doe me een lol, Capri. Alsjeblieft. Je moeder weet wel beter. Ze is een beste vrouw die in haar paniek van alles heeft gezegd wat ze niet had moeten zeggen. Zij hoort je haar excuses aan te bieden, en jou' – ik kijk Pedro aan, – 'een nieuwe auto. Ze heeft zich erg misdragen. Nota bene zelf een vrouw die gediscrimineerd werd vanwege haar huwelijk met je vader, en wat doet ze? Hetzelfde met jou. Nee. O, nee!'

'Ik zou graag met haar gaan praten,' zegt Pedro.

'Neem een priester mee. En als je een kardinaal kent, die ook.'

Ik rij mijn oprit op rond twee uur 's nachts. Toots auto staat bij de garage. Ze is achter het stuur in slaap gevallen, met een doekje op haar hoofd en een zonnebril op. Als ik op het raam tik, schrikt ze wakker. Door het glas zie ik aan haar bewegende mond dat ze 'je-zus!' zegt.

'Waar is je sleutel?' Ik help haar uitstappen.

'Die kon ik niet vinden. Waarom ben je zo laat?'

Ik negeer haar vraag. 'Wat doe je hier?'

'Doris en Lonnie gaan scheiden. Ze verdenkt hem ervan dat hij vreemdgaat!'

'Dat is ook zo.'

'Dat weet ík, maar zij niet. Ik kan mijn geluk niet op het spel zetten. We moeten zorgen dat ze bij elkaar blijven.' Toot volgt me naar binnen. Ik doe het licht aan en we lopen naar de keuken.

'Dit is krankzinnig! Waarom laat je hen niet gewoon scheiden? Jij houdt jouw huis, hij het zijne, en je gaat gewoon door met die gepassioneerde affaire die jullie samen hebben zonder de drei-ging van een huwelijk boven je hoofd.'

'God, B, snap je het niet? Het geeft me een kick. Het is pervers, maar ik vind dat bedriegen heerlijk! En weet je, het doet Lonnie ook enorm goed. Hij knuffelt me en geeft me complimentjes en hij koopt cadeaus voor me, het is precies zoals ik altijd heb ge-droomd. En nu wil ze bij hem weg, en dan loopt hij met zijn ziel onder zijn arm en komt hij naar mij om hem bezig te houden. Zolang hij getrouwd is, moet hij af en toe naar huis, zodat ik het grootste deel van de week mijn eigen gang kan gaan. Als hij vrij man is, komt hij bij mij rondhangen, en dan verdwijnt in no time alle spanning uit onze relatie.'

'Rustig aan. Je bent bijna aan het hyperventileren.'

'Dat zou jij ook doen! Ik wil Lonnie niet fulltime, B! Ik wil niet zijn was doen en doktersafspraken voor hem maken en zijn auto wassen! Help me.'

'Oké, doe het volgende: maak het uit met hem.'

'Hoe bedoel je?'

'Laat hem gaan. Voor zover ik Lonnie ken, heeft hij binnen een maand een vervangster voor Doris gevonden, een leuk Iers vrouwtje dat van Italianen houdt. Dan trouwt hij voor de vierde keer; jij houdt je op de achtergrond in je sexy lingerie en muiltjes, en voor je het weet kunnen jullie weer niet van elkaar afblijven en pakken jullie de hitsige draad weer op.'

'Zowaar als ik hier sta, je bent een genie! Misschien ga ik een maand naar Iggy met zijn astmakwaal.'

'Goed idee. Tegen de tijd dat je terug bent, heeft Mister Lonely een nieuwe vrouw, en kun jij haar achter haar rug voor schut zetten.'

'Klinkt goed. Klinkt geweldig.'

'Prima, voel je je nu beter?'

'Honderd procent.'

'Oké. Bel hem en breek zijn hart, morgenochtend vroeg. En nu naar huis. Ik ben doodop.'

Toot drukt een snelle kus op mijn wang. 'Jij weet altijd de beste oplossing.'

Het eerste wat ik de volgende ochtend om negen uur doe, is naar de bank gaan om de cheque van Sotheby's te deponeren. De arme bankemployé krijgt zowat een hartverzakking. Toen ik achter die balie werkte, vroeg ik me vaak af hoe het zou zijn om meer geld te hebben dan je ooit kon opmaken. Nu weet ik het. En ik kan niet wachten om het uit te geven aan iets waarin ik geloof.

Als ik naar de kerk rij, zie ik dat de straten eromheen vol geparkeerde auto's staan, wat heel vreemd is, aangezien het geen verplichte feestdag is en niemand me heeft laten weten dat er een begrafenis was.

Ik parkeer op een vrije plek bij het kerkhof. Ik zie Rufus' vrachtwagen op zijn gebruikelijke plek. Ik kan niet wachten om hem te vertellen dat Modigliani ons gered heeft. We hoeven de werklui niet te laten gaan; we kunnen de klus afmaken.

Als ik de kerk binnenga, hoor ik geroezemoes. Wanneer ik bij het middenschip ben, houdt het geluid op. Er zijn wel honderd mensen aanwezig, dezelfde gezichten die Toots garage vulden op mijn verjaardagsfeest. Vandaag wordt er echter niet gedanst. Ze zijn aan het werk.

Lonnie voert een rij mannen aan, inclusief zijn zonen Anthony, Nicky en Two. Ze geven grote veldstenen door aan Gus Lascola, Zeke Nero en Tulio Savastanno, die ze op zijn beurt aan de Knights of Columbus doorgeeft. Het lijken wel Egyptenaren die een piramide bouwen. Als de stenen bij de altaarmuur zijn, plaatst een andere groep mannen, onder leiding van Rufus, ze in een configuratie die de watermuur gaat worden.

Norman, onze ingenieur, is met behulp van andere parochianen in een kruiwagen cement aan het mengen om de stenen te voegen. Oom Petey helpt Pedro de houten latten te verwijderen van de gaten waarin zijn gebrandschilderde ramen geplaatst worden. Capri legt het hout voorzichtig aan de kant. Tante Edith, nicht Marlene, en Nellie Fanelli poetsen de nieuwe ramen glimmend onder Pedro's supervisie.

Christina staat op de steiger en toont de vrouwen van de congregatie hoe ze de zuilen als geaderd marmer moeten schilderen. O, lieve god! En daar staat Eydie, hoog in de lucht, het lijstwerk te vergulden. (Wat doet ze hier, en wie heeft haar gebeld?) Bij de sacristie bereidt Toot koffie en zet schalen Deense koffiebroodjes op een bingotafel in de alkoof waar het gebedsaltaar voor Maria komt te staan. Zetta schikt bekers en servetten voor de werkpauze.

Ik voel me alsof ik midden in een droom ben beland, waarin alles om me heen beweegt, maar mijn voeten wortel hebben geschoten in de grond. Mijn hart bonst in mijn borstkas alsof de zon door zware donkere wolken breekt. Ik ben zo vervuld van verwondering en liefde dat ik niets kan uitbrengen. Ik dacht dat ik de enige was die hart had voor de renovatie van deze kerk, dat ik de enige was die de puurheid bezat om de plaats waar ik leerde bidden mooi te maken. Maar nu zie ik dat ik nooit alleen ben geweest.

Even later ziet Toot me. 'Hé, mensen, hij is er! B is hier!' Iedereen houdt op met werken en kijkt naar mij. Als ze zien dat ik tot tranen toe geroerd ben, verlaten ze hun post en komen ze naar me toe, tot ik helemaal omgeven ben door de gelovigen. Christina baant zich een weg door de mensenmassa. 'Niet boos op me zijn. Ik vond het zo erg voor je. Ik wilde je droom niet in rook zien opgaan vóór het project af was.'

'Het bisdom kan het heen en weer krijgen!' roept Gus Lascola. 'We hebben hun geld niet nodig.' Iedereen juicht.

Ik veeg mijn tranen af aan mijn mouw. 'Wat staan jullie te kijken? Ga terug aan het werk!'

Gelach vult de kerk als muziek. Als de ploegen weer aan de slag gaan, slaat Rufus zijn armen om me heen en drukt me tegen zich aan. 'Kom meehelpen met de muur. Ik wil zeker weten dat we het goed doen.' Maar het maakt niet uit wat ik denk. Alles is meer dan goed.

Rufus heeft schone mousselinen draperieën aan roeden voor de fresco's gehangen, zodat nieuwsgierige ogen ze niet kunnen zien voor ze droog zijn. Het is een week geleden sinds iedereen meehielp om de klus af te maken. Ik zorgde ervoor dat Rufus de kerk voor zichzelf had om de fresco's af te maken.

Net als ik heeft Rufus ook iets van de temperamentvolle kunstenaar in zijn karakter, en híj alleen besloot wanneer hij zijn werk zou onthullen. Door de verkoop van de kleine Maria en de hulp van de parochianen bleef er genoeg over om de toegangstrap te vervangen en het kerkplein op te knappen, wat we niet hadden meegenomen in ons oorspronkelijke ontwerp. Ik kon de zwart-witgeruite marmeren vloer van de hal doortrekken over de hele lengte van het middenschip. Hoewel ik razend nieuwsgierig was naar de fresco's (ik zou zelfs, als weldoener, op mijn strepen kunnen staan), vroeg ik niets, uit respect voor de man die een goede vriend is geworden.

Wanneer ik door de zijpaden loop, zie ik de levendige tinten van de muurschilderingen door het dunne mousseline. Wat zullen die kleuren prachtig uitkomen tegen de zwart-witte vloer (à la Westminster Cathedral) in het middenschip en de hal.

Rufus heeft dag en nacht doorgewerkt. Hij is bij de fresco's te werk gegaan als een renaissanceschilder. Hij heeft traditioneel droog verfpigment gebruikt en elke centimeter eigenhandig geschilderd.

Ik loop naar de sacristie. Daar staan drie zakken met de namen LUCIA, FRANCISCO en JACINTA. Er hangt ook een briefje aan.

Kleren voor de kinderen van Fatima. Van tante Edith.

Ik open de zakken. De kleding voor de beelden is hetzelfde als de originele, alleen zijn ze van fluweel in plaats van het originele jute en katoen. De kleine Francisco heeft nu een kralenversiering op zijn herdershoed. Deze arme Portugese schapenhoedertjes zijn Italiaans-Amerikaanse iconen geworden.

'Zo, B,' zegt Rufus als hij me in de sacristie opzoekt. 'De eerste onthulling van de fresco's is alleen voor ons tweeën. En als iets je niet bevalt, laat je het me weten, oké?'

'Rufus.' Hij draait zich om en kijkt me aan. 'Je bent zenuwachtig.'

Er verschijnt een brede glimlach op zijn gezicht. 'Ik geloof het wel.'

'Dat geeft niets. Het betekent dat het belangrijk voor je is. Dit is net als toen Michelangelo' – ik wijs naar Rufus – 'peentjes zweette toen paus Leo' – ik leg mijn hand op mijn borst – 'naar de Sint-Pieter kwam om de Sixtijnse Kapel voor het eerst te bezichtigen. De spanning was om te snijden.'

Rufus drukt zijn sigaret uit en opent de zijdeur van de kerk. 'Laten we via de voorkant naar binnen gaan.' Ik volg hem naar buiten, en hij zegt geen woord als we de trap op gaan. We lopen de hal in. 'Kijk,' zegt hij als hij de deur openzwaait. Ik ga als eerste naar binnen.

Het eerste wat me opvalt is het intense botergele ochtendlicht dat door het glazen plafond schijnt. Het vult de kerk als een open veld in de zomer. Ik hou mijn adem in. De donkere holten en schaduwen en gotische somberheid van de oude kerk zijn verdwenen, en vervangen door dit hemelse licht. De nieuwe kerkbanken van gepolijst kersenhout met goudkleurige fluwelen zittingen en bijpassende knielkussens dragen bij aan de ruimtelijke sfeer van de kerk. Het heldere, zachte geluid van het water dat langs de stenen muur stroomt brengt de natuur binnen.

Het vakmanschap is adembenemend. Ik heb nog nooit zoiets gezien.

'Je moet het altaar zien,' zegt Rufus.

Ik loop achter hem aan door het middenpad en inhaleer de aangename geuren van olieverf en pleister, de geur van 'nieuw'. Het altaar is een eenvoudige ovale quakertafel van kersenhout. Aan pianodraad, nog geen meter erboven, hangt Monica Vitti's kroonluchter. Ik wist dat ik de perfecte plaats voor dat schitterende pronkstuk zou vinden, en hier is het.

'Kijk eens naar de gebrandschilderde ramen. Pedro heeft ze met opzet rustiek gemaakt. Hij wilde de sfeer van Mexicaanse dorpskerken overbrengen. Zie je de kleurflarden die in het glas zijn gebrand? Dat is een oude techniek uit Spanje. Het geeft dimensie, waardoor de afbeeldingen bijna dansen in het licht.' Rufus wijst naar de plaatselijke symbolen: de vissen, de boot, de hamer en spijkers.

'Prachtig. Niemand zal Santa Rosa van Lima missen, die in dit raam stond en naar je keek alsof ze je dood wenste.'

'O, nee, de boodschap van schuld en boete is nu verdwenen,' verzekert Rufus me. 'Dit gaat over wedergeboorte en vernieuwing. Precies zoals je voor ogen had.'

Ik volg Rufus naar de watermuur en raak het water aan dat als een glinsterend gordijn van regen over de stenen muur vloeit.

'Stap achteruit,' zegt Rufus. 'Zie je wat we in de steen onder water hebben gekerfd?'

Ik zie het woord credo in eenvoudige letters. 'Ik geloof,' zeg ik. Opkijkend naar de watermuur voelen we ons net zo klein als de stenen die de voet van de doopvont vormen. Het is alsof ik aan de voet van een bergwaterval sta.

'Ja,' zegt Rufus, alsof hij mijn gedachten leest. 'Het is nog mooier geworden dan ik had gehoopt. En nu gaan we naar de fresco's.'

Ik loop achter hem aan naar het achtergedeelte van de kerk en hij begint de mousselinen draperieën weg te trekken. De muren zijn bedekt met schitterende kleuren, een enorm verschil met de stoffige, doffe tinten waar we jaren tegenaan hebben gekeken. Rufus heeft het wonder van Fatima geschilderd: een heuvellandschap met de drie kinderen die knielen in gebed. Op de heuvel zelf zien we de toeschouwers, de inwoners van het stadje. Tot mijn grote verbazing zie ik allemaal bekende gezichten. Wij zijn het! Wij allemaal. In de mensenmassa zie ik Lonnie, Toot, Gus, Anthony, Nicky, Zetta... alle gezichten van de inwoners van OLOF. Rufus heeft de parochiegemeenschap op de fresco's afgebeeld. Maria zweeft boven hen. Ze is veel strakker en moderner in zijn versie. Ze heeft geen dunne gepenseelde wenkbrauwen en sluier. In plaats daarvan is ze een echte vrouw in een soepel vallend blauw gewaad, met een sterrenkroon. 'Dat is Christina!' roep ik uit.

'Wie kan ons beter de tragiek van de wereld laten zien?' Rufus wijst naar het plafond. 'Heb je jezelf al ontdekt?'

Ik kijk omhoog naar een verzameling cherubijnen die vanaf de hemelwolken omlaag gluren. Ik zie mijn gezicht als jongen, glimlachend.

'Toot heeft me de foto van je eerste communie gegeven.'

'Ik weet niet wat ik moet zeggen, Rufus. Dit overtreft mijn stoutste dromen. Het is echt de kerk van de mensen. Ze zullen overdonderd zijn.'

'Tijdens de renaissance schilderden de meeste kunstenaars bestaande mensen uit hun families en dorpen. Het is een oud idee, maar ik vond het passend.' Rufus gebaart me om met hem naar het zijaltaar te gaan. Daar trekt hij het mousseline van de muur. Hij heeft de beelden van de kinderen van Fatima (in hun nieuwe kleren!) in een smalle stenen grot geplaatst. In plaats van de gebruikelijke bladen met votiefkaarsen staan er kaarsenhouders overal tussen de stenen, die als de kaarsen branden, het effect van een echte grot zullen creëren. Het ziet er precies zo uit als in de kathedraal in Santa Margherita; Rufus heeft mijn schetsen tot leven gebracht! Wat een volmaakt sfeerstuk voor deze Italiaans-Amerikaanse parochie.

'Heb je pastoor Porp al gezien?' Rufus wijst glimlachend. Zijn gezicht kijkt vlak bij de plint op naar Maria. 'Ik heb hem in de laagste hoek neergezet.'

'Het dichtst bij de hel.'

'Joehoe?' roept iemand uit de sacristie. Ik ben zo overweldigd dat mijn ogen vol tranen staan en ik niet scherp kan zien. Ik dep mijn ogen met een zakdoek.

'Hallo, Aurelia,' zeg ik even later, terwijl ik me afvraag waarom ze dit volmaakte moment door haar aanwezigheid moet ruïneren.

'Dit is spectaculair,' zegt ze zacht, en ze kijkt om zich heen om alles in zich op te nemen.

'We hebben het nog aan niemand laten zien,' zeg ik. Uiteindelijk heeft ze ons een substantiële donatie gegeven om het project van start te laten gaan, en ik wil niet onaardig zijn. 'Rufus heeft mij als eerste een rondleiding gegeven.'

Even staan we ongemakkelijk naast elkaar. We hebben zo veel

jaren lief en leed gedeeld. Capri en ik waren speelkameraadjes vanaf onze prille jeugd. Ik was nog maar een jongen toen ik voor Aurelia's man begon te werken. Haar huis was een van mijn eerste opdrachten als binnenhuisarchitect, en werd een eindeloos project, waar ik met alle plezier aan werkte. Ik vind het moeilijk wrok te koesteren jegens een vrouw die zo goed voor me is geweest. Ten slotte zegt ze: 'Ik wil je dit geven.' Ze overhandigt me een envelop.

'Wat is dat?'

'Het geld dat ik voor de renovatie had toegezegd.'

'Maar dat hebben we niet meer nodig.' Ik geef de envelop terug.

'Ik heb het nieuws van het beeldje en het geld gehoord, en het is verkeerd, B. Jij hoort dit niet te betalen.'

'Waarom zou jij alleen dat plezier mogen genieten?'

'Pardon?'

'Nee, echt, Aurelia. Waarom zou jij alleen dat plezier mogen hebben? In mijn hele leven, met alle kamers en huizen die ik heb ingericht, ben ik nog nooit zo gedreven geweest als bij deze kerk. Het was elke cent waard. Het was zelfs alle misère die je ons hebt bezorgd waard.'

'Daar heb ik spijt van.' Ze wendt haar blik af.

'Daar twijfel ik niet aan. En omdat je het meent, vergeef ik je.'

'Dank je.'

'Maar ik ben niet degene wie je om vergeving moet vragen. Je moet met Pedro gaan praten. Kijk eens naar zijn werk!' Ik wijs naar de ramen. 'Alleen een groot man kan zo'n kunstwerk maken.'

'Ik mis mijn dochter.' Aurelia begint te huilen.

'Er is maar één manier om dat recht te zetten.'

'Ik ben tot alles bereid. Ik dacht dat het een goed begin was om jou het geld te geven.'

'O, Aurelia, geld is niet alles voor me. Het is slechts een manier om schulden in te lossen. Begrijp me niet verkeerd. We hadden het nodig, maar ik heb hier een belangrijke les geleerd. Als je je werk goed doet, volgt het geld vanzelf. Het komt er gewoon. Maar het heeft niets te maken met iemands wezen. Waar het om gaat, is wat je maakt. Of het nu een taart voor de bingoavond is, of een kostuum voor een heilige, of een watermuur, dat waaraan je in dit leven je wezen geeft, maakt je rijk.'

'Ik heb vreselijke fouten gemaakt.'

'Dat is menselijk.'

'Capri wil niets meer met me te maken hebben.'

'Dat moet je niet voetstoots aannemen. Hoewel, ze is half Italiaans, en je weet hoe Italianen zijn. We spreken niet meer met elkaar als we ons beledigd voelen. Niets is effectiever dan iemand doodzwijgen, of naar een eiland verbannen, dat soort dingen. Maar ze heeft geluk dat ze ook half Joods is, en daarom, als jíj geluk hebt, zal ze haar armen om je heen slaan en alles vergeven en vergeten. Maar dat weet ik niet zeker, want ik heb het haar niet gevraagd.'

'Denk je dat ze met me wil praten? Wil jij me helpen, B?'

Rufus, Aurelia en ik zitten naast elkaar geklemd in de cabine van zijn vrachtwagen, waardoor ik moet denken aan die reclamefoto van de Marx Brothers waarop ze in een bananenschil gepropt zijn om de film *The Cocoanuts* te promoten.

We zeggen weinig; je hoeft geen genie te zijn om te beseffen dat Rufus Aurelia niet mag. Ik zit tussen hen in als een cannolivulling. Aurelia begint te sputteren als we de afslag naar Brooklyn Bridge nemen en in de wirwar van kronkelstraten terechtkomen die naar het pakhuis voeren. Dit is een plek waar ze haar dochter liever niet op bezoek zou laten gaan, laat staan zou laten wonen.

Aurelia klimt langzaam de trap op naar de studio. Rufus snelt voor me uit. Als ik met Aurelia boven ben, heeft hij de deur opengezet. Capri wacht ons midden in de enorme ruimte op. Rufus en Pedro zijn nergens te bekennen.

Aurelia stapt naar binnen en kijkt naar de steiger, de met verf-spatten bedekte vloer, de vuile ramen die openstaan om wat van die heerlijk frisse Brooklynlucht binnen te laten, en ten slotte naar haar dochter. Ze moet haar tranen inhouden, maar ik zie hoe blij ze is om te zien dat het goed gaat met haar dochter.

'Ik laat jullie tweetjes alleen,' zeg ik.

'Nee, blijf,' zegt Capri zacht. Ze gaat naar haar moeder en om-helst haar. Aurelia begint te huilen.

'Kun je me ooit vergeven?' vraagt ze haar dochter.

'Natuurlijk.'

'Ik wilde dat er niets veranderde,' zegt Aurelia zacht. 'Ik wilde dat alles bleef zoals het was, met jou en mij en pa. Toen we zo ge-lukkig waren.'

'We waren gelukkig, ma. Maar dat was voor ik mijn eigen leven wilde inrichten. Ik wilde alleen maar wat jij ook had.'

'Dat begrijp ik nu.'

'Ik ben getrouwd.'

'Dat weet ik.'

'Pedro is mijn leven. Ik wil dat je dat ook weet.'

'Mijn moeder kon altijd goed overweg met haar schoonfami-lie. Ze zei altijd: "Als jij van hem houdt, hou ik ook van hem." Ze trok nooit iemands keuze in twijfel als het op trouwen aankwam. Ik schaam me zo dat ik haar voorbeeld niet heb gevolgd.'

'Het geeft niet, ma.'

'Waar is Pedro?'

'In de keuken.'

'Ik zou hem graag even alleen spreken, als dat kan.'

Capri en ik kijken haar na als ze naar de keuken loopt.

'Wat is er gebeurd, B?'

'Het wonder van de nieuwe Fatimakerk. Ze kwam langs om mij te zien en onderging een transformatie bij de watermuur.'

Capri lacht. 'Meer was er niet nodig?'

Even later komen Pedro en Aurelia hand in hand uit de keuken.

'Ik heb net de eerste bruiloft in je prachtige nieuwe kerk gereserveerd,' zegt Aurelia.

'Ik wil graag een mis,' zegt Pedro tegen Capri, zichtbaar opgelucht dat de onmin tussen moeder en dochter verleden tijd is en hij niet door oeroude Mexicaanse vloeken geplaagd zal worden.

'Dan zal ik waarschijnlijk de komende tijd de bruiloft plannen,' zeg ik.

'Oom, waar moeten deze slingers hangen?' vraagt Two bij het altaar.

'Om de zuilen!' roep ik terug. 'Wikkel ze als crêpepapier om de pilaren!' De langste, met de madeliefjes, gaat om de waterbak onder aan de muur.' Two knikt. Ik klim van de ladder en help Zetta en de vrouwen van de congregatie met het plaatsen van armkandelaars aan weerszijden van de ingang.

'Wat een mooie versiering,' zegt pastoor Porporino, die achteruitstapt om te kijken naar de bloemenguirlandes van verse madeliefjes, rode rozen en witte tulpen die rond de onderkant van de koortribune zijn gedrapeerd.

'O, dat is lang niet alles, meneer pastoor. De mariachiband uit Philadelphia komt – Capri zal de kerk binnenkomen onder trompetgeschal – en wacht tot u de traditionele lasso ziet!'

Hij verbleekt, maar weet toch een glimlach op zijn gezicht te toveren. Per slot van rekening ben ik de weldoener, wat betekent dat ik mag doen wat ik wil! 'De eerste huwelijksinzegening in onze nieuwe kerk. Dank je, Bartolomeo. Elke dag dank ik God voor wat je hier bereikt hebt.'

'Meneer pastoor, ik deed het met heel mijn hart. Het enige wat ik ooit wilde, is een schitterende kerk voor onze mensen. En nu hebben we die.'

'Ga naar huis en kleed u om, oom. Ik heb alles onder controle.'

Two duwt me met zachte hand naar de deur.

'Vergeet niet de kaarsen aan te steken voor de eerste gast zit. Dim Monica Vitti's luchter boven het altaar. De mariachi's moeten op de koortribune.'

'Ik weet het, ik weet het allemaal. Ga.'

Onder het naar huis rijden bedenk ik hoe blij ik ben voor Capri, en vooral ook blij dat het háár bruiloft is en niet de onze. Als Sy Mandelbaum nog leefde, zou hij haar vol trots door het middenpad begeleiden. Hij maakte zich altijd zorgen om haar, dat Aurelia te overheersend was, dat Capri door al haar kwaaltjes te veel binnen zou blijven en geen sociale contacten zou hebben, en dat zijn geld misschien geen voordeel, maar juist een belemmering voor haar zou zijn om haar weg te vinden. 'Je hoeft je nergens zorgen om te maken, Sy!' zeg ik bij wijze van vriendengebedje naar de hemel. 'Het is allemaal gegaan zoals je wilde.'

In mijn slaapkamer sta ik voor mijn driedelige spiegel, doe een stap achteruit en kijk tevreden naar mijn reflectie. Ik ben gekleed in een strakke wollen toreadorbroek en een roodfluwelen bolero met gouden bies. Het helderwitte overhemd flatteert mijn zongebruinde huid, en zelf vind ik dat ik eruitzie als een Italiaanse Cary Grant.

Alle mannelijke bruiloftsgasten, inclusief Rufus, zullen de ceremonie in traditionele Mexicaanse kleding bijwonen. Mexicanen houden net als Italianen van veel mensen bij het altaar. Het is pas een echte bruiloft als het zo druk is dat het lijkt op een eindexamenfeest van een grote middelbare school. Pedro heeft een gevolg van twintig man en Capri heeft twintig vrouwen bij elkaar gezocht. Dat was nog een hele uitdaging, want Capri heeft zo weinig vriendinnen dat ze twee vrouwen met wie we vroeger op de kleuterschool hebben gezeten, heeft gevraagd om bruidsmeisjes te zijn: mijn aangetrouwde achternicht, de pittige Monica Spadoni, en Coco Ciabotto, die erin slaagde van polio te genezen en een eigen dansstudio is begonnen, Tots in Tights.

De vrouwen dragen witte zijden flamencojurken, met elk een waaier die versierd is met kristalletjes en kant. Tante Edith heeft tot bloedens toe de kilometers roesjes voor de rokken zitten stikken.

Ik hoor een claxon; mijn lift is er. Ik haast me naar buiten, maar pluk in het voorbijgaan nog snel een rode roos van mijn rozenstruik om in mijn revers te steken. Een blije dag verdient een versgeplukte bloem, en een dag waarop ik vrijgezel blijf, verdient een boeket! Opluchting is een heerlijk gevoel, zeer onderschat. Ik vind het eigenlijk fijner dan uitgelaten vreugde. Opluchting laat de band van pijn leeglopen. En vandaag wentel ik me erin. Ik hou van iedereen die ik zie, en iedereen is mijn vriend. Ik heb Capri's leven niet geruïneerd door niet met haar te trouwen. In werkelijkheid heb ik haar de ruimte gelaten om het ware geluk te vinden, en daarmee het mijne veiliggesteld.

Ik stap in Rufus' vrachtwagen naast Christina, die een schat van een flamencojurk aanheeft, met een mooie mantilla. Ik kijk naar Rufus in zijn bolero en strakke broek. 'Je ziet eruit als de Notenkraker.'

'Wiens idee was dit?' zegt hij ongelukkig.

'Dat van Pedro. En maak je niet druk, Capri heeft haar eigen aandeel doorgedrukt. Hij voert een joods ritueel uit, en Capri krijgt haar Italiaanse muziek en samen zijn we een fantastische bende Azteken, tot en met onze witte sokken en schoengespen!'

'Je bent helemaal een knappe Mexicaan.' Christina kust me op de wang. Tegen Rufus zegt ze: 'En jij... niet helemaal.'

Voor de kerk staat een file. Op het plein wemelt het van de feestgangers: familie, vrienden, zelfs de gouverneur van New Jersey en zijn knappe vrouw.

Aurelia ziet er prachtig uit in een roze japon met bijpassende mantilla. Haar broer begeleidt haar naar het altaar, en ze weent aan één stuk door.

Ik sta achter in de kerk en zie dat pastoor Porporino zijn plaats voor het altaar inneemt. Pedro komt uit de sacristie en gaat naast hem staan.

'Psst. Bartolomeo!' sist Nellie Fanelli terwijl ze me in de ribben port. 'De kerk is prachtig geworden,' fluistert ze.

'Dank je.' Ik vind dit niet het moment voor een kletspraatje.

'Ik moet je iets zeggen.'

'Nu?' Ik begin me te ergeren.

'Zie je meneer pastoor daar staan? Hij mag daar bij Gods gratie blijven staan.'

'Waar heb je het over?'

'Ik heb hem gechanteerd.'

'Wát zeg je?'

'Ik ben naar hem toe gegaan en heb gezegd dat hij Patton en Persky maar beter kon ontslaan en jou de opdracht geven, want anders zou ik naar de bisschop gaan met wat informatie over hem.' Ze geeft me een knipoog.

'Wat bedoel je in vredesnaam?'

'Hij heeft een vrouw.'

'Wie heeft een vrouw?'

'Pastoor Porp. Ik heb hem met Zetta Montagna in de pastorie betrapt. Ik deed de strijk daar vroeger ook.'

Ik ben met stomheid geslagen.

'De juiste man heeft de opdracht gekregen.' Nellie geeft me nog een por en loopt weg om een zitplaats te zoeken.

Even vrees ik dat ik moet gaan liggen. Dit lijkt te veel op Toots bruiloft: de hitte, het drama, de emotionele overbelasting, en de misselijkmakende onthullingen. Maar als ik naar het middenpad kijk en zie hoe het zonlicht in kleine sterretjes van de watermuur af spat, kan het me geen zier schelen hoe ik aan de opdracht ben gekomen. Ik ben gewoon gelukkig dat ik hem heb gekregen.

Capri heeft er uit respect voor haar vader voor gekozen om alleen door het middenpad te lopen terwijl de mariachi's 'The Isle of Capri' spelen.

De traditionele Mexicaanse lasso, een rozenkrans van zijden kwastjes (bedankt, Mary Kate Fitzsimmons en Scalamandré), wordt door Amalia, die een tiara draagt van rozenknopjes passend bij het lijfje van haar witte boerenjurk, aan de pastoor overhandigd. Pastoor Porporino drapeert de lasso over Capri en Pedro in de vorm van het cijfer acht. Pedro's vader draagt een gebed voor liefde en vruchtbaarheid op. Pastoor Porporino zegt de geloften voor, terwijl Pedro en Capri elkaar aankijken met genoeg liefde om met gemak de hele kerk meerdere malen te vullen.

Dan krijgt Pedro het glas in de fluwelen zak, en ik denk aan Sy Mandelbaum als Pedro het met zijn voet verbrijzelt. 'Mazzeltof!' roepen de Mandelbaums, die soepel overschakelen van het ene naar het andere ritueel in de katholiek-joods-Mexicaanse ceremonie. Als Capri en Pedro elkaar zoenen, worden er twee duiven losgelaten. Ze vliegen recht door het open dakraam de wijde wereld in.

Als ik mijn favoriete seizoen aan zee zou moeten uitkiezen, zou het de herfst zijn. Bij het zoute water is het gebladerte minder levendig, maar niettemin mooi. Lichtgele, zandbruine en verschoten roodbruine bladeren bedekken mijn tuin als fluwelen bloemblaadjes. Als ik ze in kleine hopen bij elkaar hark, denk ik terug aan hoe het een jaar geleden was, en hoeveel er in die korte tijd veranderd is. Ik geloofde niet dat het mogelijk was om jezelf na je veertigste totaal te vernieuwen, maar hier ben ik, een veranderd kunstenaar met een nieuwe blik op het leven.

De bries onderstreept mijn gedachten als zachte muziek. Plotseling hoor ik het knerpen van autobanden op mijn oprit. Als ik opkijk, zie ik Toot in haar Cadillac, gevolgd door drie andere auto's. Het is een stoet.

Toot springt uit haar auto. 'B! B! Waar ben je?'

Ik zwaai vanuit de tuin. Ik zie Nicky en Ondine uit een auto stappen en Anthony en Two uit de volgende. Als laatste, een paar passen achter hen, volgt Lonnie. Iedereen schreeuwt door elkaar, blijkbaar wordt een verhitte ruzie hervat.

'Wat is er aan de hand?' Ik sta met mijn hark omhoog als een klaar-over met een spiegelei.

'Waarom hebt u ons niets verteld?' Nicky priemt naar me met zijn vinger.

'Wat moest ik vertellen?'

'Dat pa en ma een relatie hebben!'

Two en Anthony kijken me verwachtingsvol aan. 'Sorry, oom,' zegt Two. 'Ik heb hun gesmeekt om u hier niet mee lastig te vallen.'

'Lastigvallen?' zegt Anthony. 'Hij zit in het complot!'

'Ik zit in geen enkel complot. De… overeenkomst tussen jullie vader en moeder is hun zaak. Ik heb er niets mee te maken, nu niet en nooit.'

'O, nee, hier kunt u zich niet uit wurmen,' zegt Nicky. 'U hebt ons praktisch opgevoed, en we hebben u nodig. U moet dit recht-trekken.'

'Vergeet het maar.' Ik draai me om, leg mijn hark op mijn krui-wagen en til de handgrepen op om hem naar de garage te sturen. Ze lopen achter me aan.

'Waar is de baby?' vraag ik Ondine.

'Bij mijn moeder.'

'Ik wilde niet dat Moonstone dit moest aanzien!' schreeuwt Nicky.

'Ach, kom!' schreeuwt Toot terug. 'Je vader en ik ontmoeten el-kaar nog steeds, nou en?'

'Het maakt ons niet uit als jullie af en toe met elkaar lunchen. Het gaat ons om de seks!' zegt Anthony.

'Wat maakt dat jullie uit?' gromt Lonnie. 'Hoe denken jullie in godsnaam dat jullie op de wereld zijn gekomen?'

'Precies!' valt Toot hem bij.

'Jullie bedriegen Doris!' brengt Nicky naar voren.

'O, waren jullie maar zo voor mij in de bres gesprongen toen hij míj bedroog!'

'Dat is anders,' werpt Anthony tegen. 'Jij was zijn vrouw. Nu ben jij zijn comare.'

'Zou het enig verschil maken als ik wegging bij Doris en weer bij je moeder terugkwam?' vraagt Lonnie. Nicky en Anthony mompelen wat. Two kijkt me aan en slaat zijn ogen ten hemel.

'Lonnie, ik wil niet dat je terugkomt.'

'Wát?'

'Ik wil het niet. Ik hou van een verzetje op zijn tijd, maar ik hoef niet de hele mikmak erbij. Als het jou om het even is, zetten we onze overeenkomst voort zoals hij is, of helemaal niet.'

'Wil je met me breken?'

'Dat wil ik niet, maar als iedereen er zo moeilijk over doet dat we een relatie hebben, waarom zou ik er dan mee doorgaan? Ik ben per slot van rekening een moeder.'

'En een grootmoeder,' zeg Ondine ernstig. Arm kind. Na de geboorte van haar kind is ze veranderd van een hitsige New Jersey-versie van Connie Stevens in een Eleanor Roosevelt.

Nicky werpt zijn handen in de lucht. 'Wat voor rolmodellen zijn jullie? Jullie lijken wel pubers.'

'Het is niet echt koosjer,' moet ik toegeven.

'Hoor wie het zegt! Wat heb jij voor voorbeeld aan mijn zonen gegeven op liefdesgebied?' vraagt Toot vinnig.

'Ik wist niet dat dat bij mijn taak als oom hoorde.'

'Natuurlijk wel. Als je getrouwd was, zou ik nu niet met twee ongetrouwde zonen zitten die als twee brokkenpiloten de dertig naderen.'

'Ik heb de tijd, ma,' zegt Anthony.

'Ik trouw nooit,' zegt Two.

'Zie je nou? Zie je? Jouw vrijgezellenstatus heeft onze familie wel degelijk beïnvloed. Wat zeg ik, doordrenkt, als motorolie op een lap katoen! Waarom wil je niet trouwen, Two? Dat komt door mij, hè? En door alles wat pa ons jaren geleden heeft aangedaan.' Toot slaat haar arm om Two heen.

'Nee, dat heeft er niets mee te maken,' zegt Two. 'Ik ben van de andere kant.'

'Wat betekent dat in vredesnaam?' vraagt Lonnie.

'Ik hou wel van verschillende soorten kant,' zeg ik. Ze kijken me allemaal aan. 'Ja, het is niet anders.'

'Het betekent dat ik op mannen val,' zegt Two zonder omwegen.

'Jezus christus, wat zeg je daar?' buldert Lonnie.

'Ik ben homoseksueel,' zegt Two zacht.

'Ik wist het wel,' zegt Anthony zelfgenoegzaam. 'Het komt door het theater.'

'Weet je het zeker?' vraagt Nicky aan Two.

'Waarom zou hij dat zeggen als het niet zo was?' blaft Lonnie. 'Om mij een hersenbloeding te bezorgen?'

'Ik geloof niet dat je over zoiets kunt twijfelen,' zegt Ondine.

'Iedereen weet dat er geen Italiaanse homo's bestaan!' Lonnie klampt zich vast aan strohalmen.

'Da Vinci, Michelangelo, Tiepolo… Zal ik doorgaan?' Two kijkt mij aan.

'Nee!' roept Lonnie. 'Nou, in elk geval heeft hij het niet van mijn kant van de familie!'

'Nee, van jouw kant zal ik dichtgeslibde aderen, prostaatkanker en diabetes krijgen, pa,' zegt Two diplomatiek.

'Ik ben sprakeloos,' zegt Toot zacht.

'Ma, je wist het allang.'

'Misschien wel. Maar ik dacht niet dat je het ter sprake zou brengen! Ik had je nooit met Halloween de communiejurk van Christina de weduwe moeten laten dragen toen je zeven was. Dat was een grote fout.' Toot schudt haar hoofd.

'Dat heb ik je toen ook gezegd!' herinnert Lonnie zich. Dan kijkt iedereen naar mij.

'Waarom kijken jullie zo?' vraag ik. 'Denken jullie dat ik van de andere kant ben?' Niemand geeft antwoord. 'Oké, luister dan goed: Two, wat je ook bent, je bent mijn neef en ik hou van je. Ik heb moeten leven met een vader die niet van andere vrouwen kon afblijven, en een moeder die daar eenenvijftig jaar lang om heeft gehuild, en ik heb ze daarom nooit veroordeeld. Toot is met jullie vader getrouwd, een goede man, maar niet zonder bepaalde zwakheden, en hem heb ik ook nooit veroordeeld. Voor mij is een familie die groep mensen die van je houden om alles wat je bent, ongeacht wat ze ervan vinden. Dus, als jij van de andere kant bent, vind ik dat prima.'

'Ja, natuurlijk,' zegt Lonnie. 'Jij bent binnenhuisarchitect. In jouw beroep wemelt het ervan.'

'Dan zal ik je eens wat vertellen, Lonnie. Ze zijn overal. Zelfs in de juweliersbusiness. Zelfs in de r.-k. business.'

'Lieve god,' verzucht Lonnie.

'Weet je, ik vind het heerlijk om vrijgezel te zijn. En ik word er doodmoe van om dat steeds te moeten uitleggen. Ik hou van mijn familie, maar ik wil zelf geen gezin.' Ik wijs naar hen. 'Ik heb... dít nooit gewild. Mijn grote liefde is mijn werk. Ik heb nooit iemand ontmoet die me net zo in vervoering bracht als een blanco blad in een schetsboek.'

'In elk geval is het goedkoper dan vrouwen,' zegt Lonnie.

'Ik heb geen gezin omdat ik dit niet wil.' Met een handgebaar maak ik duidelijk dat ik hen als groep bedoel. 'Ik hou niet van drama. En nu moeten jullie in je auto stappen en terugrijden naar Toot en aan tafel gaan zitten en jullie problemen uitpraten. Als jullie niet willen dat pa het met ma doet, zeg het dan tegen hen, niet tegen mij. En, Two, bedankt dat je ons je nieuws hebt verteld. Zo, en laat me nu alsjeblieft in vrede mijn bladeren bijeenharken.'

Na nog wat onderling geharrewar nemen Toot, Lonnie, Nicky, Ondine, Anthony en Two mijn aanwijzing ter harte, stappen in hun auto's en vertrekken. Ik duw mijn kruiwagen terug naar de tuin en ga verder met harken. Wat grappig. Men vraagt zich af of ik homoseksueel ben. Iedereen wil toch de ware tegenkomen? Dat is toch al min of meer een gegeven bij de geboorte? Zelf wist ik al lang geleden dat ik nooit genoeg aan één persoon zou hebben. Mijn droompartner zou half Eydie Von Gunne en half Rufus McSherry zijn. Helaas is dat een onmogelijkheid, in deze wereld althans, dus zal ik wachten tot de volgende, waarin alle raadselen opgelost en alle geheimen onthuld worden.

De di Crespi's, Falcones en Doyles verzamelen zich op een warme dag in september in de hal van de Fatimakerk, in onze mooiste zondagse kleren. Baby Moonstone, die met zeven maanden al te groot is om in onze familiedoopjurk te passen, is gehuld in een witte smoking met een vlinderdasje. Hij is zo uit de kluiten gewassen dat hij in de doopvont zou kunnen zwemmen, zonder kopje onder te gaan.

'Kijk eens, Ondine, we zijn katholiek,' zegt Toot geduldig. 'En katholieken hangen over het algemeen de regel aan dat er in de doopnamen een heiligennaam moet voorkomen. Zo hoort dat.'

'Bestaat er geen St.-Moonstone?'

'In geen enkel boek dat ik heb geraadpleegd.' Toot werpt een blik in mijn richting.

'Ik vind het mooi klinken.' Ondine haalt haar schouders op.

'Misschien zal pastoor Porp de naam toestaan,' suggereer ik. 'Ik zal het hem vragen.' Ondine kijkt me dankbaar aan.

'We moeten dit kind laten dopen,' zegt Toot nerveus. 'Ik ben nu zover dat het me niet uitmaakt hoe je hem noemt. Ik wil absoluut geen gedoe.'

'Ik zou katholiek kunnen worden,' biedt Ondine aan.

'Dat duurt een jaar.'

'Waarom?'

'Omdat je alle regels en voorschriften moet kennen. En je moet lessen volgen, en dan de sacramenten ontvangen: het doopsel, de eerste communie, de biecht en dan het vormsel. En dan moeten jij en Nicky voor de kerk trouwen, en pas daarna kun je katholiek worden.'

'Ze maken het de mensen niet echt makkelijk.'

'Dat is een veel gehoorde kritiek.'

'Jemig.' Ondine schudt haar hoofd. 'Waarom is het zo zwaar om katholiek te zijn? Als je methodist wilt worden, hoef je alleen maar op te komen dagen.'

Pastoor Porp ontmoet ons achter in de kerk om ons naar het altaar voor te gaan voor de doop. Moonstone Falcone is de eerste baby die in de nieuwe kerk wordt gedoopt. Meneer pastoor deed niet moeilijk over de naam, wat betekent dat ik als weldoener tegenwoordig wel enige invloed heb in dit bisdom van Rome, wat eerst niet het geval was. De plechtigheid is kort en mooi. Daarna stappen we allemaal in onze auto's en gaan naar de Villa di Crespi voor een feestelijke lunch.

Christina en Amalia, die altijd voor me klaarstaan, zijn in mijn keuken bezig met het garneren van de borden. Ik geef Amalia een mand met opgerolde linnen servetten om mee naar buiten te nemen. 'Christina, loop even met me mee,' zeg ik tegen haar.

Ze volgt me naar mijn slaapkamer. 'Wat is er, B?'

Ik wijs naar een pakket dat tegen het bed staat geleund, twee meter veertig breed, en een meter tachtig hoog, ingepakt in bruin papier. 'Dit is gisteren voor je aangekomen. Er zat een briefje bij.' Ze maakt het open.

Lieve Christina, dit is in de toekomst voor Amalia bestemd als deel van haar familie-erfgoed, maar tot die tijd hoop ik dat je ervan geniet. Liefs, Rufus

Ik help haar het touw om het pakket los te maken. 'Heb je nog contact met hem?'

'Af en toe. Hij is momenteel in Italië. Hij heeft ons een kaart gestuurd.'

Christina trekt het bruine papier voorzichtig omlaag. Dan zien we in een vergulde rococolijst Michael Menecola's schildering van de Italiaanse schoonheid. Christina slaat haar hand voor haar mond en lacht. 'Ik vroeg me al af wat er met haar gebeurd was.'

'Rufus heeft het voor je gerestaureerd.'

We blijven er even naar staan kijken, terugdenkend aan de dag waarop we haar onder de schildering achter het hoofdaltaar vonden. 'Ik denk dat Charlie hem had gemogen,' zeg ik tegen haar.

'En van haar had hij zijn ogen niet af kunnen houden,' zegt Christina met een geamuseerde blik naar de fraaie brunette.

We horen het geroezemoes van onze familie in de keuken.

'Tijd voor la festa!' Ik klap in mijn handen.

Als we terug zijn in de keuken, geef ik Toot de mozzarella-tomaatsalade. 'Ik zal kijken of de tafel in orde is.' Christina loopt naar buiten. Ik vraag Toot om haar te volgen. 'Wil je dit bij de antipasto zetten? Dank je.'

'Lief van je om dit feest te organiseren.'

'We hadden ons toch niet allemaal in Nicky's huis kunnen proppen?' vraag ik praktisch.

'Toch was het een heel gul gebaar van je.' Toot draait zich om en kijkt me aan. 'Weet je, ik zou niet weten wat we zonder jou moesten beginnen.'

'Jullie zouden het prima redden. De servetten zouden niet bij elkaar passen, en het serviesgoed zou hier en daar licht beschadigd zijn, en iemand zou vast wel de saus laten aanbranden. Maar verder zouden jullie er gewoon iets van maken.'

'Nee, ik meen het. Je bent er altijd voor ons. Je maakt van alles iets moois. Ik wil dat je weet dat ik dat besef.'

'Ik doe het graag, zusje.'

Doris komt de keuken in met een gelatinepuddingvorm. 'Waar zal ik deze neerzetten?'

'Zet maar meteen op tafel.' Ik wijs: 'Er staat een schaal ijs in het midden. Zet hem daarin.' Ze glimlacht en loopt weg. 'Ik mag vrouwen die doen wat je zegt. Hallo, Lonnie.'

Lonnie heeft een biertap bij zich. 'Anthony zet het vaatje vast in de tuin.'

'Uitstekend.' Ik pak een schaal kipkoteletjes. 'Ik zie je buiten.' Als ik me omdraai en met mijn heup de achterdeur openduw, zie ik dat Lonnie Toot in haar billen knijpt.

Ik heb de tuin feestelijk versierd. De Marokkaanse feesttent van opvallend zwart-witgestreept canvas met hier en daar een Grieks motief heeft een circustentkoepel, en de flappen zijn vast-geknoopt aan de vier tentpalen, zodat iedereen makkelijk in en uit kan lopen. Een lust voor het oog met de zee op de achtergrond en de helderblauwe lucht erboven.

In de tent geeft Ondine de baby aan Doris, Christina mengt de salade, Amalia verzamelt de slakommetjes, Anthony vertelt Nicky een grap en Two deelt bier uit. Ondines ouders en zussen lijken zich prima thuis te voelen. Amalia rinkelt mijn grootmoeders kristallen tafelbel als Toot en Lonnie zich bij ons in de tent voegen. Ik gebaar subtiel naar mijn zus dat ze de vegen lippenstift rond haar mond moet wegwerken.

Als we aan de ruige boerentafel aanschuiven die door mijn grootvader is gemaakt, bedenk ik dat mijn familie al generaties lang op dezelfde wijze samenkomt. De zomer was altijd ons favoriete seizoen; dan aten we buiten in de schaduw van een boom handgerolde pasta met een saus van verse tomaten en basilicum uit eigen tuin, kaas van tante Carmella, olijfolie die onze nicht in Santa Margherita had opgestuurd, en wijn uit onze eigen kannen. Na al het eten, praten en lachen plukten we rijpe vijgen zo uit de bomen, pelden ze en aten ervan tot de zon in de blauwe avondlucht verdween. Die zomerdagen zullen me altijd bijblijven, en ik zal er alles aan doen om ze te laten herleven. Dat is wat het betekent om een di Crespi te zijn.

Ooit was er een tijd waarin familie meer betekende dan een gemeenschappelijke naam op een document. We hadden werkelijk een gemeenschappelijk doel, iets om samen aan te werken. Toen pa en ma nog leefden, kwamen de ooms en tantes en neven en nichten (of je hen nu wel of niet mocht) om te helpen met de druivenoogst en wijn te maken. En tussen al dat stampen, zeven, overhevelen en schenken door speelden we *bocce* onder de boom, een knoestige oude reus vol takken en oude nerven, die nu kaalgeplukt is. Ik herinner me hoe veilig ik me toen voelde en wenste dat het voor eeuwig zou duren.

Toen mijn ouders stierven, was Toot vastbesloten om de traditie voort te zetten, dus als de vakantie eraan kwam, kookte ze genoeg voor een leger, in de hoop dat als ze net zoveel voedsel in huis had als mama, bereid met dezelfde ingrediënten, opgediend in dezelfde schalen, de overledenen op magische wijze weer zouden verschijnen en alles weer zou zijn zoals het ooit was.

Wat we natuurlijk hebben geleerd is dat niemand terugkomt; het verdriet wordt deel van ons, net als een pasgeboren baby. Wat er ook gebeurt, als we oud genoeg worden, merken we dat het leven gewoon doorgaat. Italië en zijn invloed op ons lijken te vervagen met de opkomst van elke nieuwe generatie, als een stempel doordrenkt met inkt, die steeds opnieuw wordt gebruikt, tot de tekst uiteindelijk zo is vervaagd dat hij onleesbaar is geworden.

En zo komt onze familie 's zomers elke zondag na de mis bij elkaar om samen te eten, of met speciale gelegenheden, zoals deze. Elke zus, tante en nicht neemt nog altijd een speciaal gerecht mee. We kibbelen over het recept, wie het beter maakt, en wie het de volgende keer zal maken. We dekken een tafel, we komen samen, en we maken er wat van.

Voor degenen onder ons die er niet mee vertrouwd zijn, zoals Ondine, wier familie niet zeker is van hun wortels, die alleen weten dat ze al veel langer in Amerika zijn dan wij, voor die mensen zal dit waarschijnlijk een vreemd ritueel zijn. Waarom niet naar een restaurant gaan en van alle rompslomp af zijn? Waarom het jezelf niet makkelijk maken en een cateraar inhuren? Welnu, dat is onze stijl niet.

Zoals onze familie met elkaar omgaat, is puur Italiaans, te beginnen met het voedsel dat we eten, en eindigend met de pracht en praal van onze begrafenissen. De zorg die we aan onze recepten besteden, de uren die het bereiden van de maaltijden in beslag neemt en het ophalen van oude verhalen met dezelfde bekende uitsmijters maken ons blij. Natuurlijk is er ook een schaduwzijde: de ruzies, het doodzwijgen, het boze oog. Maar uiteindelijk wist de vergeving slechte herinneringen uit als een frisse regen. Voor een buitenstaander lijkt dat misschien hypocriet. Nou en? We zijn zoals we zijn.

We vinden zelfs af en toe een manier om onze familiegeschiedenis te herschrijven. Een comare wordt een vriendin van de familie. Het maakt niet meer uit dat ze achter oma's rug om met opa naar bed ging; ze was aanwezig bij alle belangrijke gebeurtenissen, dus is ze een van ons, een soort dierbare tante. De zakentransactie die mislukte toen oom en neef er geld in staken, ach, het was maar geld. De cocktailring die oma haar kleindochter naliet en aan de verkeerde hand terechtkwam toen zus ruzie kreeg met broer, ach, wie deert het? Het is maar een ring.

Wat ons anders maakt, is wat ons tot elkaar brengt. We zijn in de allereerste plaats Italianen; we kunnen sluw en inconsequent zijn, en voor de buitenwereld zijn we waarschijnlijk een temperamentvolle, grillige, bij elkaar kliekende clan die zich arrogant en quasisuperieur afzondert van de hogere cultuur. Maar de waarheid is dat we door dat alles een band hebben, via het beste en het slechtste in onszelf, door wat we zijn, hoe we in de wereld staan, en hoe we aan elkaar gehecht zijn. We zijn de som van dat alles: de toewijding, het blinde vertrouwen, de teleurstellingen, de kleineringen, de pijn, de verrassingen, de krankzinnigheid, en ja, die passie die ons drijft om met roekeloze overgave lief te hebben en met dezelfde intensiteit wrok te koesteren. Wat zou ik zonder hen zijn? Zou ik, met alles wat ik gezien heb en weet, een penseel ter hand hebben genomen om een ander beeld te schilderen? Nee. Ik zou het niet anders willen.

Dankwoord

Als iemand die alleen in een washok zit te schrijven, vind ik het steeds weer opnieuw bijkans een wonder hoeveel mensen zich ervoor inzetten om mijn boeken op tijd en mooi vormgegeven gepubliceerd te krijgen. Bij dezen een lijst met mensen die cruciaal zijn in dat proces; zonder hen zou ik niets voorstellen. Dus veel liefs en dank voor Lee Boudreaux, mijn briljante en tactvolle redacteur; en het team van Random House: Gina Centrello, succesvol uitgever met een benijdenswaardige achterban, onder wie Libby McGuire, Laura Ford, Jennifer Hershey, Carol Schneider, Tom Perry, Karen Flink, Kate Blum, Jennifer Jones, London King, Jennifer Huwer, Cindy Murray, Rachel Bernstein, Allyson Pearl, Magee Finn, Christine Cabello, Avideh Bashirrad, Stacy Rockwood-Chen, Judy Emery, Vicki Wong, Beth Pearson, Beth Thomas en Anthony 'Z' Ziccardi. Kim Hovey bij Ballantine heeft bijzondere kwaliteiten en ik ben dol op haar.

Allison Saltzman is de talentvolle creatieve geest achter mijn boekomslagen. Wie kent niet het gezegde: *You can't judge a book…*? Welnu, in dit geval hoop ik dat de tekst binnen in de prachtomslagen die aan haar talent ontspruiten, haar werk eer aandoet. Het audioboek *Rococo* is opgenomen door niemand minder dan toneel- en filmster Mario Cantone. Een lust voor het oor! Het audioteam van Random House kan ik iedereen aanraden: Scott Matthews, Amanda D'Acierno, Sara Chober, Susan Hecht, Carol Scatrochio, Aaron Blank, en de ongeëvenaarde Sherry Huber.

Bij William Morris: dank voor de ambitieuze, leeftijdloze en immer energieke Suzanne Gluck en de evenzo leeftijdloze Jennifer Rudolph Walsh, Cara Stein, Eugenie Furniss, Leora Bloch Rosenberg, Erin Malone, Judith Berger, Raffaella DeAngelis, Andy McNichol, Tracy Fisher, Candace Finn, Michelle Feehan, Alicia Gordon, Bari Zibrak en Rowan Lawton.

Vervolgens bij ICM: mijn heldin, de eeuwig jeugdige schoonheid met hersens Nancy Josephson en mijn grote vriendin Jill Howager.

Mijn collega-auteurs, ik heb grote waardering voor jullie talent en dank jullie voor alle steun en advies, en met name: Jake Morrissey, Thomas Dyja, Ben Sherwood, Susan Fales-Hill (dank voor je Franse vertaling!), John Searles, Rosanne Cash, zuster Karol Jackowkski, Robert Hughes, Charles Randolph Wright en Russ Woody.

Michael Patrick King, je bent mijn rots in de branding. Dank dat ik dagelijks van je wijze raad gebruik mocht maken.

Mijn vader, wijlen Anthony J. Trigiani, zou genoten hebben van dit verhaal, omdat hij als eerste Big Stone Gap in Virginia heeft laten kennismaken met smaakvol veloutébehang. En mijn moeder, Ida Bonicelli Trigiani, die uitblinkt in goede smaak, is mijn inspirator in het dagelijks leven en bij al mijn vragen over de inrichting van mijn huis.

Dan zijn er mijn mentors: wijlen Ruth Goetz en George Keathly. Bij het Italian American Playwrights Forum: Donna DeMatteo Rosemary DeAngelis, Theo Barnes, en wijlen Vincent Gugleotti; mijn docenten Reg Bain, Fred Syburg, Max Westler, zuster Jean Klene, Theresa Bledsoe en wijlen Greg Cantrell. Uiteraard mag ik degenen niet onvermeld laten door wie ik naamsbekendheid op tv kreeg: Bill Persky, Janet Leahy, Alex Rockwell, Laurie Meadoff en Gail Berman. Ik heb geluk dat ik mag werken met de fantastische producer Larry Sanitksky van Sanitsky Company, Susan Cartsonis en Roz Weinberg van Storefront Pix, onafhankelijk producent-auteur Julie Durk en de onvermoeibare Lou Pitt.

Ann Godoff, dank voor je stimulerende aanwezigheid tijdens mijn gestage klim op de ladder naar succes.

Dank aan mijn geweldige uitgever in Groot-Brittannië, Ian Chapman; mijn redacteur, de oogverblindende Suzanne Baboneau; de liefallige Melissa Weatherill; en tot slot Nigel 'Links van Carlisle' Stoneman.

Mary Testa, je ben uniek. Elena Nachmanoff en Dianne Festa, ik aanbid jullie.

Verder gaat mijn dank uit naar Gina Miele, voor haar Italiaanse vertalingen en uitgebreide kennis van alles wat met de kust van Jersey samenhangt; Helen McNeill van Saxony Carpets, de koningin van D&D; Randy Losapio met zijn scherpe blik en Jean Morrissey; Ellen Tierney en Jack Hodgins vanwege hun ongekende expertise betreffende meubels en antiek; Ralph Stampone van de ASID, die me liet kennismaken met Scalamandré. Dank aan Debra McGuire, imponerend binnenhuisarchitect, die me alles over kleuren en risico's nemen bijbracht, en de buitenwoon getalenteerde B Michael, die me leerde kijken naar structuur en vorm. Zeker pastoor John Rausch verdient vermelding voor zijn kennis van het rooms-katholieke geloof en feiten van voor en na het Tweede Vaticaans Concilie.

Verder draag ik de volgende mensen een warm hart toe: Ruth Pomerance, Wendy Luck, Graig Fissé, Stewart Wallace, Catherine 'Shag' Brennan, Cate Magennis, Wyatt, Dee Emmerson, Liza Persky, Jim Powers, Todd Steiner, Sharon Watroba Burns, Nancy Bolmeyer Fisher, Kate Crowley, Emily Nurkin, Adina T. en Michael Pitt, Maureen O'neal, Eydie Collins, Pamela Perrell, Carmen Elena Carrion, Jenal Morreale, Jim en Jeri Birdsall, Dolores en dr. Emil Pascarelli, Joanna Patton, Danelle Black, Jeff

Snyder, John Melfi, Andrew Egan, Grace Naughton, Gina Casella, Sharon Hall Kessler, Lorie Stoopack, Karen Gerwin, Constance Marks en James Miller, Denise Spatafora, Bill Testa, Sharon Gauvin, Beatrice Branco, Cynthia Rutlegde Olson, Jasmine Guy, Jin Horvath, Jim en Kate Benton Doughan, Joanne Curley Kerner, Dana en Richard Kirshenbaum, Daphne en Tim Reid, Carloine Rhea, Kathleen Maccio Holman, Susan en Sam Frantzeskos, Beata en Steven Baker, Eleanor Jones, Mary Ehlinger, drs. Dana en Adam Chedekel, Brownie en Connie Polly, Aaron Hill, Gayle Atkins, Christiana Avis Krauss en Sonny Grosso, Susab Paolercio, Rachel en Vito DeSario, Irene Halmi, Hannah Strohl, Matt Williams en Angelina Fiordellisi, Katen Kehela, Sally Davies, Liz Welch Tirrell, Jenny Baldwin, Mary Murphy, Marisa Acocella Marchetto, Elaine Martinelli, Lorenzo Carcaterra en Susan Toepfer, David Nudo, Laura Sonnenfeld, Bill Goldstein, David Blackwell, Todd Doughty, Joe O'Brien, Greg D'Allessandro, Anne Slowey, Barry en Molly Berkowitz, Carol Fitzgerald, Deb Stowell, Eric en Denise Lamboley, Dona Desancts, George Dvorsky, Rhoda Dresken, Beth Hagan, Jim en Mary Hampton, Patrick Kienland, Kathleen Sweenet en Bettye Dobkins, Mike Sieczkowski en Mark Yarnell, Rick en Laurel Friedberg, Nancy en Chris Smith, Iva Lou Daugherty Johnson, Phil en Patsy Vanim, Tom en Barbara Sullivan, Veronica Kilcullen, Madge Bryan, Amy Chiaro, Joanne LaMarca, Doris Shaw Gluck en Eleanor 'Fitz' King en haar dochters Eileen, Ellen en Patti.

Liefde en dank aan de families Trigiani en Stephenson.

Ik heb dankbare herinneringen aan Margarita Torres Cartegna en haar dochters Wendy, Cindy en Laura. Altijd zal ik blijven missen monseigneur Don Andrea Spada, June Lawton, Helen Testa, Ernest 'Poochie' Felder, Wayne D. Rutledge. Jim Burns, laat alsjeblieft een lichtje voor ons branden in de hemel.

Ten slotte is dit boek opgedragen aan mijn echtgenoot, die ales kan repareren, en mijn dochter die alles aan diggelen weet te krijgen; mogen jullie gelukkig en gezond mijn familie blijven, een heel leven lang.